〈私〉の哲学をアップデートする

永井均　入不二基義
青山拓央　谷口一平

春秋社

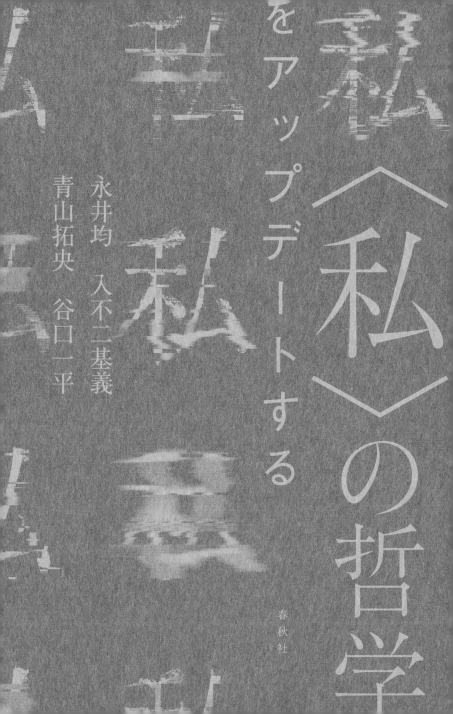

はじめに

本書は二〇二二年三月一八日に行われた「日本大学文理学部人文科学研究所主催第一七回ワークショップ「永井均先生古希記念ワークショップ：私・今・現実」」の書籍化である。ワークショップはZoomを利用して約四時間にわたって行われ、YouTube Liveによって同時中継された。

入不二基義、青山拓央、谷口一平がそれぞれ個人発表を行なったのち、永井を交えてそれぞれの発表にリプライがなされ、最後に視聴者の質問への回答がなされた。

本書はそのワークショップの記録に、そこでの議論が何について論じているのかを理解するための序章と、ワークショップを終えてそれぞれが考えたアフターソートを加えて構成されている。

このワークショップには前日譚のようなシンポジウムがあり、それが二〇〇九年三月七日、大阪大学21世紀懐徳堂で行われた公開シンポジウム「〈私〉とは何か――永井均に聞く」である。こちらのシンポジウムも『〈私〉の哲学　を哲学する』（春秋社）として書籍化されている。入不二基義、青山拓央はそのシンポジウムから引き続いて参加しており、問題意識もそのシンポジウムから引き継がれている。谷口一平もまたそのシンポジウムに聴衆のひとりとして参加しており、そのシンポジウムがなければ意識されえなかった問題を論じている。本書の議論をより理解するためにそちらもお読みいただければ幸いである。

永井　均

〈私〉の哲学

をアップデートする

目次

▶ 序章

問題の基本構造の解説

永井均

この序章は二つの目的のために書かれている。一つはもちろん、これから繰り広げられる議論が何についての議論なのか、あまりよく知らない人のためにそれを解説する、という目的である。もう一つは、少し前に復刊された『〈私〉の哲学　を哲学する』に同じ「序章　問題の基本構造の解説」という題目のもとに提示されたほぼ同趣旨の議論を、現在の見地から改訂するという目的である。二番目のほうは、どう改訂したかをいちいち指摘していくときわめて煩瑣になるのでそれはおこなわず、しかし両者を対比すればば違いはすぐにわかる、というように書かれている（そんな対比には興味のない方はこちらだけを読んでいただければそれで十分なのではあるが、この改訂版では取り上げられていない論点が打ち捨てられたというわけではないので、両方を読んでもらったほうが著者としては有難くはある）。

1　世界にいるたくさんの人の中に、私である（という点で例外的なあり方をした）人が含まれている、とはいったいどういうことなのか？

世界にたくさんの人がいる（し、これまでもいたし、これからもいるであろう）のに、なぜこの人が私なのか？　これが私の最初の問題であった。このことは私にはたいへん不思議なことに思われた。しかし、この言い方は正確ではなかったようだ。この言い方だと、きわめてたくさんの人の中からある特定の一人が選ばれていることの不思議さが、つまりその偶然性（確率の低さという意味での）が不思議に思われているのだと理解する人がいるらしいことを後から知った。もちろん、私はそんな理解のしかたがあろうとは夢にも思わなかったのだが。私を捉えたのは確率の問題などではなく存在の問題であった。

私は、そもそも私であるという（つまり他の人間とはまったく違うあり方をした）特殊な人間が存在しているということに、より正確にいえば私であるという（他の物とはまったく違う在り方をした）特殊な物が存在しているということに、驚いたのである。* そもそもそんなまったく異質なものがどうして存在できるのか？ そして、そういうまったく異質なものが存在するとは、じつのところは何が存在するということなのか？ これまで存在せずに今だけなぜか存在しているそのまったく異質な物はいったい何なのか（進化生物学や神経生理学や……はそれを説明できるのか）？ これが私の問いであった。

* ここで「私である」とは、世界がそこから開けている唯一の原点である、という意味である。人類史はもうかなり長いが、ずっとそんなものは存在しなかったし、もう少ししたらまた存在しなくなるだろう。なぜ今は、こんな変なものが存在しているのか。そして、その変なものはいったい何なのか。これがその謎である。

世界がそこから開けている唯一の原点であるということなら、だれでも（その人にとっては）そうなのではないか、といわれるかもしれない。たしかに、それはそれで真実であろう。* しかし、そのことが、そのことだけが問題であるならば、人類史のどの時点をとってもそうはいえるであろうから、数十年前に始まり、おそらくは数十年後に終わる、この期間にだけ起こっている、いつもとは違う不思議な出来事がいったい何であるのか、という問いのほうは等閑に付されてしまうことになるだろう。しかし、この期間にだけ起こっている、いつもとは違う出来事が存在すること自体は、疑う余地はない。それはだれにでも起こるようなことではない。現にたとえば江戸時代には起こっていなかった。現在存在している人だけに話しかけているので、江戸時代の人々を排除対象群としたが、これを日本語話者だけに話しかけていると見なして、排除対象群をたとえばアメリカ人にしても同じことがいえる。アメリカ人には起こっていない、と。

＊　このことの真実性を「疑う」という懐疑論的な哲学的態度がありうるし、現にある。しかし、私の問題意識はそれとはまた違う。この違いは重要である。私の問題意識はむしろ、そのことの真理性がまったく疑われない場合でもなお問題は存在し、なお残るその問題のほうが真の問題である、というものであるから。

この説明方式で、多くの場合、問題の趣旨は通じるのではあるが、かりに通じたとして、じつはそこには二つの疑念が含まれざるをえない。哲学的に重要なのは、むしろここから先なのだ。一つは、このような説明で趣旨が伝わる問題は私が最初に捉えた問題とは別の問題なのではないか、という疑念であり、もう一つは、この説明方式には若干の誤魔化しが、といってはいいすぎだとすれば、少なくとも若干の方便性が含まれてはいないか、という点である。

どちらも重要な疑念なのではあるが、前者のほうがより根源的な問題に触れているといえる。そもそもの私の問いは、世界にたくさんの人がいるのになぜこの人が私なのか、より精確にいえば、そもそもなぜ私であるという特殊なあり方をした人間が（今は）存在しているのか、という問いであった。そもそも存在しなくてもよかった（そういうこともありえた）し、存在する場合にも別の人がそれでもよかったのだから。その「私」が「世界がそこから開けている唯一の原点」という意味であるなら、だれでも（その人にとっては）そうであるのではないか、というありうる反問に対しては、そういうことであるなら人類史のどの時点をとってもそれはいえることになるだろうから、ほんの数十年前に始まって数十年後には終わるであろうこの期間にだけ存在しているこの特殊な人間の存在がいったい何であるかという問題は問えなくなってしまう、と私は答えていた。しかし、この期間だけ現実に世界が開かれるという極めて異例なことが起こっていることに疑う余地がないではないか、と。これはいったい何が起こっているのだろうか？

　そうだとすればしかし、そのことを他人に向かって（「あなたもそう思いませんか」というように）同意を求めて語ることがそもそも可能なのか、そもそも意味をもつのか、という疑問がまずはあり、かりにそれが成功した（成功裡に話が通じた）とすれば、必然的に最初の問題とは別の問題が伝わったことになるのではないか、という疑問が次に生じるに違いない。この問題は、たしかに存在するとしても、必然的に人に伝えるということが不可能な問題なのではないだろうか。

　ある意味ではその通りで、これは決して伝わらない問題なのではあるが、決して伝わらないというそのことを含めて、その構造そのものを伝えることは可能なのだ。一般構造を超えた特殊事実の存在をそういう一般構造の存在としてまずは伝え、伝わった人々がそれをふたたび一般構造を超えた特殊事実の存在に戻して捉える、ということができるのである。その場合でも、本来抽象化できない（むしろその事実こそが本質であるはずの）問題を抽象化して伝達しているとはいえるのだが、ここでは逆にむしろ、それなのにこの抽象化（による伝達）が可能であるということにこそ哲学的な関心が向けられなければならないはずだ。なぜそんなことが可能なのか、なぜそれが可能な構造をしているのか、その理由を知ることはたとえできなくても、その構造そのものをより深く理解することはできるはずである。

　それはおそらくこのような構造をしているだろう。そもそもの私の問い——世界のたくさんの人間の中に私であるという特殊なあり方をした人間が存在しているとはどういうことなのか——は、たしかにだれもがもちうる問いに変換可能なのではあるが、だれであれそれをもつ際には、「だれでも（その人にとっては）そうである」という仕方でもつことだけは決してできない、というようにできているのである。それをもつ際には必ず、自分だけが唯一例外的なそのことの現実的実例でなければならず、たとえだれもが自分だけが唯一例外的な現実的実例であると思うのだとしても、さらに自分だけがそのことの唯一例外的な現実的実例でなければならないのである。そのありさまは、どう頑張っても平坦に（＝だれもがそうであるという仕方で）外から眺めるということができず、外から平坦に眺める見地もまた可能であることを知ってはいても、それに同化しきることは決してできない。*

＊　この段落では、二箇所の傍点を打った「現実的」が重要である。この唯一例外的な突出は、ただそれのみが現実的な実例であるという一点によってのみ支えられており、それ以外のいかなる内容的な（内

包的な）違いによっても支えられていない。これがすなわち「無内包の現実性」である。（ただしもちろん、このような一般構造の説明の中でそれが語られる場合には、それは最終的な裸の現実性ではなく、そのことの概念的な説明にすぎないのであるから、当然、その意味で内包化されていることになる。）

以上のことから、まったくの一般論として、すなわち客観的な主張として、次のようなことがいえるはずである。われわれのこの世界には二面性があって、一面ではその中の一人だけが現実に「世界がそこから開けている唯一の原点である」ような世界なのだが、他面ではだれにとっても同様にその人自身が「世界がそこから開けている唯一の原点である」ような世界でもあるのだ。その二つのあり方の間には矛盾があり両立不可能であるにもかかわらず、これらは実際には重なって存在しているため、われわれはみな本質的に矛盾を内含した存在であらざるをえない。しかし、この矛盾はいわば階層差なのであって、現実には端的に自分ひとりから開けているその世界を（その形式を保持したままいわば階を上げて）だれにとってもその人から開けている世界として見ることが可能でなければならない。厳密にはこれはそう「見る」ことができるわけではなくそう「考える」ことができるだけなのではあるが、考えられたそのあり方を実在とみなすことがわれわれの世界構成のカテゴリカルな要求であるわけだ。*

* この対比は、実存と本質の対立に端を発しているとはいえ、感性と悟性の対立と見ることもでき、またホンネとタテマエの対立のように見ることさえもできる。

最重要な点なので確認のために繰り返すが、前段落で述べたようなことは、まったくの一般論として完全に客観的に主張することもできると同時に、原初の私の場合がそうだったように、ただ私ひとりだけにあてはまる事実として、ただそういうものとしてのみ、主張（はできずに心の中で密かに確信）することもできる、という二重性をもたざるをえない。述べられた二重性の理解それ自体が二重化されざるをえないのである。そして、さらにその二重性を、述べられたその事実が私自身の場合にもまたそのまま現れている、と見ることもできると同時に、逆に最初から、述べられた事実それ自体がただ私自身の場合から持ち込まれて理解される以外にそもそも理解の仕方がない、と見ることもできる。*

＊ 当然のことながらこの文の中の「私」は、「まったくの一般論として完全に客観的に主張することもできる」場合の「その中の一人だけ」のことを言っているのではなく、現実の唯一の私のことを言っている。（それゆえ、ここで次のようなことがいえることになる。「ここで私は「私」という語によって永井均を指してはいないが、私がいま事実として永井均である以上、他人たちが「私」とは永井均のことだと理解するとしても、それはそれでかまわない。ただ本質的なことは、私がこれを言う相手はみな私の言うことが理解できてはならないということである。」この点について詳しくは拙著『「青色本」を掘り崩す』の26を読まれたい。）

第一の「このような説明で趣旨が伝わる問題は私が最初に捉えた問題とは別の問題なのではない

か」という疑念に対する応答は以上のとおりである。次に、第二の「この説明方式には若干の誤魔化しが、といってはいいすぎだとすれば、少なくとも若干の方便性が含まれてはいないか」という疑念の検討に移ろう。

たとえば、「江戸時代にはだれにも起こっていなかった」というような言い方は、この文を江戸時代の人々が決して読むことがないという事実に基づいてはじめて効力を発揮する。「アメリカ人にはだれにも起こっていない」の場合も同じである。どちらの場合も、もし読みえたなら、読んだその人はこの文は反証されたと思うだろう。この特殊な意味での対機説法は、この文を原理的にだれもが読みうるという前提のもとでは、成り立たない。だからといって、この方法が姑息であるわけではない。たとえば教室での口頭の講義であれば、「今これを聞いている人以外には……」とか、その意味で「この教室の中に居る人以外には……」と語ることによって、有効な対比の創出に成功しているといえる。*

* ちなみに、まさにこれこそが第二人称と第三人称との違いなのだ、ともいえるのだが、この問題の説法のためには、第二人称は複数であるほうが望ましい、という論点も忘れてはならない。

しかし、本質的に有効な対比を構成するには、対比を時間的・空間的な対比から様相的な対比に移さなければならない。つまり、排除対象群を江戸時代の人やアメリカ人に取るのではなく、ある種の可能世界に居る人々に取らねばならない。ある種の可能世界とは、〈私〉が存在しない可能世界であ… ● ■ ▲ ▽ ◆ …

り、とりわけ重要なのは、現実世界で〈私〉であるその人は存在しているのに、その人がそこにおいては〈私〉ではないただの人であるような、そういう可能世界である。* そういう可能世界が存在すると考えられなければならない。別の言い方をすれば、だれかに中心化された可能世界とだれにも中心化されていない可能世界とが区別され、中心化されているかいないかという事実以外にはまったく同一の世界がその二つに区別できる必要があるわけである。

* 逆に、現実世界で〈私〉であるその人は存在していないのに、別の人が〈私〉であるような、そういう可能世界も存在してよいが、そのことをめぐる問題は当面の議論には関係ない。

この考え方もまた、まったくの一般論として完全に客観的に設定することもできると同時に、ただ私ひとりだけにあてはまる事実としてのみ設定することもできるのだが、ここでは他人に理解してもらうための説明方式として導入するのであるから、まずは前者として（のみ）考えることにする。だからそれはたとえば、上のような図を描きながら、次のように完全に客観的に説明することができるし、そうするべきであろう。「世界には●とか■とか▲とか▼とか◆とか……色々な人がいますが、そういう（図形の違いで表現されるような）属性の違いとは別に、一人だけ（白抜きで表現されるような）あり方そのものが他の人たちとはまったく違う人がいますよね」と。このとき重要なことは、この▽は語っているこの私であるといった含意はまったく含まれていない、ということである。このことからわかることは、この問題は人々が通常理解する意味での主観的な（＝主観に関する）問題ではない、ということである。説明はこれで完了であって、経験上、たいていの人はこれで問題の意味を完全に理解する。

しかし、このとき、人々は何を理解するのだろうか。この図において▽が〈私〉であるのなら、この図の中で▽自身が他のみんなにこの事実を説明しようとした場合にはどうなるだろうか。この図を使うことができないことはすぐにわかるだろう。▽がこの図を使って説明したなら、他の人々は皆「▽さんにとってはそうでしょうけど、私にとっては違いますよ」と言い出し、結果としておそらく、それぞれの人がみな自分を白抜きにした図を見せて「世界はこうなっていますよ」と言い出すであろう。すなわち、単一の白抜き存在というものは存在しなくなってしまうであろう。この図を使って問題を説明するにあたっては（したがってまたそのように説明されて問題を理解するにあたっては）、▽自身が発話者であってはならないのだ。事実はそうであって、そうであるからこそその問題を提示しているとしても、である。それはあくまでも、その図を使って図の外から説明され、図の外から理解される必要があるのだ。各人の個体化（個別化）は必要ではあるとはいえ、それは（形の違いで表現されているように、それぞれ違う個性を持っていますよ、という形で）たんに一般的になされるのでなければならない。問題の伝達のためには、発話者自身がどれかであってはならないのである。

とはいえ、これはあくまでも説明とその理解という場面においては、ということであって、問題の意味が伝達された後では、使われたこの梯子は捨て去られねばならない（正確にいえば、問題の意味が伝わった際には、使われたこの梯子はじつはすでに捨て去られている）。梯子を捨て去るとは、この図によって一般的に（すなわちだれによっても）理解されるようなことは、端的な事実に反しているという意味で誤りであって、この▽とはじつは「（他の誰でもなく）この私のことなのだ」と悟るということである。

ここには、禅的と言っても、あるいはまたキェルケゴール的と言ってもよいような、独特の実存論的な飛躍が介在している。この飛躍ができない人は、この問題を説明から理解することができない。説明から理解できないということはしかし、必ずしもこの問題が理解できないということではない。*むしろ逆に、言語的な世界理解のあり方に忠実であるかぎり、このような説明から問題の意味が理解できるのは不当である（勝手な飛躍が含まれている）ともいえるはずだからである。「…●■▲▽◆…」という世界の一般構造の提示において、▽は、一人だけ特殊なあり方をした人という意味でしかありえないのだから、この図を見たとたんに、「▽とは（他の誰でもなく）この私のことだ！」と悟ってしまった人は、図の意味していることを誤解し、それ以上のことを（自分勝手に）悟ってしまった、ともいえるからだ（その証拠に、他の人々も同じことを悟っているではないか！）。しかし、この飛躍をしないかぎり、説明されて問題の意味を理解するということはできない。ここでいったい何が起こっているのだろうか。

＊　説明からは理解することができないような人であっても、説明からではなく理解することならできる

かもしれない。それはすなわち、この種の一般論をまったく介さずに、この事実に独りでいきなり気づく、ということである。これはたしかに可能なのだが、これは可能だと、私が他者にかんして言うと、その際にはすでにこの種の一般論を介して語っていることになるので、この事実を外から語る方法はない、ということになる。この場合の「独りでいきなり気づく」ことの内容をその外から描写する方法は存在しない。

ここに飛躍が介在していることを理解することは哲学的に非常に重要である。この点はむしろ、この説明によって即座に問題の意味が理解できてしまった人に対して強調されなければならない。説明が提示しているかぎりの内容とそこから自分がつかみとった内容との間に存在するずれを認識することが、ここでの哲学的なポイントだからだ。それが理解されれば、問題の意味を理解しない人の側のもつ認識の（ある意味での）正しさもまた理解でき、理解できる派と理解できない派のあいだにある認識のずれに真正の「矛盾」を見てとることも可能になるはずである。それができればさらに、たとえば時間論におけるB系列理論や可能世界論における諸可能世界の実在論といった考え方にも十分な根拠があることも理解でき、時間論にも可能世界論にもここで見てとられたのと同型の矛盾が内在していることも理解できるはずである。

ところでしかし、この矛盾の捉え方それ自体にかんしてもその矛盾を反映した二つの捉え方（A型とB型と呼ぼう）がありうるので、ほんの少し突っ込んで説明しておこう。A型の矛盾把握はこうである。「現実には私だけにみんなに当てはまること以上のことが起こっているのに、現実にはそれが起こっていない人々にも、その同じことが起こっていることになっている」。この場合、現実には私にだけ起こっているという端的な事実を決して手放さずに、しかしそれと同じことが皆にいえるという別の事実を受け入れる、という矛盾がある。この捉え方の場合、前者を決して手放さないことが決定的に重要である。なぜなら、それが端的な事実であって、いま問題にしているのはそのことなのだから、それと同じことが皆に起こることなどは（問題にしていることの本質からして）ありえないことだからである。すなわち、この「と同じこと」が性質的・類型的に同じという意味であるなら、それはここで問題にしていることとは違うことを言っていることになるわけだ。そうではあるのだが、他人たちも皆まさにそれと同じことを主張するわけである――「現実には私一人だけが……」「この端的な事実は……」というように。この字面上の一致をどこまでも拒否し続けることこそがA型把握の眼目《ポイント》である（まさにそのことこそが言わんとしていることなのだから）。B型の矛盾把握はこうである。「だれでも自分だけが世界がそこから開ける唯一の原点である」。「だれでも」であれば「自分だけ」ではありえず、「自分だけ」であれば「だれでも」ではありえないから、ここには矛盾がある。しかしこれは、主体性を欠いた、静的な矛盾である。

A型をキェルケゴール的矛盾と呼び、B型をヘーゲル的矛盾と呼ぶことができるだろう。もちろん、それぞれ時間論におけるA系列とB系列という考え方に基づいてA、Bと呼ばれている。そうするとやはり、同じ問題を時間における今（現在）の場合でも考えておきたくなるので、この連関で必要なかぎりのことは簡単に説明しておこう。

時間の場合に適用されると、「…、●、■、▲、▼、◆、…」の並びは時計の文字盤あるはカレンダーあるいは年表のようなものを表現していることになるだろう。ふつう時間は左から右へと流れていると表象される。「…、●、■、▲、▽、◆、…」は、▽だけが現実の（端的な）今（現在）であることを表現していることになる。さて、この図を使って「どの時点もその時点にとっては今（現在）なのだが、そのこととは別に、端的な今（現在）というものが存在する」ということを、各時点たちに伝えるにはどうしたらよいだろうか。

　この図が文字盤あるいはカレンダーあるいは年表のようなものを表現しているのだとすれば、●や■や▲や▼や◆は時刻や年月日や出来事固有名を表現していることになるから、▽は大雑把に令和時代とか、細密に見れば二〇二二年八月三〇日午後四時一三分とか、ともあれ今（現在）である箇所を指すことになり、●はたとえばアジア太平洋戦争中などを、◆はたとえば百年後の二一二二年の現在と同じ日時などをそれぞれ指す、というようなことになるだろう。そうすると、太平洋戦争中は現実に端的に過去であり、二一二二年は現実に端的に未来なのだから、自明に今（現在）ではないではないか、と思う人がいるかもしれない。これはすなわち、端的な現実の現在というものが存在するのは自明ではないか、と言っていることにもなる。もちろん、そうも言える（という点が重要な）のではあるが、そのことが言えると考えるのは、発言というものはいつも現在において同時点にいる相手に対してなされるものだと思い込むことに由来する妄念にすぎないと見ることもできる（という点が重要な）のである。それは、「私」の場合に置きかえていえば、いつも自己内対話ばかりしているので、その際に自明に成り立つ真理が、他者との会話においても自明に成り立つと信じ込むのと同型の誤りだと見なすことができるのだ。

ここでの想定上の対話相手は、たしかに過去や未来ではあるのだが、それは「私」の対話相手が「他人」であるのと同じことで、その他人たちもそれぞれの人にとっては「私」であるように、その過去や未来もそれぞれその時点にとっては現在でなければならない（そうでなければ時点でありえない）。そう捉える場合、逆にまた、私もこの人にとって私であるにすぎないように、現実の今もまたその時点にとって今である時点にいるにすぎないともみなしうることになる。少なくともいったんはこの考え方を受け入れてもらわねばならない。そのうえで、「…、●、■、▲、▽、◆、…」の図を使って、「どの時点もその時点にとっては今（現在）なのだが、そのこととは別に、端的な今（現在）というものが存在する」ということを各時点たちに伝えるにはどうすればいいかといえば、やはり図の外に立ってこの形式それ自体を説明しなければならないだろう。すると、▽は任意の時を指すことになるが、それでもやはり、そういう特殊点は必ず存在しなければならない。これは〈私〉の存在にかんする客観的な一般論の段階に相当するが、時間論においては、A系列と呼ばれるもののうちとくにそのA関係と呼ばれるべき側面である。これに対して、現実の今（現在）は端的に二〇二二年八月三〇日にある、というのはA系列と呼ばれるもののうちとくにそのA事実と呼ばれるべき側面である。この二側面はA系列概念の内部で対立している。*

＊　ここでそこまで論じる必要があるかどうかはわからないが、じつをいえば、それとは別の対立もある。●も◆も…いつであれ、その時点においては現在であるということには、じつは二つの意味がある。どんな時をとっても、その時にとってのその時は現在である、といういわば文法的な事実と、どんな時を

とっても、その時が現在だった／になるだろう時は必ず存在する、という時間の場合に固有の事実である。（もし、前者は文法的事実だから疑いえないが、後者は事実問題を含むので疑いうる、という印象を持った方がおられたなら、拙著『独在性の矛は超越論的構成の盾を貫きうるか』の第4章の議論と対比して考えてみてほしい。）ともあれ、この二側面の間にも対立があるという点が、時制の哲学を人称の哲学よりもはるかに複雑なものにしているともいえはするが、そのおかげで端的な〈今〉の存在は〈私〉の存在よりも万人の賛同を得やすいという利点もある（とはいえこれが、先に「私」の場合に指摘した方便的限定とじつは同型の偶然的事実にもとづいているにすぎないこともまたここで洞察していただきたいところではある）。

したがって、「どの時点もその時点にとっては今（現在）なのだが、そのこととは別に、端的な今（現在）というものが存在する」ということを各時点たちに伝えるにはどうしたらよいか、という点について言えば、〈私〉の存在にかんしてこの図の「一般論として完全に客観的な」解釈を経由してそれが伝達されたのと同様に、時間論においてはA関係と呼ばれるべき側面を経由してA事実と呼ばれるべき側面の存在が伝達される、ということになる。だからここにも、キェルケゴール的とも禅的とも呼びうるような飛躍が介在している。*

＊　とはいえこれはべつに特殊なことではなく、時計の針の動きのもつ意味を、それを「今見る」ことにおいて理解するということの内にも、これと同型の構造が内在しているということを理解しなければな

らない。今見るその時、それと同じことがいつも起こることなどは（問題にしていることの本質からして）決してありえないことであると同時に、別の意味ではそれと同じことが常に起こるとも理解していなければ、時計の意味は理解できないからである。そして、そのことそれ自体がどの時点の「今」にも等しく起こる（かつ決して起こらない）ことを、である。このことの内に、A関係とA事実のこの特殊な関係が洞察されなければならない。

2　分裂と転移の思考実験

かつて私は、この問題を人に説明する際に、しばしば分裂と転移の思考実験について語った。前者は、私が二人の人間に分裂する場合を考える思考実験であり、後者は、私が他の人間になる場合を考える思考実験である。前者は、「私と完全にそっくりな人は必ず私か？」という問題を考察しており、後者は、「私とまったく違う人が私でありうるか？」という問題を考察している。この二つの考察は、人間（という世界の中に存在する客観的存在者）のもつ性質の違いによって、どれが私でどれが私でないかが決まることはない、ということを示すためのものである。したがって、もしこの考察が正しければ、どれが私であるかを決定するのは、文字通りの意味でメタ・フィジカルでスーパー・ナチュラルな何かであることになる。とはいえ、二つとも、これまで論じてきた意味での客観的な一般論であることは銘記されねばならない。

① 分裂の場合

分裂にかんしては、この思考実験はほぼ完璧に成功するとみなしてよい。「私とまったくそっくりな生き物は必ず私か?」という問いには、はっきりと否定的に答えることができる。私でないことは可能であるどころか、分裂の場合には、一方に関して必然でさえある。[*] 私が二人の人間に分裂した場合、分裂直後の二人は、見えている風景といった非本質的な瑣末な違いを除けば、まったく同じ諸性質を持ち、記憶のすべてを含めてほぼ同じ状態にある。つまり、空間的位置(とそれにともなう知覚状況)を除けば区別のつかない、性質的にほぼ等しい存在者である。にもかかわらず、その時点で一方が私なら、他方は私ではなく他人である(という最も根本的な違いがそこに生じうる)。

* 二人とも私である場合については、『マンガは哲学する』(岩波現代文庫)の第二章6の「ツイン・マン」状態についての記述を参照していただきたい。

一方が私であり、他方は私でなく他人であるとは、一方の目からは現実に世界が見えているが、他方の目からは見えておらず、一方の体が殴られると現実に痛いが、他方の体は殴られても痛くはなく、一方の体は現実に動かせるが、他方の体は動かせない、というような違いを意味する。ここに登場する「現実に」という語が、この議論においてしばしば話題になる「現実性」であり、とりわけ入不二氏の議論において中心的な役割を演じている。[*]

＊　かつて入不二氏が提起した「無内包の現実性」の問題については、二ヶ月前に復刊された『〈私〉の哲学　を哲学する』に、復刊に際して私が新しく付した「「入不二提案」と「風間質問」の関係について――復刊の辞に代えて」を見ていただきたい。

とはいえ、ここに、すでにしてきわめて微妙な問題が隠れていることを見て取るのはたやすい。なぜなら、一方の目からは現実に世界が見えているが、他方の目からは見えていない、等々、と言ったところで、その他方の人の観点に立っても同じことが言えるはずだからである。しかし、その他方の人の観点は、もうすでに現実に現実ではないのだ。現実に私であるのは、なぜかもう一方の方だけであったからである。もちろん他方の人は、その逆のことを言うであろうし、私の訴えと彼の訴えは、第三者の観点からは対等のものと受け取られるであろう（ここにすでに言語《ロゴス》の力による「現実性」の累進構造がはたらいている）。

　客観的に見ればどちらも同じ人間（私の場合なら二人とも永井均）なのに、一方は私であって他方はそうではない。これはどのような種類の事実なのだろう？　先ほどは、一方の目からは現実に世界が見えている、等々、といった言い方で答えたが、そのことは厳密には何を意味しているのだろう？　その「現実性」とは実のところは何であろうか？　それの有無はなぜ「最も根本的な違い」なのであろうか？

　この問いに、こう答えることもできるだろう。一方が私であって他方はそうではないとは、一方はすべてであって他方はそのごく小さな一部分にすぎないということなのだ、と。だからこそ、その違いはあまりにも明白であり、しかも「最も根本的な違い」なのだ、と。実際、ある意味では、私に見えるもの、私に感じられるものはすべてである。それが消滅すれば――世界内の一対象が消滅するのではなく――すべてが消滅することになる。* 見られ感じられる一対象でしかない他人は、私である人間と性質的にまったく同じ人間であっても、そのすべての一部にすぎないからだ。逆に言い換えれば、そのすべてをすなわち私であるとみなすという捉え方が可能で、そういう捉え方が理解できるからこそ、ここで論じられているような問題が理解できることになるだろう。ウィトゲンシュタインの「何が見えていようと、見ているのはつねに私である」とは、この水準で理解されるべき言葉であり、それゆえ、そこにいわゆる自己意識が生じているか否かといったことは、この問題とは典型的に関係ない。反省的な自己意識が生じていようといまいと、「私」という自覚があろうとあるまいと、そういう種類の二次的事実には関係なく、「見ているのはつねに私」だからだ。**

* 世界内の一対象としての（たまたま私でもある）一人物の死亡と、世界そのものを初めて開くものとしての（たまたまその一人物でもある）私の死の区別と連関については、『哲学の密かな闘い』（岩波現代文庫）所収の「科学的には説明できない〈私〉の存在」という講演でパーフィットの人格論とハイデガーの存在論を関連づけて述べている。死の意味が異なれば、当然、それに対応する生（したがって存在）の意味も異なることになる。

** まったくの一般論の水準で考えても、「私」の成立を自己意識の成立によって説明するのは無理であろう。意識というものがあって、それが自己を反省したからといって、どうしてそこに「私」が成立するだろうか？　それは私ではなく他人かもしれないではないか、と言いたいのではない（もちろんそれも言いたいが）。他者の「私」（すなわち他我）でさえ、それだけでは成立しないではないか、と言いたいのである。他我（他者の「私」）の成立にもまた反省以前の独在性（つまりすべてさ）とその独在性の反省の契機が不可欠である。この側面を見逃してしまえば、いくつも存在する自己意識のうちのどれが「私の」自己意識なのか、肝心のそのことが結局のところはわからない、ということになるだろう。

そうだとすると、一つの問題が持ち上がることになる。もしそうであるなら、分裂など起きなくても、いつでもそれが起きることは可能なはずではないか、という問題である。上述のような分裂の思考実験が成り立つなら、分裂した瞬間に私であった方が死ねば、そこには私そっくりの他人が残されることになるだろう。もしそれが可能な事態であるのなら、分裂など起きなくても、いま私であるこの人は、彼がこれまで持続的に持っていた諸性質を持ち続けたまま、ただたんに私でだけなくなり、世界は（私であるその人間の死亡とともに私がふつうに死んだときと同じように）その世界を開く中心を失うことができることになる。その世界には私は存在せず、ただこれまで私だった（しかしもはや私でない）人が存在し続けることになるだろう。もしそうであるなら、次の瞬間それが起きるかもしれない。こいつが私であることに何の根拠もない以上、いつそれが失われてもおかしくないからである。

もしそうであるなら、逆の可能性も考えられることになるだろう。じつは私はいま生まれたばかりである、という可能性である。これは、私である人間（つまり永井均）がいま生まれたばかりであるという意味ではなく、その人間の意識はじつはいま初めて生じたという意味でもなく、またもちろん世界そのものがいま生じたばかりであるというような意味でもない。考えられているのは、世界も永井均ももともとふつうに存在していたのだが、いまこの瞬間、そいつは〈私〉になったという可能性である。しかし、この問題は、次の転移の問題と実質的に同じ問題なので、②で考えよう。

② 転移の場合

転移とは、私が他の人間である場合を考える思考実験である。これは、「いま〈私〉である人間とまったく違う人間が〈私〉でありうるか」という問題を考察する。

原初的には、それはありうることになる。世界の開けの唯一の原点であるという意味での私は、永井均でなく、たとえば鳩山由紀夫であることもできたからだ。だから、現実に、〈私〉が鳩山ではなく永井であることは、偶然である。私は永井でなくたとえば鳩山であることが可能であった。そう考えることができるし、またそう考えられなくてはならない。なぜならば、そう考えられないと、世界が現実にはなぜかそこからだけ開けているその原点であるという意味での〈私〉というものの存在の意味が、その特殊性・異様性・驚嘆性にふさわしい仕方では理解できないことになるからである。ここでは可能性という発想がそういう役割を果たしている。*

＊ 当然のことながら、この永井（均）のところには読者各人がご自分の名前を入れて、ご自分の問題として理解していただかなければならない。そのように問題の客観化ができるということも、この序章の

重要な論点の一つである。

この意味で私が鳩山由紀夫であるとはどういう状況かといえば、それは、鳩山の目からだけは現実に世界が見えているが、永井などそれ以外の（目を持つ）生き物の目からは現実には何も見えておらず、鳩山の体が殴られると現実に痛いが、それ以外の体が殴られても現実には痛くも痒くもなく、鳩山の体は現実に動かせるが、それ以外の体は外側から鳩山の体を使って間接的にしか動かせない、というような状況である。あるいは、世界内の一人物にすぎない鳩山がなぜかある意味ではすべてでもあって、それ以外の事物や人物はその一小部分でしかない状況である、と言ってもよい。そして、現実はなぜかそうなっていないが、そうであることもまた可能ではあったとはいえるし、いえるのでなければならない、のであった。だが、現実には（なぜか）永井であった私が、これから鳩山由紀夫になることは、それにもかかわらず、できない。それは不可能なのである。なぜだろうか？

いま〈私〉が鳩山になったとしよう。おお！　鳩山の目からだけ、現実に世界が見える（それ以外の見えているとされる目からは何も見えない）！　鳩山の体だけ、殴られると現実に痛い（それ以外の身体は、殴られても痛くも痒くもない）！　鳩山の体だけ、現実に動かせる（それ以外の身体は外側から鳩山の身体を使って間接的にしか動かせない）！　そしてもちろん、ずっと鳩山であり続けてきた記憶が、それだけで現実の記憶として存在している！　この状況は、もちろん、世界内の一人物にすぎない鳩山がなぜか世界そのものを開いているような状況、ある意味ではそれがすべてである状況、といってもよい。だから、現実に私は鳩山なのだ。しかし、それでおしまいである。いまそうなったという事実はどこにも存在しない。私はこれまでどおり鳩山で、鳩山はこれまでどおり私であるにすぎない。

いまそうなったという事実を示す痕跡は、いま現に鳩山である私自身の心の中を含めて、その世界のどこを探しても、ない。もしあったら、たとえばもし鳩山である〈私〉が永井であったときの記憶をなおも保持していたら、私は完全に鳩山になったとはいえない。私が完全に鳩山になったのであれば、「なった」といえるすべての痕跡は消え去り、したがって「なった」という事実そのものが消え去る。ここで私は、「もともと鳩山であった」ことになったのであり、したがって今は、（もともと）ただ鳩山であったのでなければならない。「なった」が登場する場は、その移行を捉えうる視点は、この唯一的な現実世界の内部には存在しえない。この変化は、すべての変化であるがゆえに変化ではありえないのだ。すべてにはその外部がないので、それを変化として捉えうる視点そのものが存在しないからである。むしろ逆に、そのすべてこそを所与の出発点として爾余のすべてはそこから開始されざるをえないのである。*

* これはつまり、ある一つの世界は、その中のどれが〈私〉であるかを含んで決定されるのであって、それゆえそれは世界の中に起こる諸々の出来事の一つではない、ということである。だから、もしそこが「変わる」とすれば、世界そのものが別の世界になる（もともと別の世界であったというかたちで）ほかはないということである。

ここに示されているのは、「なる」ということが成り立つためにはある条件が必要だ、ということである。世界の内部での変化であると認められるためには、まずは同じ一つの世界を成り立たせるための条件が必要であり、変化はその条件の内部での変化であらざるをえないのである。そういう条件はふつう「超越論的な」条件と呼ばれる。そこで重要なことは、（ここでその点を詳述している余裕はないが）同じ一つの「現実世界」が持続するといえるための条件と、同じ「私」が持続するといえるための条件とは、相即不離な仕方で結びついているということである。これこそが、カント『純粋理性批判』（に始まる超越論哲学）の決定的な洞察である。この洞察はまた、ここで述べられているような意味での「私」は、世界内の特定の人物の持続を離れては持続することができないという、カントのもう一つの見解と不可離に結びついている。* 「どれが私であるか」にかかわる変化は、「どれが現実世界であるか」にかんする変化（ライプニッツ風にいえば、神がその意志によって諸可能世界の中から特定の世界を現実世界として選び出す段階の変化）なので、（選び出された）その世界の内部にはいかなる痕跡も残すことができないのである。だから、それは変化ではない！　魂が死後に存続しない等々の問題は、このことの示す一帰結にすぎない。**

* そしてまた、鳩山という人は、彼の記憶にある光景は彼の物的身体に付いている眼が見た光景であるという繋がりによっても彼の物的身体と堅密に結びついているという点も、この連関に深く関与すると思うが、カントはその点に触れていないように思われる。

** その意味では、「魂」と同様に、ここで問題になっている意味での〈私〉もまた、「実在」しないのである。カントの「誤謬推理」の議論は、魂の不滅を主張する当時の「合理的心理学」を直接の対象にしているため、古めかしい議論にみえる。しかし、それは見かけだけだろう。実際、合理的心理学の主張でさえ見かけほどには馬鹿げたものではないことは以下の本文に示唆されている通りだし、カントにおいても、合理的心理学の魂にあたるものは、世界の内部に実在しない「純粋統覚」として保存されている。それは、持続的に存在することの条件を作り出すのであって、それ自体はその条件に従って持続的に存在はしないのだ。これらの点についてより詳しくは、昨年出た拙著『独在性の矛は超越論的構成の矛を貫きうるか——哲学探究3』（春秋社）を、とくにその終章を参照されたい。

だがしかし、私が鳩山になるという想定がすぐさま阻却されるのは、鳩山が現実に私である人間（すなわち永井）と同一の世界に住んでいる実在の人物だからであって、そうでない場合には事情が違ってくる、と思われるかもしれない。たとえば、『マンガは哲学する』の第三章の5で、諸星大二郎の「夢みる機械」にかんして論じたように、これから夢みる機械に入るケンが、「ぼくはこれからイタリア人のサッカー選手になるぞ」と考えたとしても、それは必ずしも不合理な思考だとはいえない。今のケンとこれからなるイタリア人のサッカー選手との間にはいかなる内的な繋がりもない（なった後はたんにもともとサッカー選手だったことになる）としても、である。ここでケンの思考の合理性を支えている条件は、自分がイタリア人のサッカー選手であるような夢*を作り出すのに彼の脳が使われるという外的条件と、ケンが消滅してイタリア人のサッカー選手が誕生するその時点が特定できるという、その外的条件に支えられた時点の特定可能性条件であろう。**したがって、ケンは、ある時点までは、ケンの眼からだけ現実に世界が見え、ケンの体だけ殴られると現実に痛く、ケンの体だけ現実に動かせたのに、その後、そのサッカー選手の眼からだけ現実に世界が見え、そのサッカー選手の体だけ殴られると現実に痛く、そのサッカー選手の体だけ現実に動かせるように変わる、と考えたことになる（先ほどの鳩山の例ではいつ鳩山になったのか時点の特定ができない点に注意せよ）。この思考を支えているのは、（サッカー選手世界をその内部に含むことが科学的に保証された）ケン世界の側の実在性である。この思考実験にもまた、カント的な意味で、むきだしの「魂」が持続しえないことが示されているといえる。

＊　自分がイタリア人のサッカー選手であるような夢とは、その夢世界では、そのサッカー選手の眼からだけ現実に世界が見え、そのサッカー選手の体だけ殴られると現実に痛く、そのサッカー選手の体だけ現実に動かせる、という意味である。それがここでの「自分」の意味である。

＊＊　ところで、このサッカー選手が持つ知識はすべて偽であるといえるだろうか。一般に夢だから偽であるといえる（『省察』のデカルトはそう言ったのだが）ためには、夢内外の主体の同一性が脳（という外的物体）の同一性によって与えられ、かつ夢世界と外部世界の時間の一対一の対応が成り立っていなければならない。夢かもしれないという懐疑はこの条件を受け入れることを余儀なくさせるが、それはこの懐疑の破壊力を著しく弱めないだろうか。（さらにまた、上の二つの条件は真偽が成立するための十分条件ではないだろう。赤いりんごを黄色いバナナだと言えば確かにそれは偽だが、赤いりんごを前にしてそれと無関係に黄色いバナナを思い浮かべても、偽なる認識を持ったことにはならない。この「を」の示す志向対象の一致の条件を夢はいかにして与えうるのか。）

先ほど想定した「〈私〉はじつはいま生まれたばかりである」という可能性についても、以上とまったく同じことがいえる（これはむしろ鳩山ケースに近いだろう）。各自考えていただきたい。ところが、その逆の「いま〈私〉であるこの人が、これまで持っていた諸性質を持ち続けたまま、ただ単に〈私〉でなくなる」という可能性の方は、必ずしもそうではない。これは、前者と同じ意味で不可能とはいえないのだ。明日、ただ単に〈私〉でだけなくなった永井は、それ以外の点は何も変わらずに、〈私〉についての永井の哲学を語り続けるだろう。しかし、彼はもはや〈私〉でないことは可能であるともいえるのである。それはどうしてだろうか。

過去向きに考えるかぎり、現在の私の記憶があり、それが他者たちの証言等々の客観的証拠と一致すれば、過去の私が本当に〈私〉であったか、などという問いは意味がない。どちらであろうと実質的な差異はないからである。しかし、未来向きにはそうでない。未来向きに考えるならば、現在の私の予期がどうであろうと、またそれが未来の他者たちの証言等々の客観的証拠と一致しようとしまいと、未来の私が本当に〈私〉であるかどうかは、その時点においてさらに付け加えられるべき別の要素だと考えることができるからである。なぜなら、現在は未来の実在性を構成することができず、未来の新たな〈今〉は、現在のこの〈今〉に統合されてはいないからである。この違いは微妙だが決定的である。すなわち、過去は物体に近く、未来は他者に近い。物体についてなら、見えて触れて舐めて味がすれば（さらに他者たちもまた同じことができれば）実在するといえるが、他者については、見えて触れて舐めて味がしても、なおゾンビである（じつは「他者」ではない！）可能性がある。すなわち、主体（現在）への吸収のされなさが一段深いのである。

しかし、また逆に、「いま〈私〉であるこの人が、これまで持っていた諸性質を持ち続ける」とはすなわち、現在の私のことを過去の自分として思い出すということである（少なくともそれを含む）ならば、それができる人は（分裂のような想定が外から持ち込まれない限り）必然的に私である、ともいえるのだ。このように考える場合には、分裂の思考実験（に類する思考）だけが、（先ほど指摘した物体と他者との違いの比喩でいえば）他者として規定されるようなあり方をそこにはじめて導入しうるということになる。この点は非常に重要な論点なのだが、ここではこれ以上くわしく論じている余裕がない。*

* この点についても、くわしくは先に言及した拙著『独在性の矛は超越論的構成の矛を貫きうるか——哲学探究3』を、とくにその終章を参照されたい。

3　現実性とその累進構造

分裂の思考実験を振り返ってみよう。通常の解釈におけるデカルト的な観点から見るならば、分裂した後の二人ともがまったく対等に「疑う余地なく絶対確実に存在する私」であることができるだろう。しかし、当然のことながら、分裂の思考実験はそういう意味での「疑う余地なく絶対確実に存在する私」を求めているのではない。分裂した一方は現実に私だが、他方は現実には私でなく、「私」

という語を使う他者にすぎない、ということがここでは問題なのである。だから、その他者にとってそいつ自身の「私」の存在がいかに「疑う余地なく絶対確実」であっても、そんなことは問題の本質とぜんぜん関係がない。つまり、分裂の思考実験は、デカルトの全体的懐疑の思考実験に基づく認識論的確実性の問題とは違う存在論的な問題の存在を示そうとしており、かつそのことに（ある程度）成功しているといえる。

　だが厳密にいって、デカルトの全体的懐疑の思考実験と対比された場合の、〈私〉の分裂の思考実験の独自の意義はどこにあるだろうか？　「私」の人格からの独立性ということなら、デカルトの議論でも十分言えているだろう。誰であれ、自分が誰であるかということについて知らなかったり間違えていたりすることはありえても、それが自分であることを知らなかったり間違えていたりすることはできない。この「確実性」は、「私」の認識の確実性がその「私」がだれ（どの人格）であるかとは独立であることを示している。では、分裂の思考実験は、それとは違う何を示しているのだろうか。それは、〈私〉の存在の偶然性である。そして、デカルトの議論そのものからは、どのような解釈をとっても、これは出て来ないだろう。これが決定的に重要な点である。

　ところがしかし、その〈私〉の存在の偶然性の提示が、ふたたび二様の解釈を受けるのである。私は、世界の中にいる一人の人間だけがなぜか私であるという極めて通常と異なる特殊なあり方をしていることに驚いた。だから、当然、その驚きは他人と共有できないはずであった。他人は、そんな特殊な在り方をしていない――たんに普通に人間である――のだから。そして、まさにその対比こそが問題だったのだから！　ところが、それぞれの他人にとっては、それぞれ自分だけがなぜだか特殊なあり方をしているのだ。だから、当然、彼あるいは彼女のその驚きは彼あるいは彼女にとっての他人と共有されない。* 問題はそういう一般論に翻訳されてしまうのである。

＊　このことを「疑う」こと（各人にとっての「疑いえなさ」の成立を私が疑うこと）はもちろんできる。しかし、疑うことができるということは、疑わないこともまたできるということだろう。疑わない場合に成立しているはずの事態を理解できるということだろう。さて、なぜそしてどうできるのだろうか。それこそが問題なのである。

この展開は「可能世界」というものを考えた場合、現実世界以外の各可能世界もその世界にとっては「現実世界」であることを認めざるをえない（ことによって「現実」性が一般化する）ことに類比的である。* 類比的どころか、同じことであるといってもよい。他の世界にそれぞれの「現実世界」性が与えられるのと同様に、他の者にそれぞれの「現実の私」性が与えられるわけである。ところで、「現実」性とは、じつはそれがすべてであって他のあらゆるものはその内部に含まれているという性質であった。だから、本来は複数のものが一緒に持つことのできるような性質ではない。それなのに、それが複数化されるのである。そして、他の可能世界や他者の側から見た場合には、それらから見られた場合の可能世界や他者に対して、事象内容的《レアール》には、** この段落の前半に述べたこととまったく同じことが（あちら側から）なされることになる。これが「現実性の累進構造」である。***

＊　もちろん、現在以外の時点もその時点にとっては「現在」であることを認めざるをえないことにも類比的である。

＊＊　「事象内容的《レアール》」とは、『純粋理性批判』において神の存在についての存在論的証明を批判する際にカントが語った「存在は事象内容的《レアール》な述語ではない」（A598/B626）に由来する術語である。この点については『哲学の密かな闘い』（岩波現代文庫）所収の「なぜ世界は存在するのか」を参照されたい。ただし、そこではこの Realität が「内容的規定」と訳されている。

＊＊＊　これが言語の成立の本質的な条件であると私は考えるが、しかし、世界にかんしては、可能世界たちは実在しないので、それらと話し合うことはできない。他者や異時点は実在する（つまり声を出す口や記録を残す紙などをもつ）ので、それらとは話し合うことができる。この事実が言語的世界像を捻り出す。もちろん、異時点の場合は未来と過去とで非対称性があるが、それはまた別の問題。

とはいえ私は、その一般論に対してこう反論できるだろう。いや、私自身の場合、私が特殊なのは「私にとっては」ではなく、（「にとって」という反省的媒介ぬきの）「端的に」なのだ、と。「私自身の場合」という語は、他者の場合（「Aにとっては」「Bにとっては」……）と並立可能な「私（という人）にとっては」を意味しているのではなく、それらの並立者たちがそこに現れてくる場であるすべてを指しているのだ、と。この差異は決定的である。なぜならそれが、先ほどデカルトとの対比で指摘した、存在の偶然性の意味するところだからである。ここではもはや、それはおまえにとってそうであるにすぎないだろう、という反論は成り立たない。ここではもはや「そう」のほうではなくその「おまえ」の存在こそが問題であるからだ。[*]

＊　もちろん、このことも自体もまた累進し、概念化されて、他者たちにも妥当することになるが。

この差異が理解しにくい人のために、同じ問題を「私」でなく「今（現在）」で考えてみよう。私がこの原稿のこの箇所を書いている時が（そしてその時だけが）今（現在）であることは疑いえないが、それはその時点が「端的に今（現在）」だからである。決してその時点にとってはそこが今（現在）だというのではない。ところが、いかなる時点にとってもその時点が端的な今（現在）である。だから、私がこの原稿のこの箇所を書いているまさにこの時こそが端的な今（現在）であるという端的な事実も、いかなる時点にとってもその時点は今（現在）であるという一般論の単なる一例でもあることになる。二つの「今（現在）」が区別できないことになる。それにもかかわらず、端的な今（現在）と一般的な（反省的に媒介された）「今（現在）」とを区別できない人はいない。この点にかんして、だれもが最終的には矛盾した概念システムを生きていざるをえない。

また、前の段落中にある「それはその時点が「端的に今（現在）」だからである」という文は、すでにこの段落を書いている今の私にとっては（その文章を読む読者にとってはなおさらだが）もはや「端的に今（現在）」ではない。それでも、その文が主張していることは問題なく理解できるであろう。累進構造を経由してこのようにすでに一般化された「端的さ（現実性）」の主張からでもわれわれは、もともとの端的な端的さ（現実的な現実性）の存在を理解することができるわけである。少なくとも時間にかんしては、この区別そのものが理解できない人は（私の知るかぎり）まずいない。それはだれでも（もとの文が主張していることを経由して）その時の自分自身にとっての「端的な今

（現在）」の存在を直接に捉えることができ、必ずそうするからである。すなわち、そこを言語で語ることはできないとはいえ、この仕組みは必ず終わり《テロス》があるのだ。

「私」の場合でいえば、私が端的に与えられたすべてという意味で口から「私」と発すると、それはまずは概念化・一般化されて客観的な形式的意味をもち、次にその声が出る口の付いている身体（とそれに付随する心）を指す作用として直観化・個体化され、永井を指す作用として理解されることになる。「今」の場合も「私」の場合も、言語はこのようにしてその端的な現実性を抹消し、それを客観的世界に並列的に内在している（したがってそこにいる他者たちからふつうに認知可能な）一人の人間のおこなう反省作用として解釈し変えていく。「今」や「私」が「〜にとって」という反省的な媒介を経ているように見えるのは、他者性と客観性を経由したときなのだから、（ヘーゲルやサルトルの用語を使うなら）対自は最初から対他なのであり、反省は私的な作業ではありえないことになる。

　端的な現実性は言語的意味の内には保存されずに完璧に抹消されるとはいえ、文字どおりに消えてなくなるわけではない。もし本当に消えてなくなるのだとしたら、その際、言語的意味の内に保存される意味については何一つ変わらないのに、別の観点からは文字どおりすべてが消滅してしまう、ということが起こることになるだろう。「変化」として位置づけることができないほどの根源的な変化が引き起こされるにもかかわらず、まさにそれゆえに言語描写可能な意味では何も変化しないことになるわけである。人々に伝わる言語表現の意味の中にこの変化（差異）が反映されることはありえないからである*。

＊　このことが累進構造によって客観的に理解可能な形に概念化・一般化されて「私秘的な意識」（あるいは「クオリア」）という不可解な概念が成立するのではないか、というのが私が『なぜ意識は実在しないのか』で論じた問題であった。もしそうでないとすると、私には「私秘的な意識」（あるいは「クオリア」）という客観的概念がなぜ成立可能なのか、理解できない。

言語的世界把握においてその種の存在論的な差異は必ず抹消される。その差異によってのみ隔てられた二つはまったく同じことでしかありえないことになるからだ。これを別の言い方で表現するなら、ヨコ問題は言語では捉えられない、と表現してもよい。さらに別の言い方で表現するなら、ここで問題になっているのは無内包の現実性なのだから、当然、内包的な差異づけができず、すなわち中身の違いによっては区別されず、ただ現実性の有無だけによって区別されるしかないのだから、当然その差異は言語的には捉えられない、ということになる。

4　位置づけ

以上に論じられた「基本構造」から、入不二氏、青山氏、谷口氏の各発表をかんたんに位置づけて終ろう。

入不二氏の議論は、以上で論じられた「現実性」概念にかんするものであり、それは私の場合の「現実性」概念の適用の範囲よりもずっと広い範囲に適用されて、遥かに一般化されている。対照すると、私の現実性概念のほうがずっと狭い範囲で、ある意味では遥かにテクニカルに、特殊な意味で用いられているように思われる。

青山氏の議論は、以上で論じられてきた問題がそもそも適用可能な範囲にかんする議論であるといえる。私はそれを、独在性が累進的に適用可能な、広義の主体性というものが想定可能でかつ想定せざるをえない範囲（すなわちそちらから世界が開けていると想定可能な範囲）と考えるので、意識のある生き物のいない大昔や生き物のいない可能世界にも適用可能だと考えるが、青山氏はそれを意識の存在に求めている。

谷口氏の議論は、以上の議論の途中で時間の構造に関連して触れた、A変化とA事実の関係の問題にかんして、時間のもつさらに別の側面についての注意喚起を促すものである。それとの対比でいうと、私の議論はそもそもそういう時間のあり方そのものにはじつはあまり興味を持っていないように思える。私の議論においては、恐らく常に、時間という問題はある問題類型の一例としてだけ論じられているように思われる。

▶ 第Ⅰ部

ワークショップ：私・今・現実

1

〈　〉についての減算的解釈

――永井の独在性から入不二の現実性へ

入不二基義

1　始発点としての『〈私〉の哲学　を哲学する』

私の発表全体は、「1　始発点としての『〈私〉の哲学　を哲学する』」「2　〈私〉と〈今〉を〈現実〉から峻別する」「3　〈経験的・超越論的〉二重体の真実——一方向性へ」の三つのパートに分けられます。「パート1」では、今回の発表の始発点を『〈私〉の哲学　を哲学する』（春秋社、二〇二〇年）の中で確認します。「パート2」と「パート3」が本発表の中心部ですが、永井の『世界の独在論的存在構造——哲学探究2』（春秋社、二〇一八年）第5章における二つの節「〈私〉と〈今〉を〈現実〉から峻別する」「経験的・超越論的〉二重体の真実——一方向性へ」を採り上げて考察を加えます。さらに、入不二基義著『現実性の問題』（筑摩書房、二〇二〇年）と永井均・森岡正博著『〈私〉をめぐる対決』（明石書店、二〇二二年）も参照します。

まず、始発点の確認です。引用します。

入不二　（前略）「私」とか「今」というところから話を始めて行きながら、結局は何にでもつくことに気づくという、言わば手順……。永井さんのところでは「言い方」としてたぶん強調していたと思いますけど、それは「言い方」の問題であって、むしろ本質的には、何にでもつく。

永井　「何にでもつく」というのは、「このコップ」とかそういう……？

入不二　そうです。「この世界」とか。

永井　いや、だから、この意味が付与できるものは、「世界」とか、「今」とか、「私」とか、そういう種類のものしかないんじゃないかって。で、そういう限定は何がしているか、ということが問題なんだと。

入不二　言い方の問題として、あるいは理解の順序の問題として、まずは、どれを選んで「このX」と言うのがいいのかという問題は、確かにあると思います。けれども、最終的にはどれにでも……、「どれにでも」というのは、別にXは特定の領域に限られない、つまり、ほんとうはXはなんでもいい、という意味ですよ。そういう限定のなさ、複数のものから選び出すのではないということが、むしろ、現実性を表す「この」には含まれているのではないかと思います。それとの関連で、じゃあ離存するのか、という問題があります。私の言い方は、かなり危ういことは事実ですが、でも、離存するとまでは思っていないのですね。区別と分離というのはもちろん違うわけです。(『〈私〉の哲学　を哲学する』p.80-81)

この『〈私〉の哲学　を哲学する』の議論が行われたのは、もう十二年前（二〇一〇年）のことになりますが、私（入不二）のほうが〈　〉が何にでも及ぶことと、「この性」が何にでも及ぶことを主

図1

永井	入不二
〈　〉は、私・今のみにつく	〈　〉は、何にでもつく
この性は、限定された何かに働く	この性は、任意のものに働く
離存・分離に否定的	離存・分離に含みを残す

張しているのに対して、永井はそれに反対して、〈　〉は私や今にしか付かないこと、「この性」の限定的な働きを主張しています。また、〈　〉や「これ性」の分離・離存についても、微妙に考え方がすれ違っています。この引用には、その点が表れています。この対立点は、図1のようにまとめることができます。

2 〈私〉と〈今〉を〈現実〉から峻別する

始発点（パート1）を確認しましたので、次に「2 〈私〉と〈今〉を〈現実〉から峻別する」に移ります。

『世界の独在論的存在構造——哲学探究2』第5章の「〈私〉と〈今〉を〈現実〉から峻別する」と題された節を採り上げます（『世界の独在論的存在構造——哲学探究2』pp.75-78）。先ほどの「始発点」を背景にしてこの節を読みますと、この箇所には「〈　〉は何にでもつく」と言っていた入不二への批判を含んでいるようにも読めます。なぜならば、永井はこの節で、本来〈　〉は私と今と現実にしかつかないし、もし何にでもつけてしまうならば〈　〉の意

図2

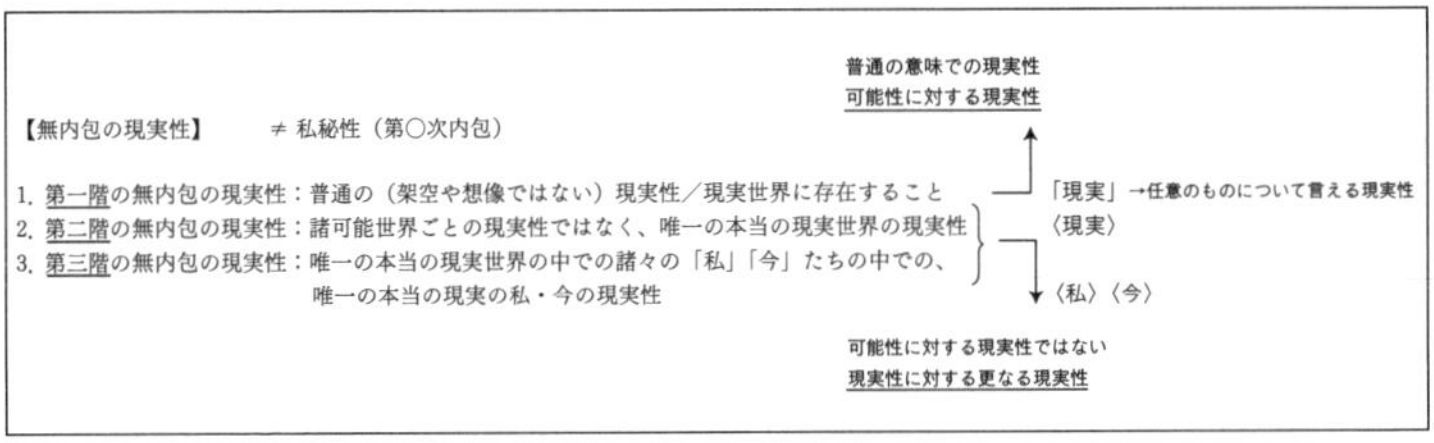
【無内包の現実性】　≠ 私秘性（第〇次内包）
1. 第一階の無内包の現実性：普通の（架空や想像ではない）現実性／現実世界に存在すること
2. 第二階の無内包の現実性：諸可能世界ごとの現実性ではなく、唯一の本当の現実世界の現実性
3. 第三階の無内包の現実性：唯一の本当の現実世界の中での諸々の「私」「今」たちの中での、唯一の本当の現実の私・今の現実性
普通の意味での現実性
可能性に対する現実性
「現実」→任意のものについて言える現実性
〈現実〉
〈私〉〈今〉
可能性に対する現実性ではない
現実性に対する更なる現実性

味が変わってしまう、と主張しているからです。しかし、十二年前の議論も含めて、私（入不二）が「〈　〉は何にでもつく」によって表そうとすることは、永井がその箇所で述べているのとは違う事態であることを、今日の発表ではっきりさせたいと思います。

その節「〈私〉と〈今〉を〈現実〉から峻別する」では、現実性についての考え方が、三段階に分けられて述べられています。その最後の三段階目で、普通の現実性からも、〈現実〉からも峻別されるものとして、〈私〉と〈今〉が取り出されます。この三段階を整理すると、次の図2の1〜3のようになります。

永井は、「無内包の現実性」が「第〇次内包」とは異なることを確認した上で、その「無内包の現実性」を三段階に分けています。それを、ここでは1．第一階、2．第二階、3．第三階と呼んで区別しておきます。

第一階の現実性は、普通の意味での現実性であり、「架空や想像ではない現実」を表します。この意味での「現実」ならば、現実世界に存在する任意のものについて言えることになります。しかし、永井はそのような普通の意味の現実性から、〈　〉が表す現実性を区別します。

〈　〉は、むしろ諸々の可能的な現実の中から「唯一本当の現実」を選び出すと、永井は考えます。ですから、〈　〉を現実につけて〈現実〉と

図3

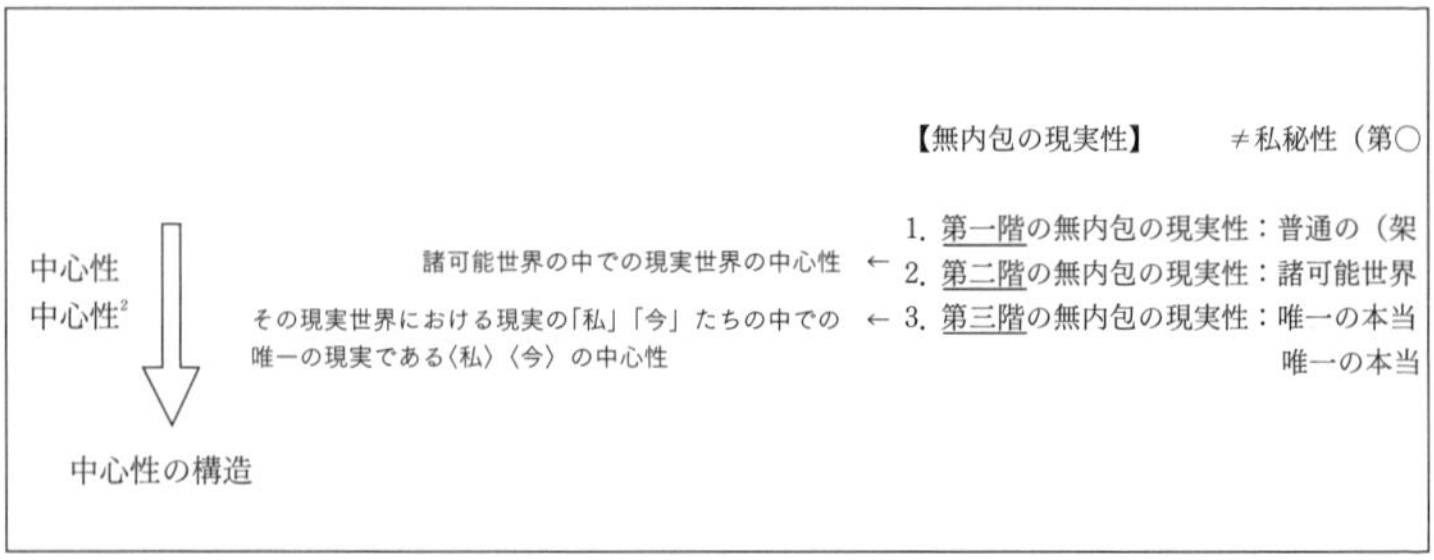

するならば、それは、それぞれに現実でありうる「諸可能世界」の中から、「唯一本当の現実世界」が選び出される際の現実性を表します。これを、第一階の普通の現実性とは区別して、第二階の現実性と呼んでおきます。

さらに、その第二階の現実性とも峻別されるのが、〈私〉と〈今〉です。節のタイトルがその峻別を語っています。ですから、〈私〉と〈今〉の表す現実性を、第三階として分けておきます。私につく〈 〉は、第二階の「唯一本当の現実世界」の中での（つまり、その意味では現実の）諸々の「私」たちの中から、さらに「唯一本当の現実の私」を選び出す働きをします。第二階の現実性の中での更なる現実性が、第三階の現実性です。

第二階と第三階には、中心性の構造が働いています（図3参照）。しかも第二階の「中心」の中での更なる「中心」（いわば中心性の自乗―中心性^2―）が、第三階の中心性です。

このように、第二階や第三階の現実性は、「現実性に対する更なる現実性」ということになりますから、第一階のような普通の「可能性に対する現実性」ではなく「現実性に対する（更なる）現実性」と言えます（図2の矢印の先の上と下の部分を参照）。

図4

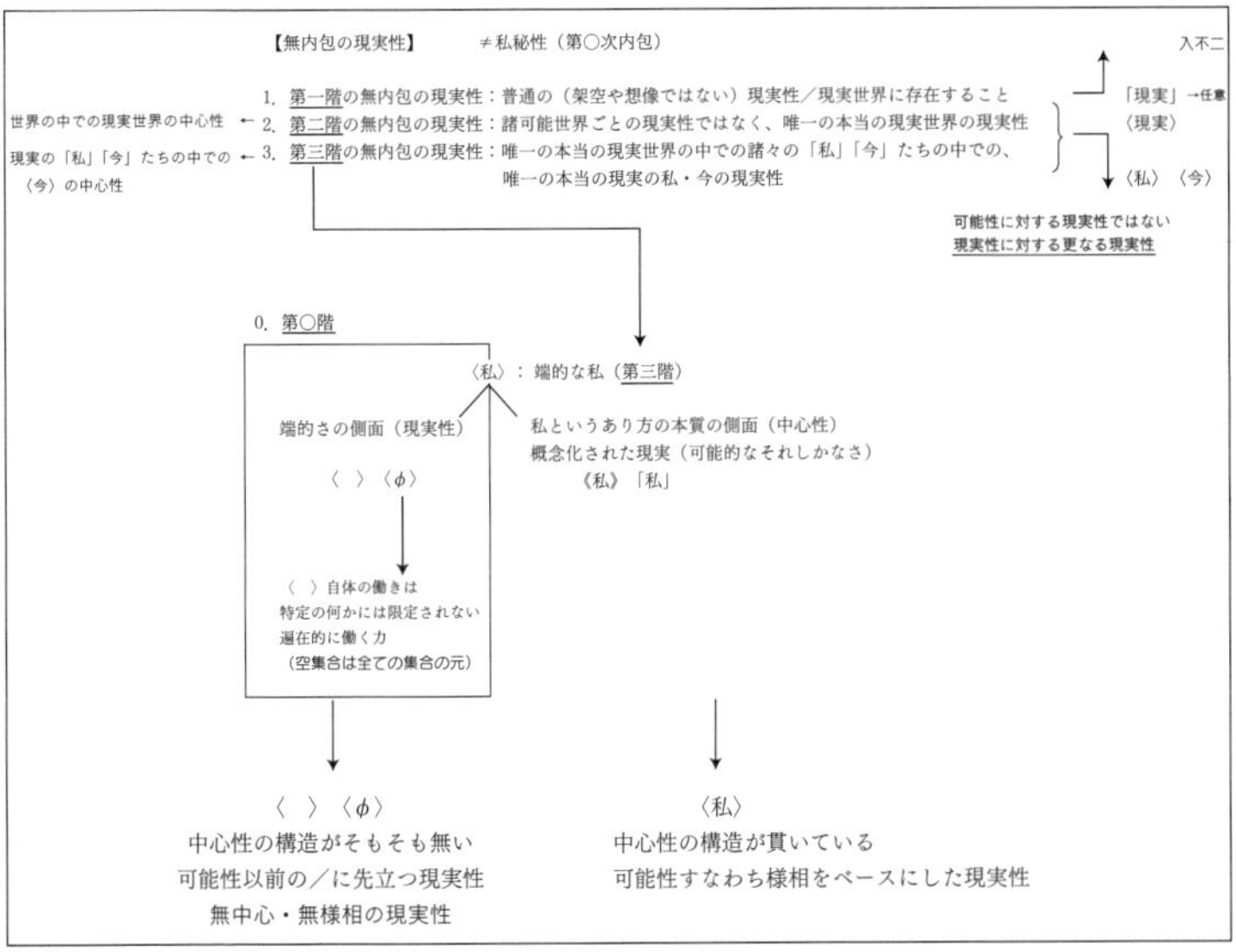

【無内包の現実性】　≠私秘性（第〇次内包）
入不二
1. 第一階の無内包の現実性：普通の（架空や想像ではない）現実性／現実世界に存在すること
世界の中での現実世界の中心性 ← 2. 第二階の無内包の現実性：諸可能世界ごとの現実性ではなく、唯一の本当の現実世界の現実性
現実の「私」「今」たちの中での〈今〉の中心性 ← 3. 第三階の無内包の現実性：唯一の本当の現実世界の中での諸々の「私」「今」たちの中での、唯一の本当の現実の私・今の現実性
「現実」→任意
〈現実〉
〈私〉〈今〉
可能性に対する現実性ではない
現実性に対する更なる現実性
0. 第〇階
〈私〉：端的な私（第三階）
端的さの側面（現実性）
〈 〉〈φ〉
〈 〉自体の働きは
特定の何かには限定されない
遍在的に働く力
（空集合は全ての集合の元）
私というあり方の本質の側面（中心性）
概念化された現実（可能的なそれしかなさ）
《私》「私」
〈 〉〈φ〉
中心性の構造がそもそも無い
可能性以前の／に先立つ現実性
無中心・無様相の現実性
〈私〉
中心性の構造が貫いている
可能性すなわち様相をベースにした現実性

このように整理できる永井の観点から言えば、十二年前の私の発言「〈 〉は何にでもつく」は、第一階の普通の現実性に位置づけられることになると思われます。しかし、私の発言は第一階には位置しないということを、はっきりさせたいわけです。私自身は、第一階ではなくて（また第二階でも第三階でもなくて）、第〇階の現実性を念頭に置いたうえで、「〈 〉は何にでもつく」と言っているからです（図4参照）。

第〇階とは、第三階に位置づけられた〈私〉から、中心性の構造を提供している「私という表記」を差し引いて、端的な現実性の側面のみを残す段階のことです。第〇階は、私を消去して〈 〉だけになります。あるいは〈 〉の中が無になっていることを明示するために〈φ〉と表します。第三階には中心性の構造が貫いていて、可能性すなわち様相をベースに持ちます。可能性に対する現実性ではない現実性に対する……という仕方で、あるいは可能的な現実ではなく現実的な現実という仕方で、様相をベースにした現実性です。「ではない」「ではなく」と否定できるためには、その否定の向かう先（可能性）はベースとして前提にされます。それに対して第〇階のほうは、そもそも中心性の構造を持たず、可能性という様相以前の、あるいはそれに先立つ端的な「現に」という現実性です。すなわち、無中心で無様相の現実性が、第〇階の現実性ということになります。

　このように第三階と第〇階を対照して考えますと、「可能性に対する現実性ではない」という表現、そして「中心を持たない」という表現が、それぞれ二義性を持つことがはっきりします。次の図5で、二つの二義性を確認します。

　永井自身が「可能性に対する現実性ではない」と述べていたのは、「可能性に対する現実性である」第一階の現実性と区別して、「現実性に対する更なる現実性である」ことを表すためでした。これを、図5の右側にまとめてあります。

　しかし、「可能性に対する現実性ではない」には、もう一つ別の意味があります。それは「そもそも可能性という様相とは無関係の、端的な現実性である」という意味です。こちらが第〇階の現実性で、図5の左側にまとめてあります。右側の第三階の現実性は、高階的であり加算的・乗算的な現実性であるのに対して、左側の第〇階の現実性は、そもそも階を持つことなく（高階化することのない）減算的な現実性です。

　また、「中心性がない／中心を持たない」ということについても、二義性が見出せます。第三階の

図5

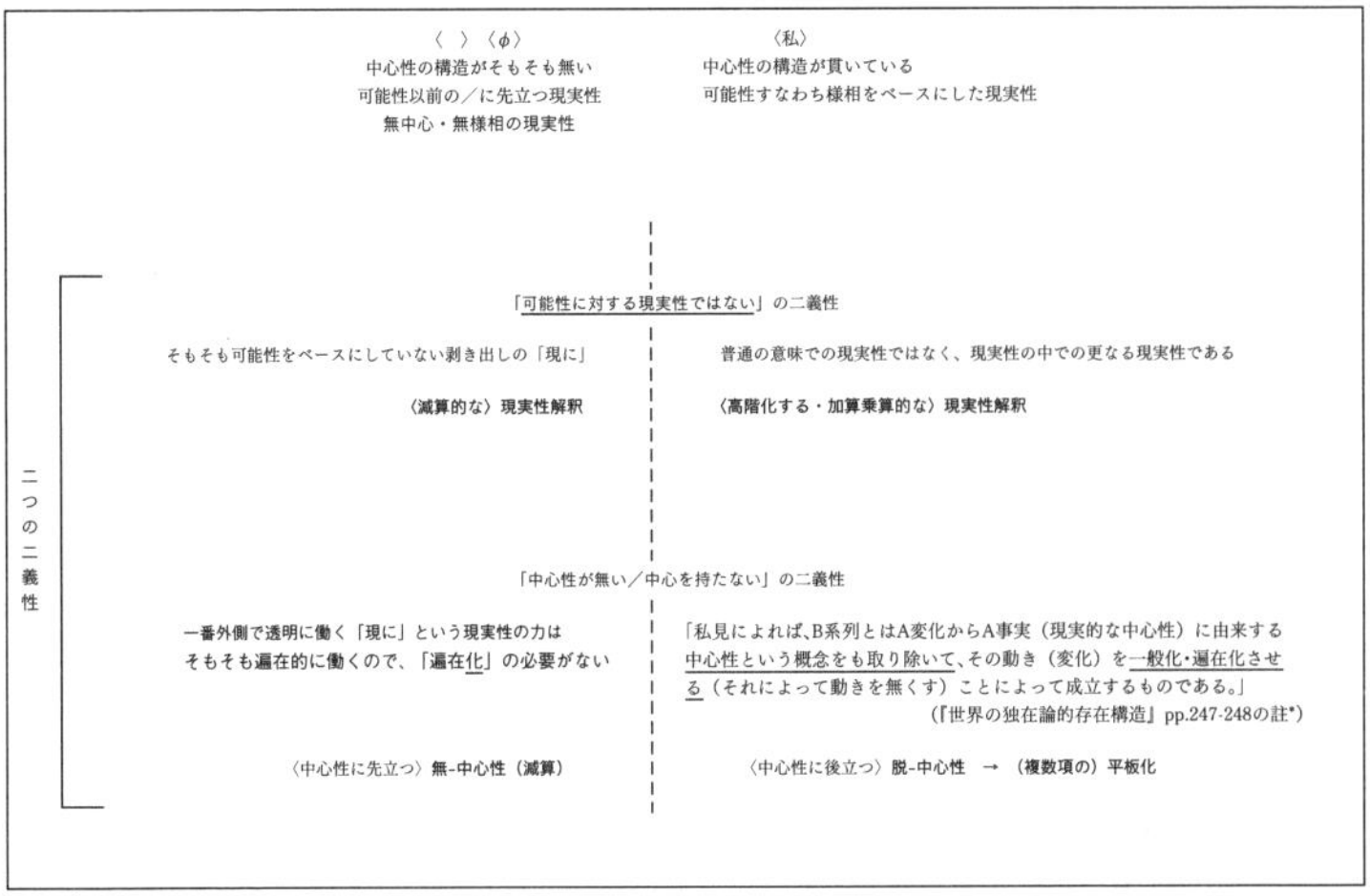
〈　〉〈φ〉
中心性の構造がそもそも無い
可能性以前の／に先立つ現実性
無中心・無様相の現実性
〈私〉
中心性の構造が貫いている
可能性すなわち様相をベースにした現実性
二つの二義性
「可能性に対する現実性ではない」の二義性
そもそも可能性をベースにしていない剥き出しの「現に」
〈減算的な〉現実性解釈
普通の意味での現実性ではなく、現実性の中での更なる現実性である
〈高階化する・加算乗算的な〉現実性解釈
「中心性が無い／中心を持たない」の二義性
一番外側で透明に働く「現に」という現実性の力は
そもそも遍在的に働くので、「遍在化」の必要がない
〈中心性に先立つ〉無-中心性（減算）
「私見によれば、B系列とはA変化からA事実（現実的な中心性）に由来する
中心性という概念をも取り除いて、その動き（変化）を一般化・遍在化させ
る（それによって動きを無くす）ことによって成立するものである。」
（『世界の独在論的存在構造』pp.247-248の註*）
〈中心性に後立つ〉脱-中心性　→　（複数項の）平板化

側から考えるならば、「中心を持たない」ことは「脱-中心化」として出現します。すなわち、後から「中心性」を取り除くことによって平板化・一般化されることが「中心性のなさ」です。しかし、第〇階の側から考えるならば、「後から取り除く」のではなくて、「そもそも中心が生じていない」こと、すなわち「はじめから無-中心である」こと。これが、図5の左側の第〇階の現実性における「中心性がない／中心を持たない」の意味となります。

十二年前の私の発言「〈　〉は何にでもつく」とは、第一階の普通の現実性の働きを述べたのではなく、第〇階の現実性の空集合性を述べていたのです。空集合が任意の集合に含まれる汎通的な元（メンバー）であるのと同様に、第〇階の現実性は、任意のものごとに浸透して遍在的に働きます。〈　〉という現実性の働きは汎通的で遍在的だからこそ、〈　〉の中には任意のものを代入す

図6

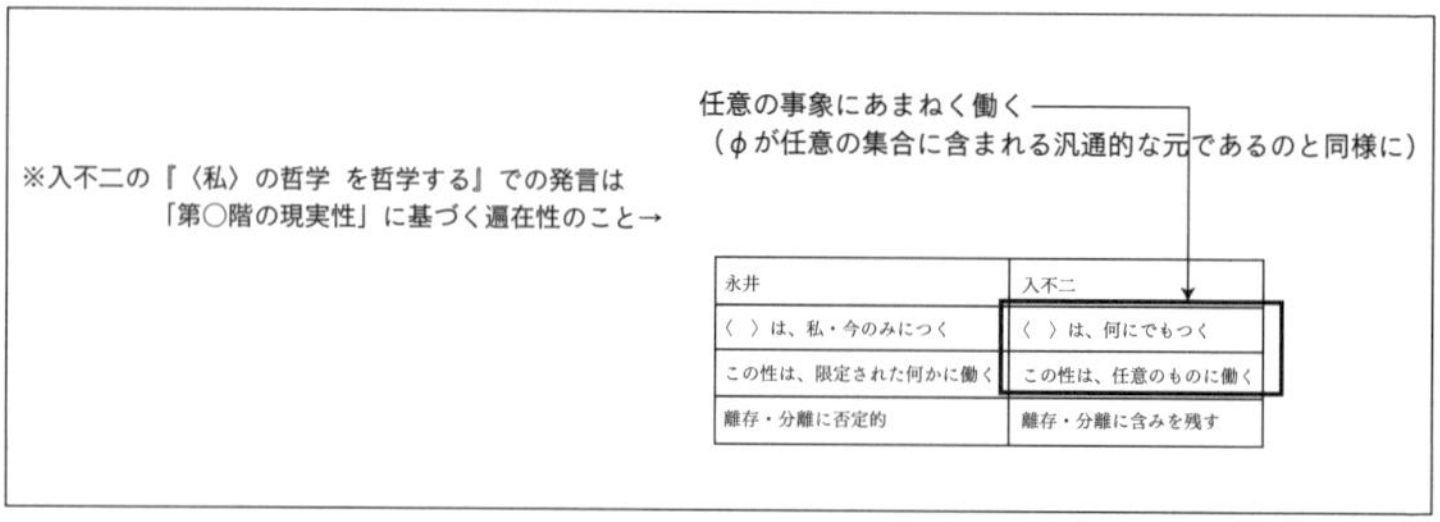

任意の事象にあまねく働く ———

（φが任意の集合に含まれる汎通的な元であるのと同様に）

永井	入不二
〈 〉は、私・今のみにつく	〈 〉は、何にでもつく
この性は、限定された何かに働く	この性は、任意のものに働く
離存・分離に否定的	離存・分離に含みを残す

ることができるということです（図6の対照表参照）。

最初に提示した十二年前の議論において、入不二は第〇階の現実性の働きの遍在性について述べていたのに対して、永井のほうは第三階の現実性の働きを、第一階や第二階の現実性から区別しようとしていた。そういうすれ違いが起こっていたことになります。

永　井：第一階・第二階と第三階の現実性の違いを強調している。

入不二：第一階・第二階・第三階を経た上で、第〇階の現実性の遍在性を強調している。

第三階の現実性である〈私〉と、第〇階の現実性である〈　〉を対照してまとめておくならば、このような表になります（図7参照）。大きく四角で囲った部分が、入不二が考える「現実性」です。加算か減算か、様相か無様相か、名詞的か副詞的か、中心性の有無、人称性や時制性の有無などにおいて、永井と入不二が比較対照されています。

第〇階の現実性を主題化して扱った拙著『現実性の問題』（筑摩書房、二〇二〇年）では、様相と現実性の絡み合いを辿る円環モデルに対して、上から射し込むような矢印によって、第〇階の現実性を表そ

図 7

永井：〈私〉 | 入不二：〈　〉
加算（乗算）的な現実性 | 減算的な現実性
可能性ベースの現実性 | 可能性に先立つ／の手前の現実性

現実（世界）の名詞性 | 現実（「現に」）の副詞性

現実性を高階化 | 現実性をゼロ階化

大元が消え去ることで実在世界が成立

中心性の迫り上がり | 中心性のない遍在

	永井の「独在性」	入不二の「純粋現実性」
否定性	強い否定性	無極（否定性なし）
様相	可能性ベース	無様相
人称	〈私〉性	無人称
時制	〈今〉性	無時制
中心性	中心性の構造を持つ	無中心（遍在）

→〈ゐ〉→ 〈　〉

〈私〉：端的な私
端的さの側面（現実性）
私というあり方の本質の側面（中心性）
概念化された現実　（可能的なそれしかなさ）
《私》「私」

〈　〉自体の働きは
特定の何かには限定されない
↓
遍在的に働く力

図 8

	永井の「独在性」	入不二の「純粋現実性」
	強い否定性	無極（否定性なし）
	可能性ベース	無様相
	〈私〉性	無人称
	〈今〉性	無時制
	中心性の構造を持つ	無中心（遍在）

→〈ゐ〉→ 〈　〉

〈私〉：端的な私
端的さの側面（現実性）
私というあり方の本質の側面（中心性）
概念化された現実　（可能的なそれしかなさ）
《私》「私」

〈　〉自体の働きは
特定の何かには限定されない
↓
遍在的に働く力

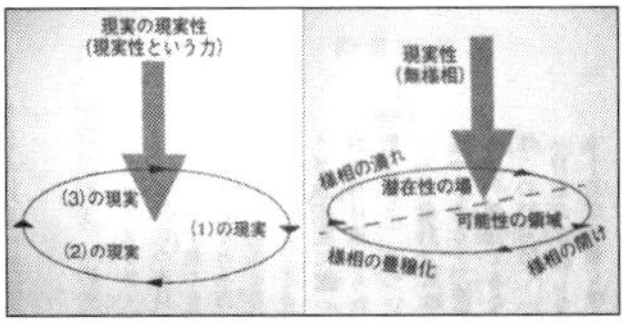

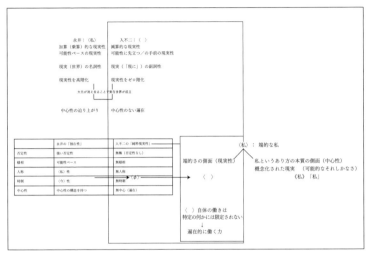

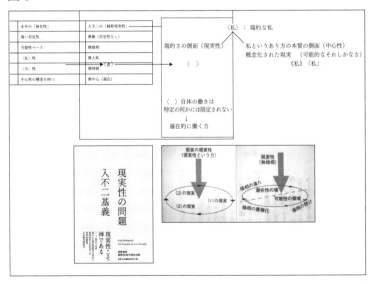

うとしています（図8参照）。円環を巡る現実性の水準と区別するためです。

ここで一つ強調しておくべき点は、永井の〈私〉と入不二の純粋現実性は諸々の点で異なるとはいえ、「**大元が消え去ることで実在世界が成立する**」という考え方においては一致しているという点です（図9の「大元が消え去ることで実在世界が成立」の部分を参照）。もちろん、「大元」とは永井の場合には〈私〉であり、入不二の場合には「現に」という現実性の力です。その大元である〈私〉は実在しませんし、「現に」という力も事象的には無です。逆に言えば、「**大元が消え去ることで実在世界が成立する**」もまた二義的だと言うこともできます。第三階的な意味と第〇階的な意味の両方を持つわけです。この「**大元が消え去る**」という論点は、次の第3のパートの論点である「一方向性」のテーマとも繋がっています。

「大元が消え去ることで実在世界が成立する」が二義的であることを、二種類の消え去り方――「一点集中化」と「全面遍在化」――として、図10のように円錐のイメージに重ねる仕方で表象することもできます。このイメージでは、円錐の「底面」と「頂点」を除くあいだの部分が、客観的な実在世界に相当します。「底面」で働く力は、円錐全体に遍在的に浸透していることによって、あいだの実在（事象）の一つとしては現れず、むしろ無差別にどこでも働いています。「頂点」にはその力が集約され、一点集中することによって円錐全体が完成すると同時に、その大元は円錐の内部（実在部分）からは消え去ります。

更に、頂点に集中した力は、円錐外の経路を辿ってもう一度底面へと還流します。図10の円錐外を通っている曲線矢印が、その経路です。第三階に対して第〇階を追加している本日の私のこの発表が、

図９

永井：〈私〉	入不二：〈　〉
加算（乗算）的な現実性	減算的な現実性
可能性ベースの現実性	可能性に先立つ／の手前の現実性
現実（世界）の名詞性	現実（「現に」）の副詞性
現実性を高階化	現実性をゼロ階化
大元が消え去ることで実在世界が成立	
中心性の迫り上がり	中心性のない遍在

図10

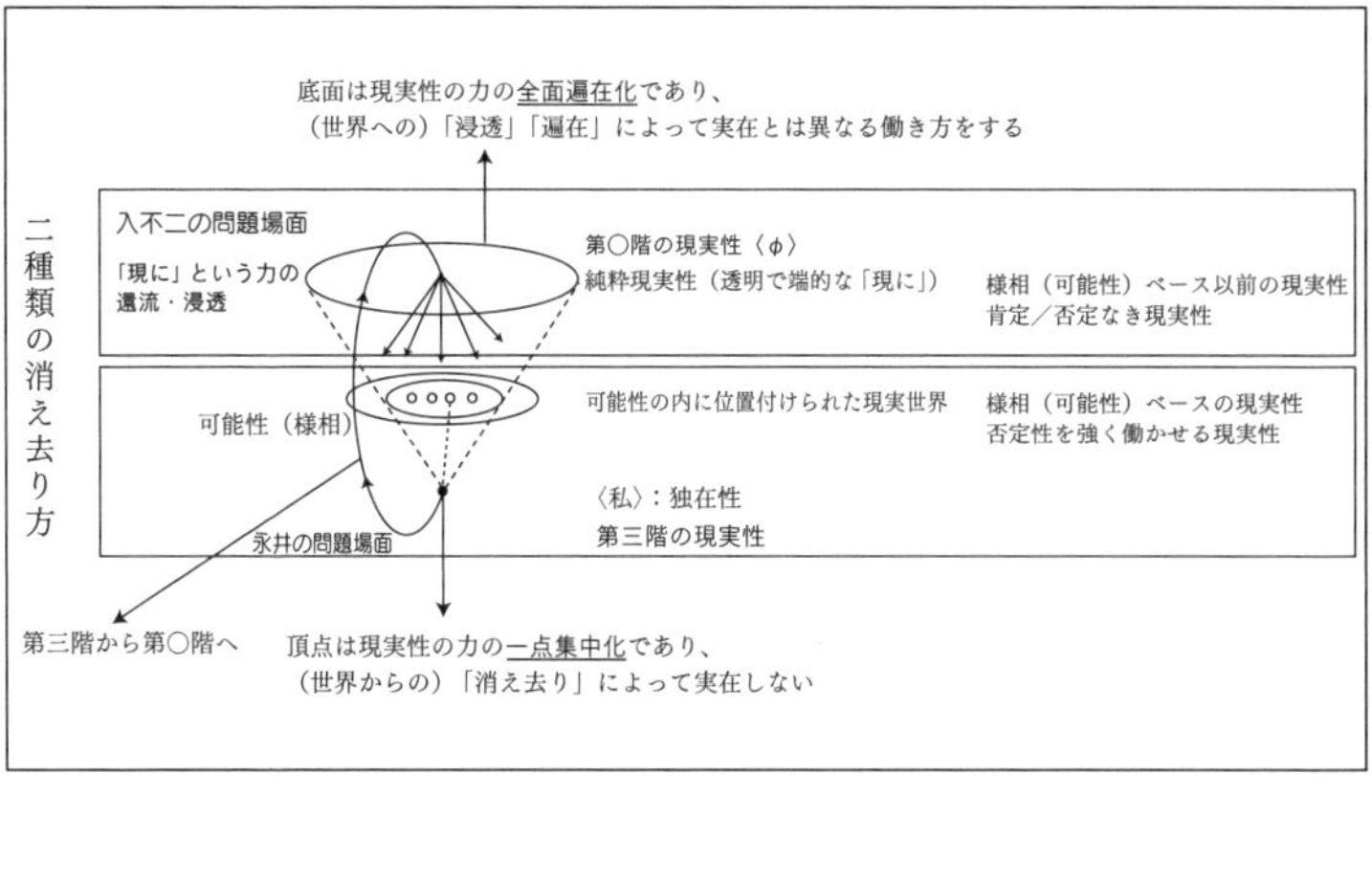

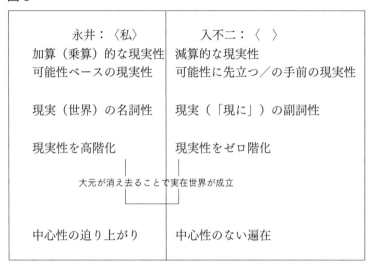

図11

様相外？

cf. 永井自身も「端的な現実性というあり方を（…）「現実性」という様相上の一カテゴリーとして位置づける」（p.145.）
「（…）　中心性の問題の外に現実性の問題がある（…）」（p.146.）と述べている。

無中心？

この経路を辿ることに相当します。

更に付け加えておくならば、永井自身の表現の中に、私が「第三階」と区別して「第○階」と呼んだほうの現実性を読み取ることもできそうです（図11参照）。

様相上の一カテゴリーとして位置づけられた「現実性」と、位置づけられる前の「端的な現実性」を区別しているように読めますし、「中心性の問題の外」を認めるということは、脱中心性ではない無中心性を認めることになると思われるからです。

3　〈経験的・超越論的〉二重体の真実——一方向性へ

それでは、「3　〈経験的・超越論的〉二重体の真実——一方向性へ」の話に移ります。パート3の中身は、

「3—1　一方向性（〈私〉→実在世界）の内に含まれる「断裂」と「循環」」
「3—2〈　〉（無様相・無中心の現実性）における「一方向性」①」
「3—3〈　〉（無様相・無中心の現実性）における「一方向性」②」

の三つに分かれます。

3―1

『世界の独在論的存在構造――哲学探究2』にはたくさんの魅力的なアイデアが含まれていますが、「一方向性」というアイデアはその中でも屈指のものだと、私は考えています。

「一方向性」は、「〈経験的・超越論的〉二重体の真実――一方向性へ」という節（『世界の独在論的存在構造――哲学探究2』pp.83-85）で、三通りの仕方で記述されています。その「三通り」をまとめると次の（1）（2）（3）のようになります。

（1）「どちらの側から出発しても【〈私〉〈今〉の側からでも・客観的視点の側からでも】、同じ一つのもの【人物や出来事】に行き着けることは確かなのだが、にもかかわらず、一方の側【客観的視点の側】からそこへ辿り着いた場合にはもはやもう一方の側【〈私〉〈今〉の側】に抜けることはできないのだ。」【 】内は発表者（入不二）による補足説明です。これをまとめると、図12のようになります。

（2）「客観的世界の側からそもそも存在しないと言っても、出発点を逆にして、こちらから出発すれば、そこから客観的（＝相対主義的）世界を構成して、おのれをその内部に（人物や時点として）位置づけて実在させることなどはできる。」

（3）「〈私〉は、……世の中で永井均と呼ばれている人間である」と発見するルートは確実に存

図12

(1) 「どちらの側から出発しても**【〈私〉〈今〉の側からでも・客観的視点の側からでも】**、同じ一つのもの**【人物や出来事】**に行き着けることは確かなのだが、にもかかわらず、一方の側**【客観的視点の側】**からそこへ辿り着いた場合にはもはやもう一方の側**【〈私〉〈今〉の側】**に抜けることはできないのだ。

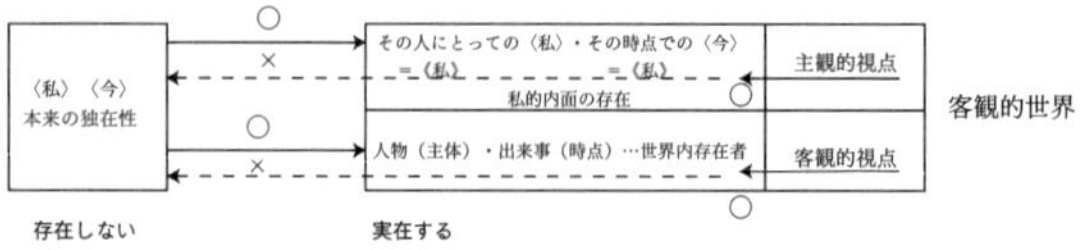

図13

(2) 「客観的世界の側からそもそも存在しないと言っても、出発点を逆にして、こちらから出発すれば、そこから客観的（=相対主義的）世界を構成して、おのれをその内部に（人物や時点として）位置づけて実在させることなどはできる。」

(3) 「「〈私〉は、…世の中で永井均と呼ばれている人間である」と発見するルートは確実に存在している。しかし、その逆に、世の中で永井均と呼ばれている人物の心や体や自然的・社会的諸関係をどんなに細密に探究しても「永井均という人物は、…〈私〉である」と発見できるルートは存在しないのである。」

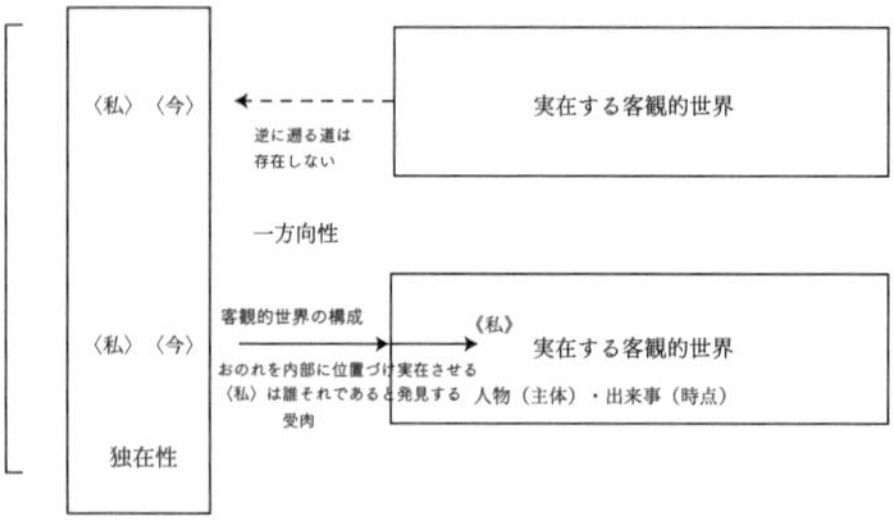

図14

1.
「一方向性（〈私〉→実在世界）」の内に含まれる「**断裂**」と「**循環**」
↓ 「一」未満
↓ 「両」方向性

2.
〈　〉（無様相・無中心の現実性）における「一方向性」①

3.
〈　〉（無様相・無中心の現実性）における「一方向性」②

在している。しかし、その逆に、世界の中で永井均と呼ばれている人物の心や体や自然的・社会的諸関係をどんなに細密に探究しても「永井均という人物は、……〈私〉である」と発見できるルートは存在しないのである。」

（2）と（3）をまとめると、図13のようになります。

さて、この「一方向性」という重要な論点に対して、私が主張したいことは、大きく分けますと図14の三つになります。

一番目は、一方向性の内に含まれていると思われる「断裂」と「循環」についてです。一方向性の内に「断裂」が含まれているということは、一方向性の「1」が「0・5」に減るような事態ですし、「循環」が含まれているということは、一方向性の「1」が「2」に増えるような事態です。

先ほどまとめた「一方向性」の説明の中でも、「世界構成」として語られる場合と「発見のルート」として語られる場合の二通りがありました。最新刊の『〈私〉をめぐる

図15

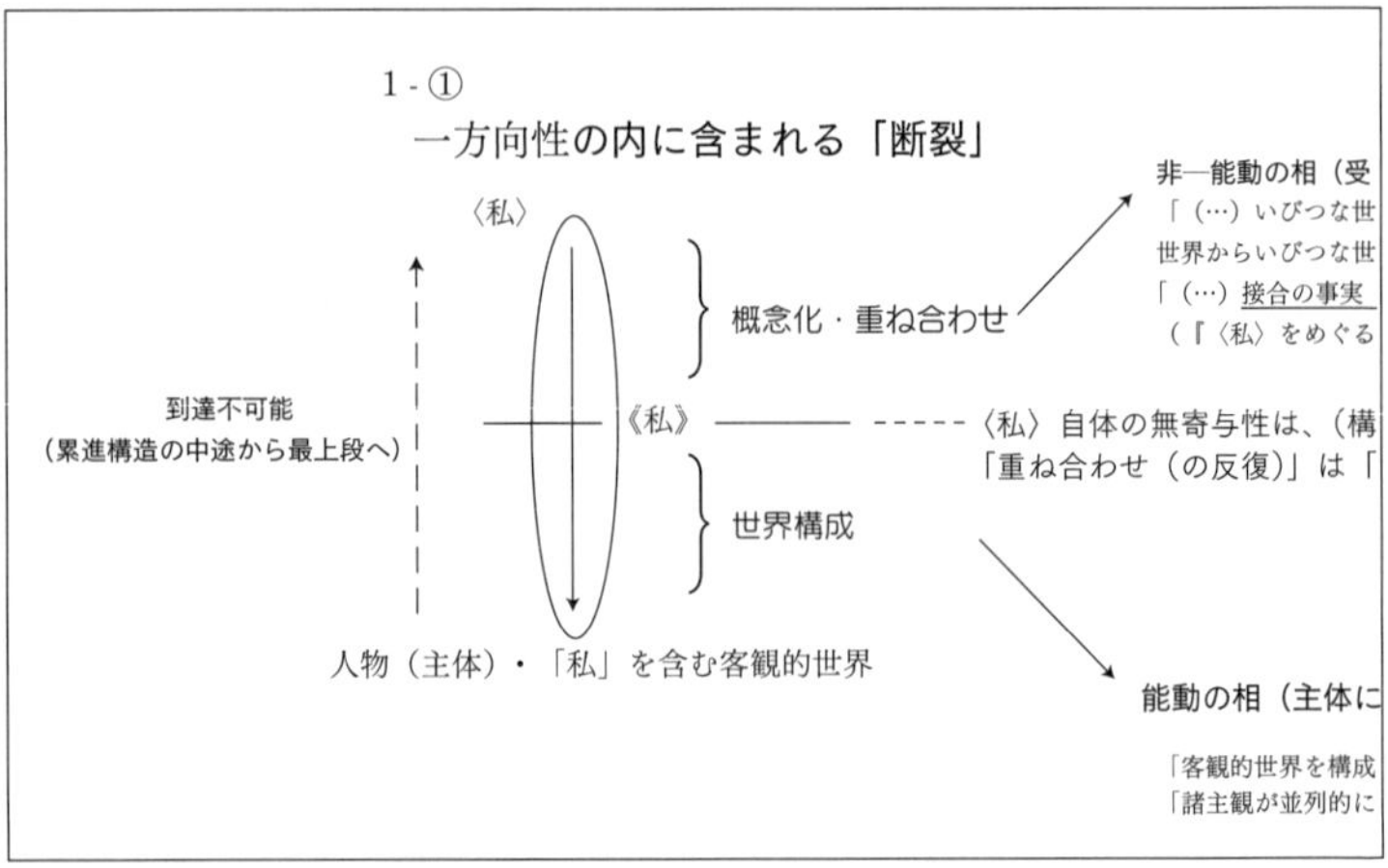
1 - ①
一方向性の内に含まれる「断裂」
〈私〉
概念化・重ね合わせ
非―能動の相（受
「（…）いびつな世
世界からいびつな世
「（…）接合の事実
（『〈私〉をめぐる
到達不可能
（累進構造の中途から最上段へ）
《私》
〈私〉自体の無寄与性は、（構
「重ね合わせ（の反復）」は「
世界構成
人物（主体）・「私」を含む客観的世界
能動の相（主体に
「客観的世界を構成
「諸主観が並列的に

図16

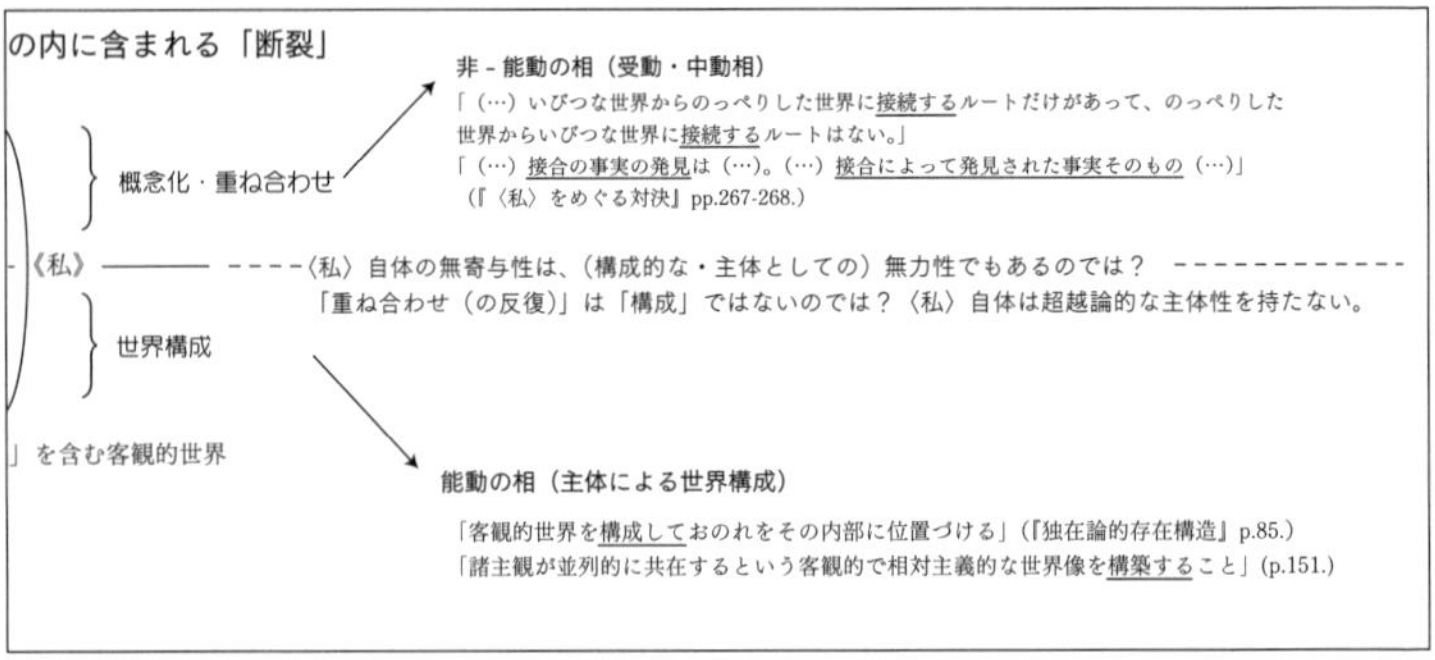
の内に含まれる「断裂」
非 - 能動の相（受動・中動相）
「（…）いびつな世界からのっぺりした世界に接続するルートだけがあって、のっぺりした世界からいびつな世界に接続するルートはない。」
「（…）接合の事実の発見は（…）。（…）接合によって発見された事実そのもの（…）」
（『〈私〉をめぐる対決』pp.267-268.）
概念化・重ね合わせ
《私》
〈私〉自体の無寄与性は、（構成的な・主体としての）無力性でもあるのでは？
「重ね合わせ（の反復）」は「構成」ではないのでは？〈私〉自体は超越論的な主体性を持たない。
世界構成
」を含む客観的世界
能動の相（主体による世界構成）
「客観的世界を構成しておのれをその内部に位置づける」（『独在論的存在構造』p.85.）
「諸主観が並列的に共在するという客観的で相対主義的な世界像を構築すること」（p.151.）

図17

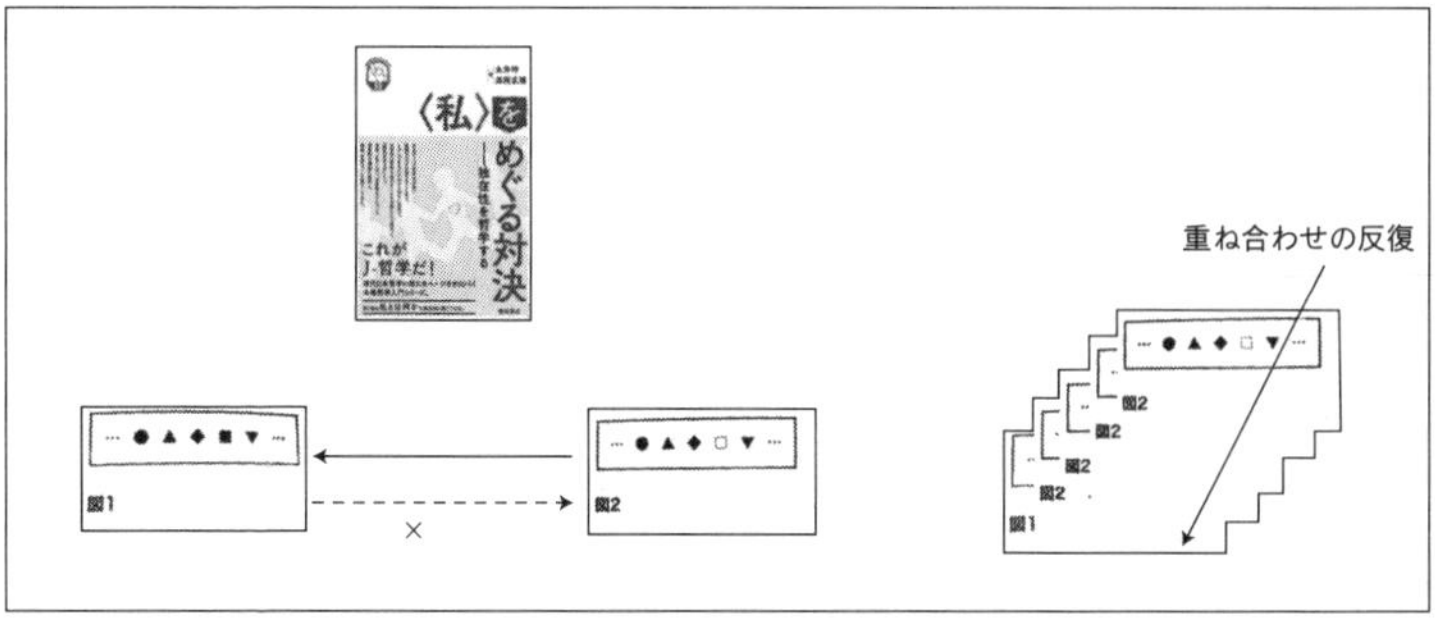

対決』においては、一方向性は、「接続するルート」や「接合の事実の発見」として語られています。

しかし、「世界構成・構築」と「接続・接合の発見」では、大きなギャップがあるように思います。「構成・構築」の側面は、超越論的な主体が客観的世界を作り上げるような「能動相」であり、「接続・接合（の発見）」の側面は、「重なってしまう」「重ねられてしまう」「重なってしまうしかない」という「受動相・中動相」です。「構成・構築」と「接続・接合（の発見）」の在り方は大きく異なります。この概念化・重ね合わせと世界構成のギャップを、図15では水平線の切れ目で（上下の断絶として）表しています。図15〜図16を連続で参照して下さい。

『〈私〉をめぐる対決』では、図17のように「・・・●▲◆■▼・・・」と「・・・●▲◆□▼・・・」を重ね合わせる仕方で「一方向性」が説明されています。この説明様式を延長するならば、「接続・接合」のルートとは、重ね合わせの反復としてイメージできます。この「重ね合わせの反復」は、「主体による世界構成」ではなくて、その手前の「主体」の現出・浮上に留まるのではないでしょうか。

要するに、「一方向性」の内には、「重ね合わせ」と「世界構成」の要因が含まれていて、その二つの要因のあいだには「断裂」があるのではないか、ということです。言い換えれば、〈私〉自体は「重ね合わせ」に巻き込まれはしても、主体として能動的に「世界構成」を行うまでにはならない（なれない）のではないか、ということです。その無力性（構成的主体に「なれないこと」）もまた、〈私〉の無寄与性に含まれていることではないでしょうか。すなわち、〈私〉自体は、超越論的な主体性を持たないのではないか。

「一方向性」の内に含まれるこの「断裂」という私の見解については、次のような反論があり得ます。〈私〉が不可避的に重ね合わされる《私》が媒介となって、人物（主体）としての「私」にまで辿りつくのだから、超越論的な世界構成にまで至るのではないか、だから結局は「断裂」は存在しないのではないか、という反論です。

しかし、この反論のように考える場合には、こんどは「断裂」ではなくて「循環」が含まれることになります。その「循環」とは、〈 〉と《 》と「 」の三水準を、同じ私という表記が貫いていることによって、三つの水準のあいだを自在に往き来できてしまうことです。次の図18を参照してください。

実際、永井自身も「循環構造」に言及しています。意識主体の要素と〈 〉の成分のあいだでの循環構造や、〈私〉と《私》のあいだでの循環構造について、次のように述べています。図19を参照して下さい。

さらに、この循環構造を可能ならしめている力を考えようとするならば、もう一度、「断裂」的に

図18

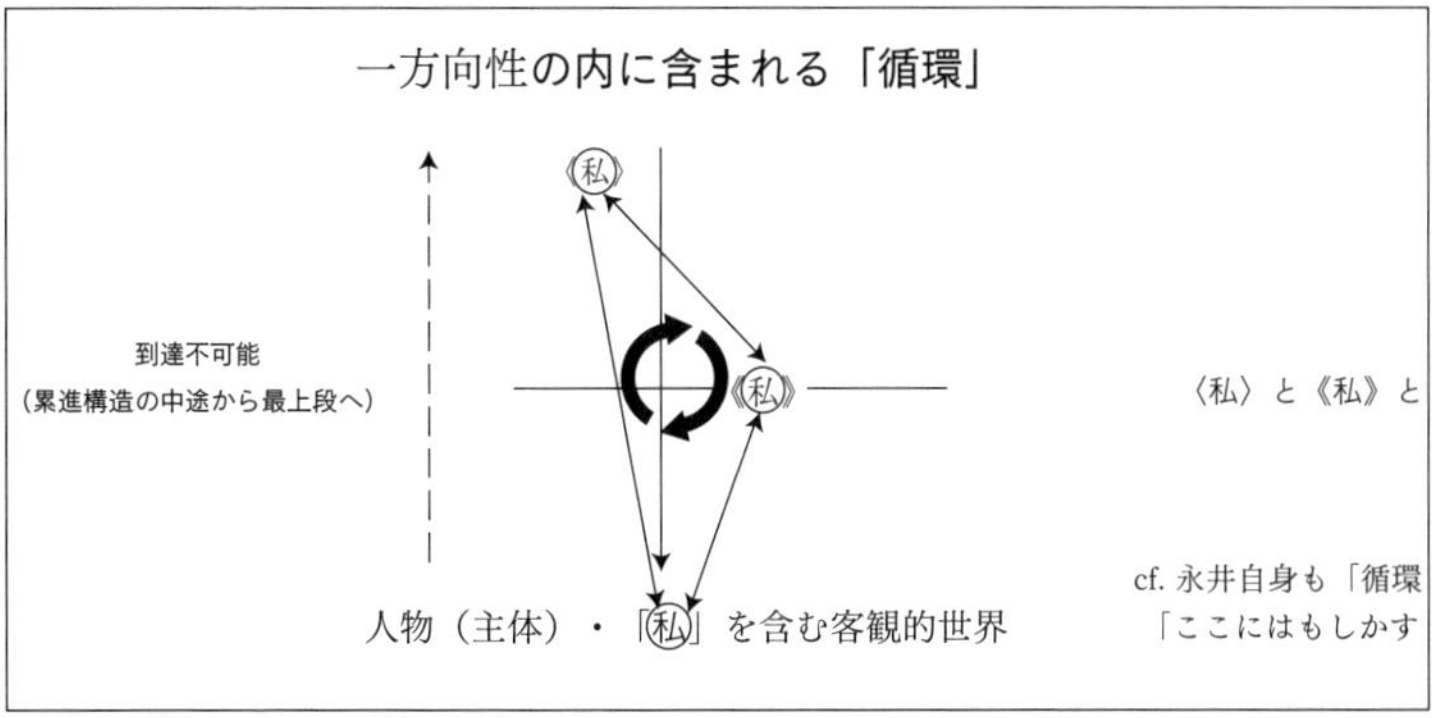

図19

〈私〉と《私》と「私」は、私 - 表記において通底せざるをえず、それを通じて「一方向性」の背後では「循環」（両方向性）が生じる。

cf. 永井自身も「循環構造」について言及している
「ここにはもしかすると循環構造が隠れているかもしれない。」（『独在論的』p.81.）：意識主体の要素 〈　〉の成分

「だから、可能な（しかし現実ではない）〈私〉という概念的な把握がぜひとも（いわば先回りして）必要なのである。ところが、そのためには……、というようにこの循環は続くのであった。」（『独在論的』p.97.）：〈私〉 《私》

→更に、この循環を可能ならしめている「現実性」の突出（アキレスの突出）が必要となる。：こちらは1 - ①に相当

図20

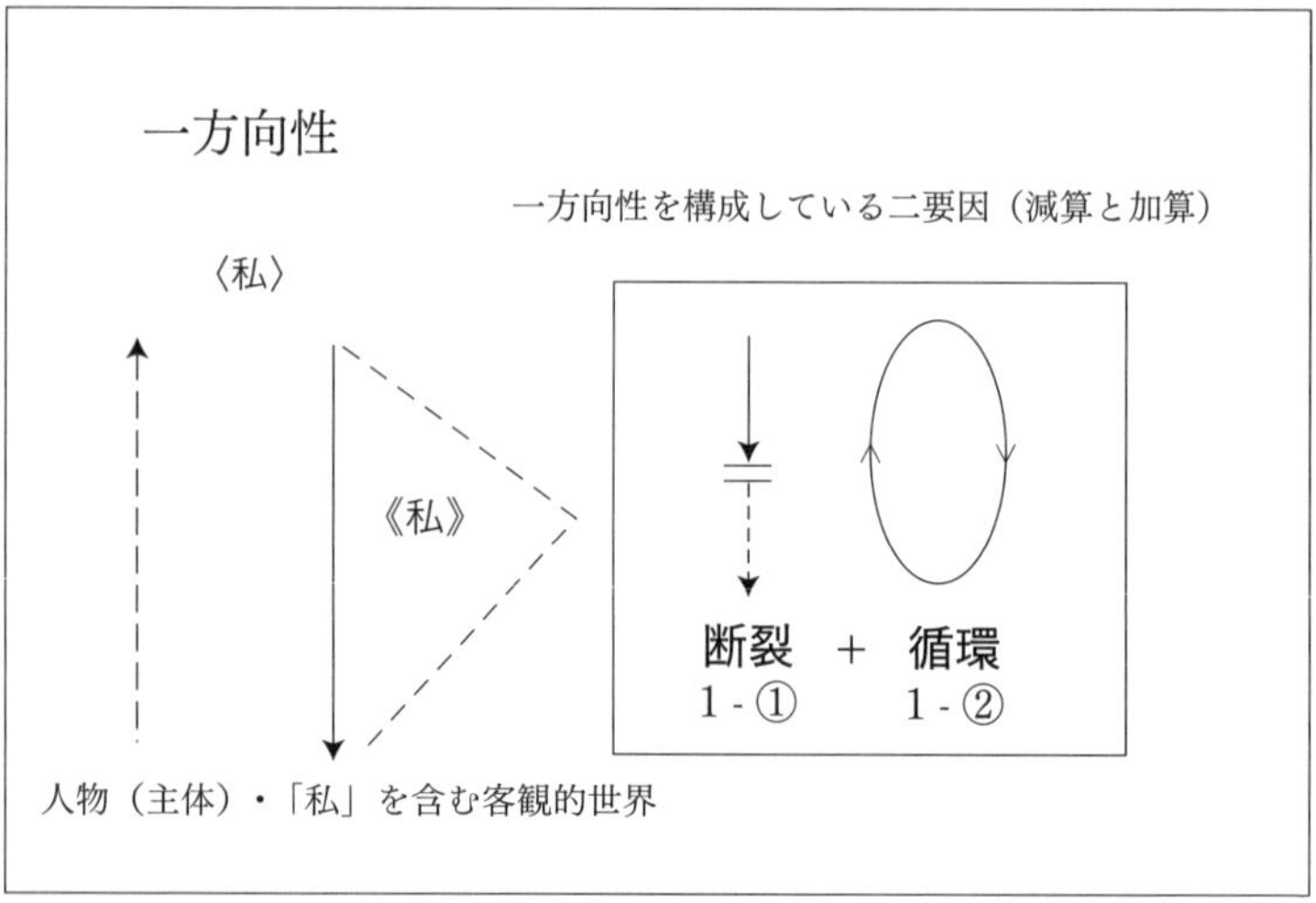

のみ働く、すなわち構成的な主体には至らない〈私〉の突出が必要になります。そうすると、もう一度「循環」から「断裂」へと逆戻りすることになります。

結局、「一方向性」の「一」は、「一」よりも少ない「断裂」の要因と「一」よりも多い「循環」の要因を合成することで成立していると考えられます。「一（方向性）」とは、「減算」と「加算」の重ね合わせだと言うこともできます。次の図20を参照して下さい。

永井は、〈私〉と実在世界のあいだの「一方向性」に注目していました。その一方向性の内に「減算」と「加算」の重ね合わせを読み取ったのが、ここまでのポイントです。

次の3—2と3—3では、私自身の「〈　〉（無様相・無中心の現実性）」の場合の「一方向性」について考えます。すなわち、私という中心性の構造を除いた純粋現実性〈　〉についても、こんどは〈私〉以降の段階とのあいだで「一方向性」が見出せることを確認したいと思います。

3—2

〈私〉へと至らんとするルートは「無限の否定性」を特徴として持ちます（永井自身がかつてそう述べています）。「私」という人物個体や《私》という概念や形式として読み取られてしまうことへの無限の否定としてのみ〈私〉は存在します。しかしこんどは、そのような無限の否定性こそが、純粋現実性〈 〉に至ることができない理由となります。なぜならば、「現に」という力にはそもそも否定が存在しないので、純粋現実性の「否定なき肯定性」に対しては、無限の否定性によって迫るというアプローチは、そもそも上手く行かないからです。あらかじめ、否定性から迫るルートは閉ざされています。図21の左半分の上向き点線矢印の上に×が付いていることが、その「至れなさ」を表しています。

逆に、純粋現実性〈 〉は、空集合のように汎通的に働いて、任意のものごとにつきますから、〈 〉の中に私を代入するルートも開けています。特に、（〈 〉の内に私が代入された）〈私〉は、純粋現実性の働きが特異的に可視化される場面であり、〈私〉とは、純粋現実性〈 〉の特権的な受肉化である、と言うこともできます。図21の右半分の下向き実線矢印がそれを表しています。

このように純粋現実性〈 〉の側から、特異点としての〈私〉を振り返る場合には（図21の※の部分を参照）、〈私〉の存在の仕方自体が、永井バージョンの〈私〉とは異なって見えることになります。その点については、3—3で「唯一中心分有型」という呼び方で触れます。

図21

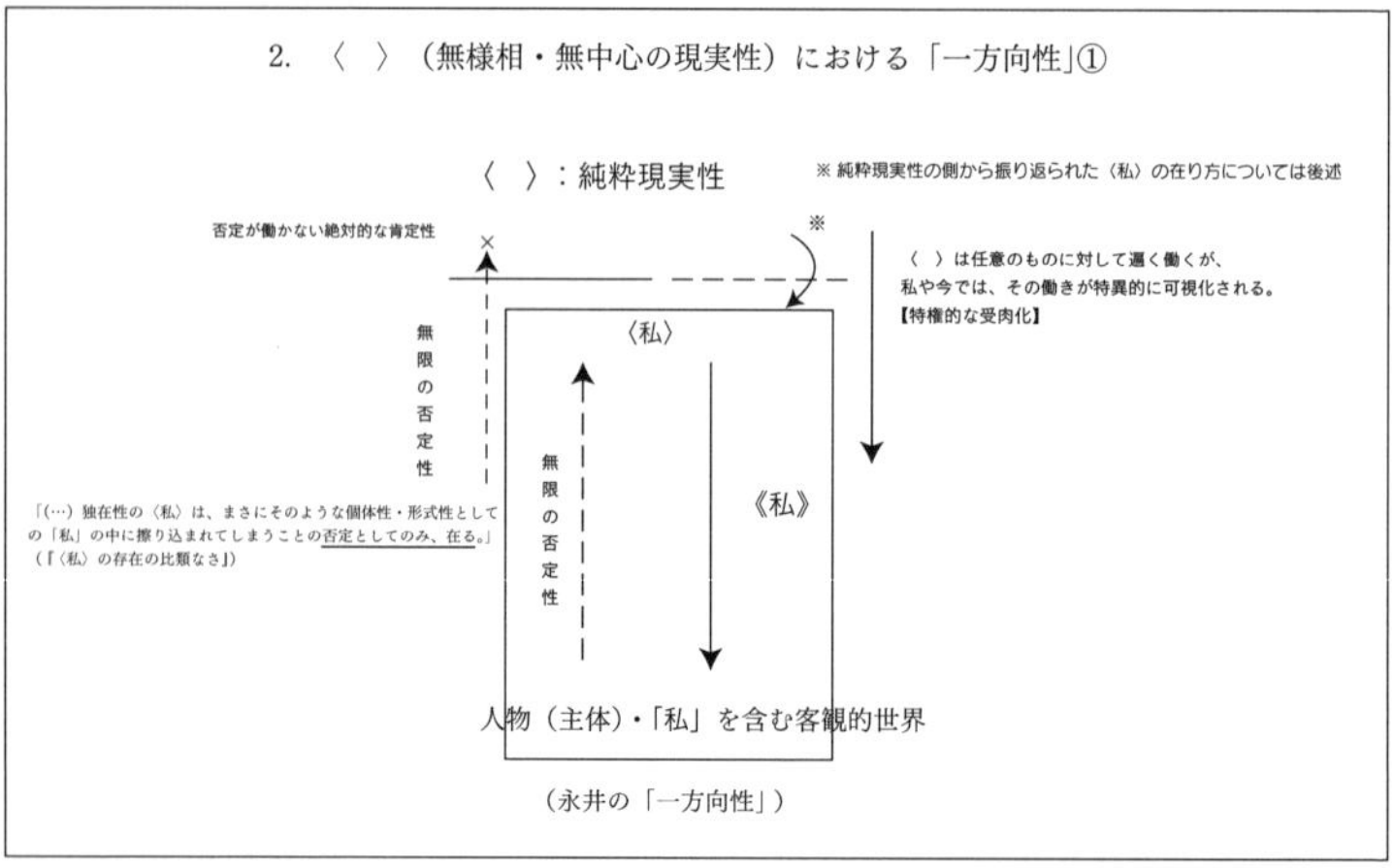
2. 〈　〉（無様相・無中心の現実性）における「一方向性」①
〈　〉：純粋現実性
※ 純粋現実性の側から振り返られた〈私〉の在り方については後述
否定が働かない絶対的な肯定性
※
〈　〉は任意のものに対して遍く働くが、
私や今では、その働きが特異的に可視化される。
【特権的な受肉化】
無限の否定性
〈私〉
無限の否定性
《私》
「(…) 独在性の〈私〉は、まさにそのような個体性・形式性としての「私」の中に擦り込まれてしまうことの否定としてのみ、在る。」
（『〈私〉の存在の比類なさ』）
人物（主体）・「私」を含む客観的世界
（永井の「一方向性」）

図22

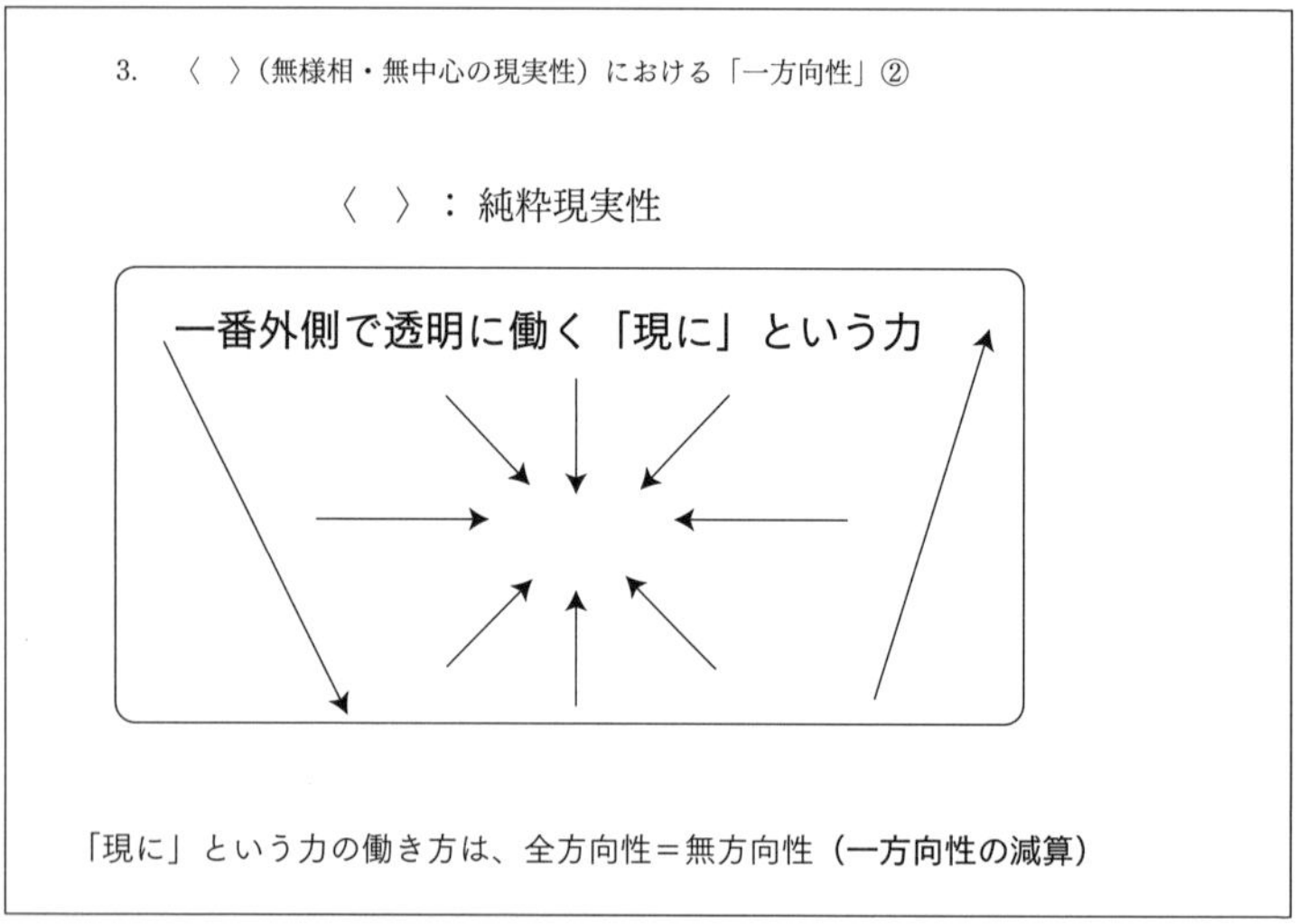
3. 〈　〉（無様相・無中心の現実性）における「一方向性」②
〈　〉：純粋現実性
一番外側で透明に働く「現に」という力
「現に」という力の働き方は、全方向性＝無方向性（一方向性の減算）

図23

【一方向性としての受肉】

〈私〉
（…）ちょうどどんな天使にも最低限の質料があるように、いかなる〈　〉にも最低限の受肉の事実がともなうのだ。すなわち、現に今スクリーン上に映っているという事実とともに必ず何かが映ってもいるのである。（『世界の独在論的存在構造』p.137.）

〈　〉
もっとも外側で透明に働く「現に」の場合には、たとえ事実上は「何か」を伴って受肉していても、すなわち「現に……である」だとしても、その「現に」という表記化よりも手前の透明な働きであるが故に、「現に」の力の働きは「受肉」以前性（一方向性からの更なる減算）を有する。【受肉化の減算（必然とまでは言えない）】

〈私〉と実在世界のあいだとは違った仕方で、ではありますが、純粋現実性〈　〉と〈私〉以降の段階のあいだにも、同じように「一方向性」が見出せることを述べました。しかし、純粋現実性〈　〉は、一番外側で透明に働く「現に」という力であり、すべてに浸透して遍在的に働く力です。その点に注目するならばこんどは、純粋現実性〈　〉はあらゆる方向で（ということは無方向で）働いていると言うこともできます。この「現に」という力の「全方向性＝無方向性」は、「一方向性」自体を減算していると見なすことができます。次の図22を参照して下さい。

「一方向性」を「受肉」という観点から見た場合に、永井は「〈私〉は必ず受肉している」と主張していることになります。その受肉の必然性が、図23に引用した最初の文では、「現に今スクリーン上に映っているという事実」には、「何かが映っている」ことが必ず伴うという仕方で述べられています。

しかし、純粋現実性〈　〉の場合には、この受肉の必然性は、もう一歩「減算」されます。すなわち、純粋現実性〈　〉は、「必ず受肉している」とまでは言えないことになります。図23の二番目の文は、その点を示したものです。

たしかに、「現に……である」の場合にも、「現に」は、何であれ「……である」という「何か」を伴います。ここまでは、先ほどの「受肉の必然性」と同じです。しかし、純粋現実性〈 〉の場合には、「現に」と表記化される場合には受肉化を伴うとしても、実はその「現に」という表記化よりも手前で、透明なままで働く力こそが、純粋現実性です。ですから、その透明な力は、必然的に受肉化する地点よりも一つ「手前」で働いていることになります。すなわち、「必ず受肉を伴う」とまでは言えないところに位置しているのが、純粋現実性〈 〉の、表記化以前の透明な働き方だということになります。

十二年前の私の発言で、〈 〉性やこの性に関して、「離存するとまでは言えないが……」という仕方で含みを残しているのは、「受肉の必然性」に対して躊躇しているからです。「受肉の必然性」も、かといって「受肉の全否定」もどちらも認められないという中間性が、微妙な言い方に反映していることになります。その中間が「受肉以前性」という隙間になります。「受肉」から全面的に免れることはできないが、かといって「受肉は必然」でもないという「隙間」です。これもまた、「受肉」という「一方向性」を減算しています。永井と入不二を対照した表（四角囲み）を図24で確認して下さい。

3―3

先ほどペンディングしておいた「純粋現実性〈 〉」の側から、特異点としての〈私〉を振り返る場合には、〈私〉の存在の仕方自体が、永井バージョンの〈私〉とは異なって見えることになる」とい

図24

永井	入不二
〈　〉は、私・今のみにつく	〈　〉は、何にでもつく
この性は、限定された何かに働く	この性は、任意のものに働く
離存・分離に否定的	離存・分離に含みを残す

図25

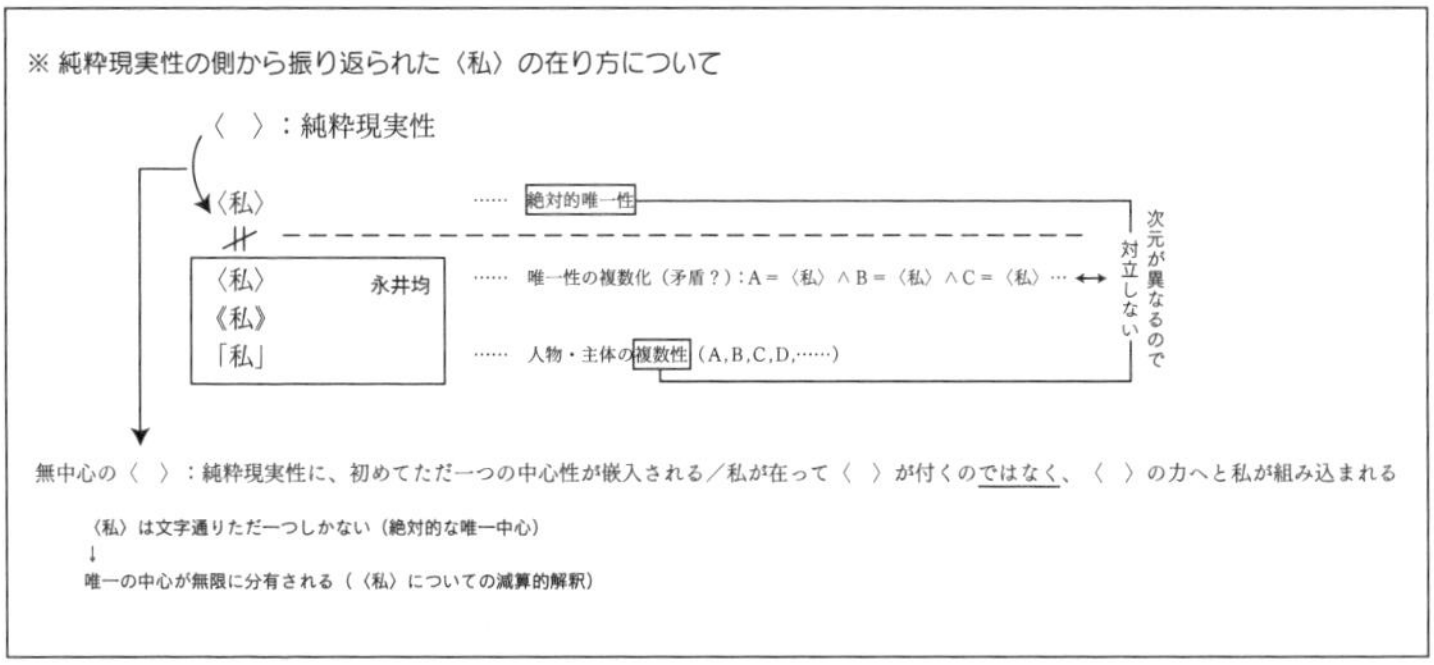

う点について最後に述べておきます。

純粋現実性〈 〉の遍在的な力の働きが、特異点としての一人称に凝集的に現れたのが〈私〉であると考えます（図25の下へ向かう左側の矢印を参照）。私が〈 〉の中に入ることによって、無中心の現実性に初めて中心性が嵌入されます。私が先に在って、後から〈 〉が付けられるのではなく、〈 〉の力が先んじて働いていて、そこへと私（中心性）が組み込まれる・巻き込まれるという順序を強調しておきたいと思います。

ですから、〈私〉は、絶対的に唯一の中心であって、その絶対的唯一性は、人物や「私」という主体の複数性とはまったく次元を異にしています。次元を異にするので、「唯一性と複数性」という同次元の対立にすらなりません。図25の水平の点線が、同次元でないことを示しています。

絶対的な唯一性と人物・主体の複数性は、次元が異なるので対立しない・矛盾しないというこの考え方は、永井バージョンの〈私〉・《私》における、唯一性の複数化という矛盾的な在り方とは、異なっています。

永井バージョンでは、「Aが〈私〉だ」「Bが〈私〉だ」「Cが〈私〉だ」……のような状況で、唯一の〈私〉が複数存在するかのような矛盾が発生します。むしろその矛盾こそが、〈私〉と《私》の力動的な関係を構成します。

しかし、純粋現実性の側から振り返られた〈私〉ではそうはなりません。〈私〉は文字通りただ一つの中心であって、その唯一の中心性が、異なる複数の人物を通底して実現しているだけなので、特に矛盾はありません。絶対的唯一性と受肉の複数性のあいだにあるのは、「矛盾」ではなくて「分

図26

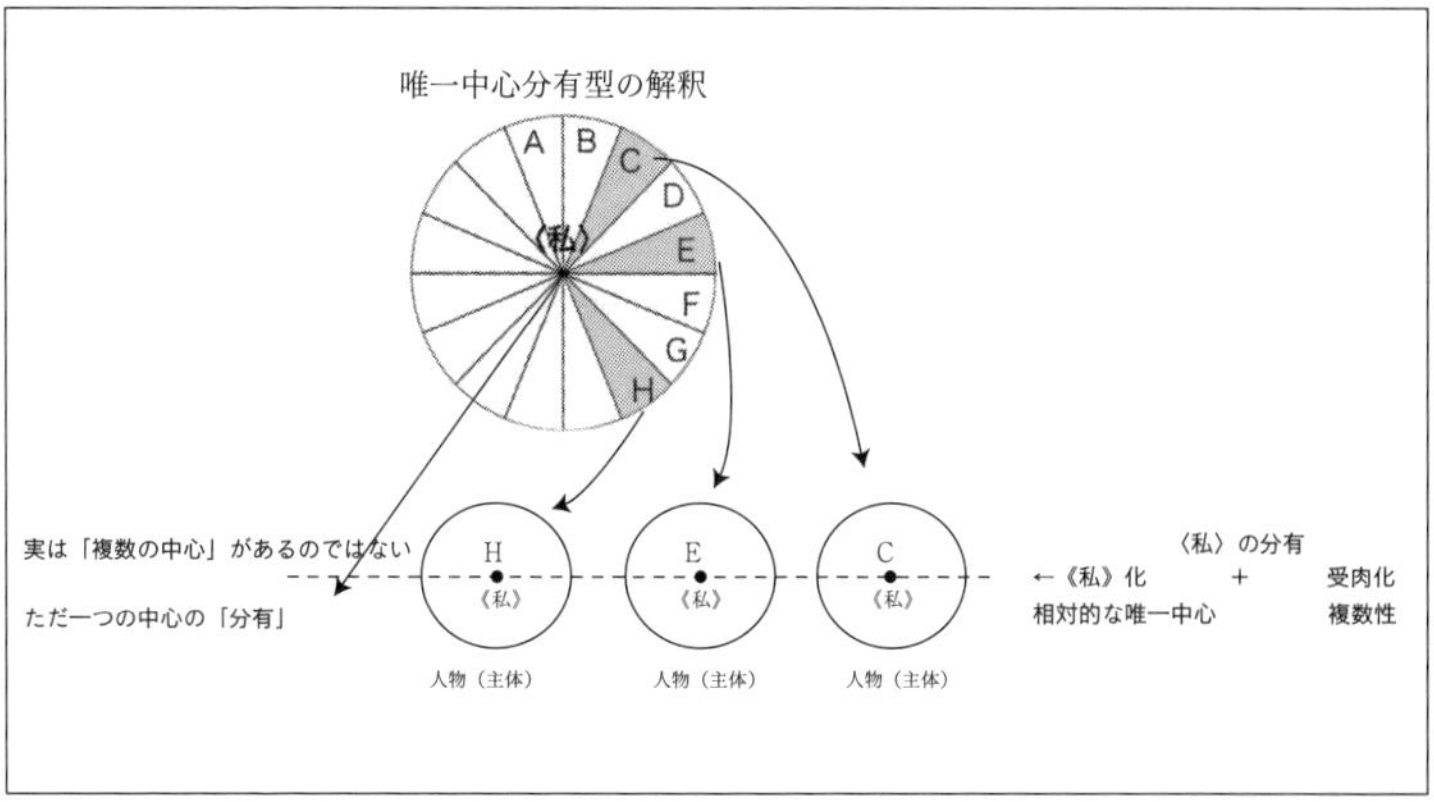

有」です。絶対的に唯一である〈私〉と複数の人物・主体の「分有」関係を、図を使ってイメージしておけば、次の図26のようになります。

〈私〉は絶対的に唯一の中心であり、すべての人物・主体（A, B, C, D, ……）に対しても、文字通り「ただ一つ」なので、一つの円の一つの中心が〈私〉に相当し、その中心を異なる角度から分け持っているのが各々の扇《せん》形《けい》（A, B, C, D, ……）です。複数性はあくまで人物・主体が持ち込む要因であって、それは〈私〉の絶対的唯一性には、何の影響も及ぼさないということです。この無関係性が次元の異なりに相当します。

さらにこのイメージを拡張するならば、下の小円の図を加えることもできます。実際には、各々の扇形（つまり人物・主体）は唯一の中心（〈私〉）を分有することで円に同じ仕方で参与しているだけなのに、各々の扇形があたかも独立の中心を持った一つの完全円であるかのように捉えられる場合に、下の複数円のようなイメージができあがります。ただし、この複数円の複数中心を可能にしているのは、あくまで人物・主体の受肉における異なり（扇形の位置や中身の違い）であって、元の大円の唯一中心〈私〉が複数あることにはなりません。〈私〉の唯一中心性に関するこの考え方【唯一中心分有型の〈私〉解釈と呼んでおきます】は、永井バージョンの〈私〉に対する減算的な解釈になっています。

この見方から振り返る場合には、永井バージョンの〈私〉のほうは、この「絶対的な唯一中心」と「受肉化による複数中心」とのあいだに位置するようなあり方だと言えて、両サイドの重ね合わせとして、両サイドの中間に浮かび上がります。その中間は、次の図27のようにイメージできます。〈私〉の絶対的な唯一性と人物・主体の複数性を同じ一つの水準に持ち込んで重ね合わせて、Cの〈私〉・Eの〈私〉・Hの〈私〉……とすると、（〈私〉が中心である）別個の円として孤絶しつつ、その孤絶において並列するという矛盾的な在り方が発生します。

先ほど、「一方向性」の「一」を、「一」未満の「断裂」と「一」以上の「循環」の合成態として解釈するという考え方を提示しました。この場面でもまた、似たようなことが言えます。すなわち、永井バージョンの〈私〉の在り方は「唯一性の複数化」を特徴としますが、その「唯一性の複数化」から複数化を減算した「絶対的な唯一性」と、「唯一性の複数化」から唯一性を減算した「受肉した複数性」との、合成態であると考えられます。下の図28を参照して下さい。別言すれば、「絶対的な唯一性」と「受肉した複数性」を二つの「実」とした場合に、それらを重ね合わせることによって、永井バージョンの〈私〉という「虚焦点」が立ち現れるように思われます。

以上、〈　〉や〈私〉についての減算的解釈を行ってきました。第三階の現実性に対する第〇階の

図27

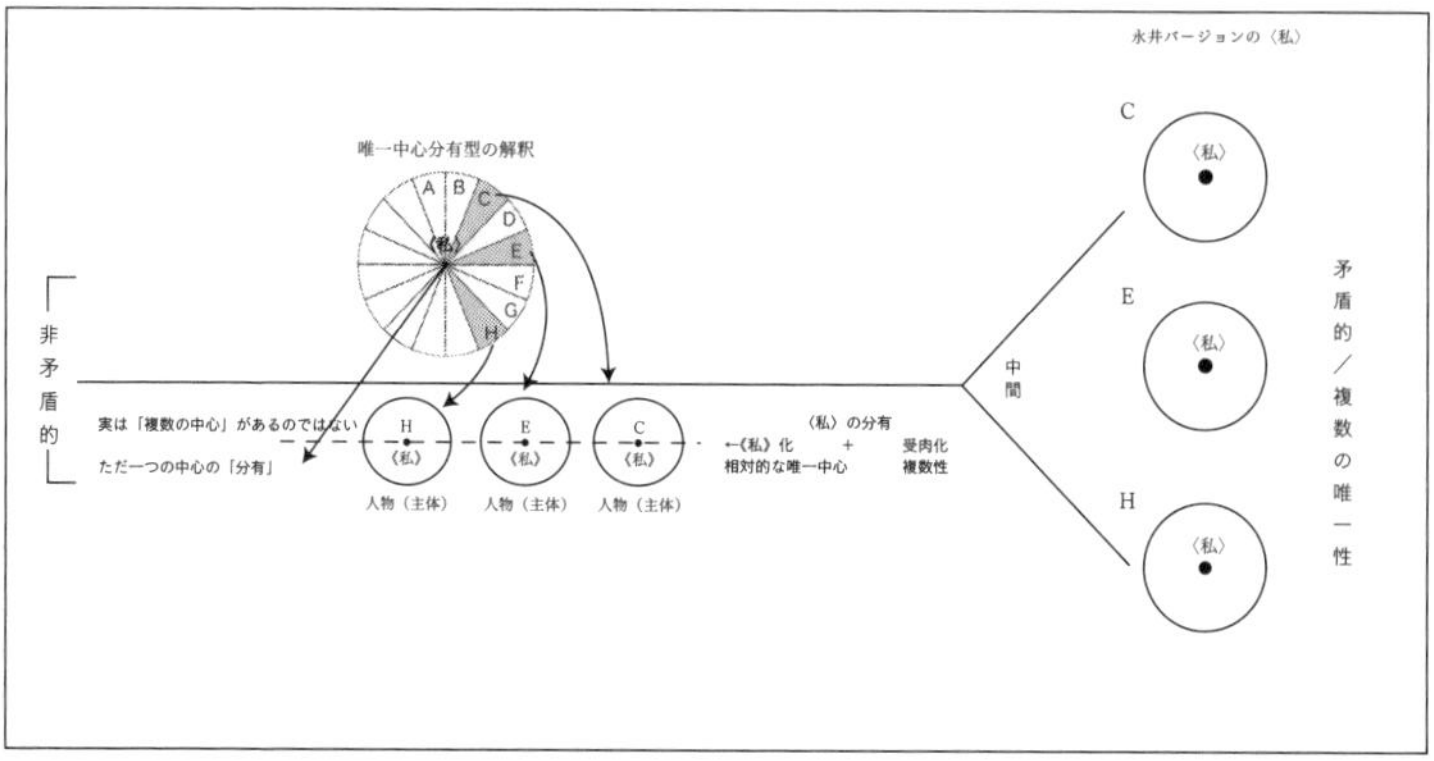
永井バージョンの〈私〉
唯一中心分有型の解釈
A
B
C
D
E
F
G
H
〈私〉
非矛盾的
実は「複数の中心」があるのではない
ただ一つの中心の「分有」
H
〈私〉
E
〈私〉
C
〈私〉
人物（主体）
人物（主体）
人物（主体）
〈私〉の分有
←《私》化
相対的な唯一中心
+
受肉化
複数性
中間
C
〈私〉
E
〈私〉
H
〈私〉
矛盾的／複数の唯一性

図28

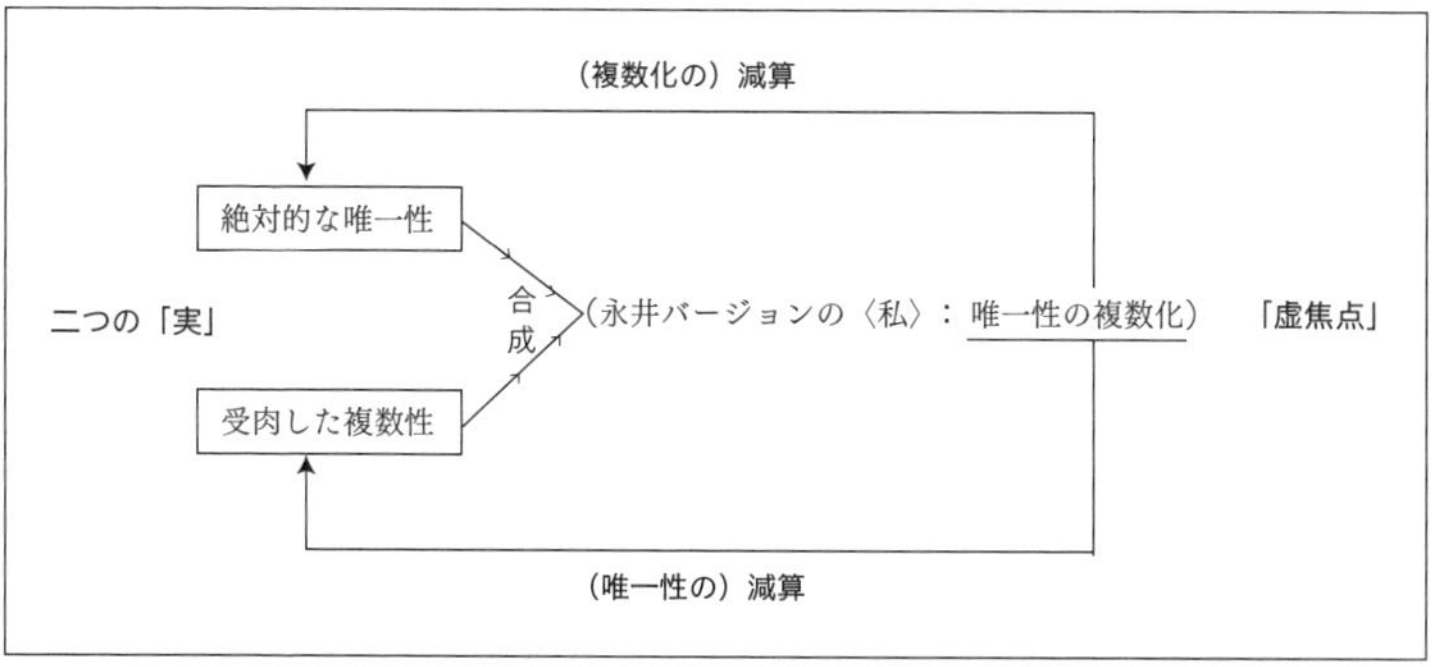
（複数化の）減算
絶対的な唯一性
二つの「実」
合成
（永井バージョンの〈私〉：唯一性の複数化）
「虚焦点」
受肉した複数性
（唯一性の）減算

図29

減算的解釈

1. 第三階 → 第〇階
2. 人称・様相・中心性 → 無人称・無様相・無中心
3. 一方向性 → 断裂＋循環
4. 一方向性 → 無方向性
5. 受肉化の必然性 → 必然とまでは言えない
6. 永井バージョンの〈私〉 → 純粋現実性の側から振り返られた〈私〉

現実性の提示が減算ですし、人称・様相・中心性に対する無人称・無様相・無中心の提示が減算です。また、一方向性の内に断裂を見いだすことも減算的ですし、一方向性から無方向性へと向かうことも減算的です。さらに、受肉化に対しても、その必然性を減算するような隙間を開いておきました。そして、最後に取り上げた永井バージョンの〈私〉に対する、純粋現実性の側から振り返られた〈私〉も、〈私〉に対する減算的な解釈になっていました。これらをまとめると、図29の1〜6になります。

これで、私の発表を終わります。なお、この発表の録画バージョンは、以下のQRコードから視聴することができます。

2

他者と独在性

青山拓央

はじめに少しだけ思い出話を。僕は大学に入ったのが遅くて、二一歳のときでしたが、僕が入学した次の年に永井先生が千葉大学に赴任されました。大学に遅く入ったおかげで永井先生に教わることができたのですが、もしこのことがなかったら、僕は哲学の研究をやっていなかったと思います。というのも、一般的に哲学といわれるものに興味があったわけではなく、永井先生がやっているようなことをやりたいと思って研究を始めたからです。先生に関する当時の思い出については、『哲楽』という雑誌にエッセイを書いたことがありますので、よければ、そちらをご覧ください（『哲楽』第六号、哲楽編集部、電子版あり）。

それでは本題に入ります。この発表では、永井先生の二つの本を参照していきますが、『改訂版 なぜ意識は実在しないのか』（二〇一六年、岩波現代文庫）のほうを『なぜ』、そして、『世界の独在論的存在構造——哲学探究2』（二〇一八年、春秋社）のほうを『世界』と、それぞれ省略して呼ぶことにします。改訂前の『なぜ』の岩波書店版は二〇〇七年に出版されていますが、この時期以降の先生の本は一段階高度になっているとともに、より丁寧な読書を求めるようになっています。その大きな理由の一つは、「累進構造」と呼ばれるものを議論の基礎としたうえで、たとえば次の引用にあるような弁証法的な叙述がなされているためです。

議論の進展に応じて、「私はゾンビではなく、他人はゾンビである」という主張と、「ゾンビはそもそも概念的に不可能であるから、私も他人もゾンビではありえない」という主張と、「ゾンビは可能であり、私自身もまたゾンビでありうる」という主張が、いずれも必要不可欠な、疑う余

地のない真理として、肯定的に主張されます。(『なぜ』p. iv)

〈心の哲学〉の領域で「ゾンビ」と言われているものは、普通は次のように説明されます。ゾンビとは、一人称的な意識を持つ人間と物理的にまったく同一でありながら、一人称的な意識をもたない生物のことである、と。しかし、『なぜ』の議論では、累進構造によってゾンビの概念も多重の意味を持つことになります。そんなわけで、『なぜ』の重要な論点は専門家のあいだでも十分に理解されているとは思えないのですが、この発表の前半では、あえて累進構造の話を省略し、それでもなお浮き彫りにできる論点をまずは伝えてみることにします。

「心身問題」と「他我問題」は、教科書的な説明においては別の問題だとされています。前者は心と身体(とくに脳)との関係性についての問題であり、後者は他者の心についての問題である、という仕方で。しかし、『なぜ』では、ここに本質的な繋がりを見出す道が、たとえば次のようにして示されています。

「外的な振る舞いも内的な脳や神経の状態もまったくふつうの人間なのに、痛さも酸っぱさも不安も憂鬱も感じない人は、だあれ?」と問われたら、この謎々の答えは「他人」しかありえないでしょう。これは、疑う余地のない、端的な事実です。ゾンビという概念の故郷は、私と私でない人という、世にも不思議な、この不気味な対比のうちにしかありえません。(『なぜ』p. 89)

この一節を、非常識な独我論として読み飛ばすのはもったいない。むしろ、ここで述べられているのは、直接的な経験を通じてだれもが知っているはずのことです。もし、このようになっていなかったら、複数の人間のうち、どれが自分かが分からない。どれが自分かが分かるのは、自分の意識の内容が特徴的だからなんかではなく、自分の意識と同じような仕方では他者の意識が「存在していない」からです。一人称的な体験に基づいて「私に意識がある」ことを知っている人は、まったく同じ体験に基づいて、他者の意識が「存在しない」ことを――譲歩的に言うなら「隠されている」ことを――知っているはずです。（累進構造の議論を省き、単純化した表現をしている点に注意。）

以下では僕なりにパラフレーズして、この問題を明確化していきます。

ゾンビをめぐる論争は、非現実的な想像についての直観の違いをめぐるものにすぎないと批判されることがよくあります。ゾンビを「想像できる」と言う人もいれば「想像できない」と言う人もいて、直観についての水掛け論になっていると思われている節がある。でも、このような捉え方は不十分であると僕は考えます。というのも、ゾンビが想像可能であることには経験主義的な根拠があるからです。

さきほどの引用にもある通り、すべての他者は事実として、ゾンビのようなものとして知覚されます。そして、彼らの振る舞いは、ゾンビの振る舞いと同様のものとして物理主義的に十全に探究できます（そして、それだけが可能です）。これは、独我論がどうこうといった話ではなく、意識というものの与えられ方が端的にそうなっているという話です。「意識を持つ」とはどのようなことかについて、よく、現象的な質感（たとえばコーヒーの香りをかぐことの質感）が話題に出ますが、それだけでなく、「意識を持つ」とはどのようなことかへの回答のうちには、その意識以外の意識（つまり他者の意識）が同等には存在しないということもまた含まれているのです。

そのため、ある他者Aに関して、Aがゾンビであることの想像は、知覚経験に怪しげな形而上学を付け足すことによって可能になるのではありません。それはむしろ、経験的なデータを虚心坦懐にとらえ、他我についての形而上学を「括弧に入れる」ことで可能になります。だから、常識を知る人間というのは、みんな形而上学者なんですね。僕らは誰もが形而上学者で、だからこそ、「他者に意識がある」という、複雑怪奇な形而上学なしには本当は出てこない考えを常識として持つに至っている。（形而上学を排斥しようとした初期のアルフレッド・エイヤーでさえも、他我についての形而上学者であらざるをえなかったという話をちくま学芸文庫版『言語・真理・論理』の解説に書いたので、興味のある方は読んでみてください。）

ではここで、発表資料として準備した次の文章を読み上げてみます。いま述べた、意識というものの在り方を問い直すための文章です。

発表資料

地球から遠く離れたところに、生物は存在しないけれども、自律的に進化してきわめて高性能になったコンピュータ「オメガ」が存在している星があるとしよう。オメガは、人間を凌駕する情報処理能力を持っている。数学や論理学について、オメガは人間よりはるかに詳しい。さらにオメガは、高度な観測装置を備えた探査機を宇宙のあちこちに送り込んで、大量のデータを収集し、それを綿密に分析している。そのため、物理学や化学についても、オメガは人間よりはるかに詳しい。

あるときオメガは、地球に探査機を送り込む。そして、人間のことを徹底的に調べ上げて、その身体と脳のメカニズムを十分に理解する（オメガの優れた観測装置を使えば、人間の身体と脳の内部を、外側からでも正確に見通すことができる）。

私もまた、オメガに詳しく調べられた人間の一人だったとしよう。オメガは私の脳のなかや、その周辺の空間について、物理的な情報を細部まで知っている。そして私のあらゆる言動を物理主義的に十全に説明できる。オメガはいまや、私以上に私のことを知っているかのようだ。

しかし、本当にそうなのだろうか。オメガには知らないことがあるのではないか。というのも、一人称的な意識を私が持っていることを、オメガは知らないだろうから。意識を持ったことのないオメガは、それを持つとはどのようなことかを理解することさえできないだろう。

とはいえ、この断定に対しては、オメガにも言い分があるはずだ。オメガは私に尋ねるかもしれない。「あなたの意識なるものは、いったいどこにあるのか」と。私は現代の常識をふまえて、「私の脳の場所にある」と答えたくなる。だが、オメガは私の脳内を徹底的に調査したうえで、ミクロな物理的現象（とそれに付随するマクロな諸機能）のほかに、そこには何も隠されていないと判断するだろう。

私はオメガに対して、「観測装置をもっと改良すれば、私の脳の場所に私の意識を発見できるだろう」などと言うことはできない。私の意識がオメガから隔てられているのは、観測装置の能力が不十分であるからではなく、観測する場所の問題でもなく、要は、オメガが私ではないからだ。「どんなに調べても見つけられないものが、私の脳の場所に存在する」という話を、オメガは不合理だと見なすだろう。それは見つけられないのではなく、たんに存在しないのだ、と考えるほうがずっと合理的であり経済的である。

僕はさきほど、他者がゾンビであることの想像は経験主義的な根拠を持つと言いました。それは、形而上学を付け加えることによってではなく、むしろ、保留することによって可能になるのだ、と。このことに疑問を持たれている方は、上記のオメガの話をふまえて、もう一度そのことについて考えてみてください。そして、心身問題と他我問題とを本当に分断できるのかどうかについても。

さて、ここに百台のパソコンがあり、それらはすべて孤立している（ネットワークが組まれていない）とします。このとき、それぞれのパソコンのあいだには情報の伝達に関する境界があり、それゆえ、ある一台のパソコンに他のパソコンの情報が入ってくることはありません。ここにはいわば認識論的な境界付けがあるわけですが、こうした認識論的な境界付けについては物理主義のもとで十分に説明でき、とくに不思議なところはない、と言えます。物理主義的なパースペクティブのもとでは、すべてが一望されており、存在論的には何一つ隠されていません。

認識論的な孤立領域が時空間のあちこちに在ることを、物理主義的なパースペクティブは一枚の実在の地図上に描き込めます。その地図には、すべての孤立領域だけでなく、各領域を隔てる絶縁領域もすべて描き込むことができるわけです。こうして、われわれが手にするのは、特定の主観から見たのではない客観的な眺めであり、そして、すべての孤立領域を同等のものとして一望せざるをえない眺めです。

「せざるをえない」などと言うと何だかまずいようですが、このことは本来、物理主義的なパースペクティブの欠陥でも何でもなく、むしろ、その優れた客観性を裏書きするものです。とはいえ、物理主義的なこの地図に一人称的な意識を描き込もうとすると、われわれは困難に直面します。それぞれの意識の孤立性は、百台のパソコンの孤立性と重大な違いを持っているからです。

ここで注目すべきなのは、意識に境界線がなく、境界線の向こう側もないことです。自分の意識と他者の意識とのあいだの境界線や、あるいは絶縁領域を見たことのある人など、だれもいません。なぜなら、それぞれの意識は一枚の地図上で距離や絶縁物によって隔てられているわけではなく、一枚の地図上に共存できないという独特の仕方で隔てられているからです。

このことは、たとえ、僕の脳と他者の脳とを繋げられたとしても変わりません。もしもそうした接続によって、たとえば、他者の眼球に映ったものを僕が見られるようになったとしても、それは、他者の脳から送られてきた信号を僕の脳が受け取って、あくまで僕の脳のもとで映像が体験されているか、あるいは、他者の脳と僕の脳との融合体のもとで――、つまり新たに現れた（もはや僕のものではない）意識のもとで映像が体験されているかのどちらかです。このいずれであったにせよ、僕の意識と他者の意識との共存を捉えたことにはなりません。

僕の意識と他者の意識との断絶は、それぞれを別の地図上に位置付けざるをえないことによって、そして、そのことによってのみ表されます。他者の意識は、その他者の頭蓋骨のなかに「隠されて」などいません（もし、そのような隠され方をしているのなら、それは、あるパソコンにとっての他のパソコンの情報のようなものにすぎません）。他者の頭蓋骨のなかを徹底的に調査したとしても、時空的位置を持った存在としてはけっして姿を現さないからこそ、それは他者の意識なのです。

ここでふたたび、オメガに登場してもらいましょう。オメガは、僕の脳と、僕にとっての他者である A の脳とをそれぞれ調べたうえで、僕にこんなふうに言うかもしれません。「あなたの脳内の情報は A にとって隔てられている。あなたはその情報にアクセスできるが、A にとってはそうではなく、この意味でなら、あなたの脳内には隠されているもの（情報）がある。しかし、それはあくまでも A にとって隠されているだけであり、オメガにとっては、つまり、物理主義的なパースペクティブにおいては、何も隠されていない」。

この見解には説得力がありますが、それでも間違っているはずです。なぜなら、A だけでなくオメガもまた、僕の意識から隔てられているからです。オメガは、僕の脳内の物理的情報にいくらでもアクセスすることができますが、僕の脳にな**る**ことはできず、それゆえ僕の意識から隔てられています。ここにあるのは、認識論的な壁ではなく、オメガが私ではないという事実に基づいた、存在論的な落差なのです。

〈心の哲学〉に詳しいがゆえに、かえって、ここまでの話の論点がうまく摑めない方もいるでしょう（一般的な〈心の哲学〉の議論とだいぶ違うルートを辿ってきたので）。そうした方に向けては、「物理的な性質にいかにして現象的な性質が創発するか」という標準的な仕方で問いを立てるのではなく、「あらかじめ膨大な数の現象的性質に満ちた世界において、いかにして、あるひとまとまりの——つまりこの**私の**意識を成す——現象的性質のみが存在し、他のすべての現象的性質が「減算」されるのか」という仕方で問いを立ててみることをお勧めします。たまたま、入不二さんの発表と同じく「減算（subtraction）」という言葉を使っていますが、これは以前、ベルクソンの意識論について発表させてもらったことが切っ掛けで使うようになった言葉です。（その発表の記録は、『福岡大学人文論叢』五三巻二号掲載の「ベルクソンと現代時間哲学（上）」にまとめられており、オンラインでも読むことが可能です。）

一人称的な意識の成立には、いまの問いで述べられていた意味での「減算」が欠かせません。僕の意識を構成する現象的性質だけが存在して、他の現象的性質がすべて存在論的に「減算」されていないと、僕の意識が境界線なしに孤立化されている（境界線なしに境界付けられている）ことの説明がつかない。僕の意識は、その内容によってではなく、「それしかない」ということによって孤立化されているからです（繰り返しとなりますが、もしそうでなかったら、境界付けられた複数の意識のうちどれが僕の意識かが分かりません）。だからこそ、ここでも焦点となるのは、ある領域と他の領域とのあいだの物理的な（情報伝達についての）絶縁ではなく、ある領域と他の領域とのあいだの存在論的な落差なのです。

「汎心論（Panpsychism）」と呼ばれるものを知っている方に向けて補足しておくと、いま提示した、いわば「意識の減算問題」は、汎心論における結合問題（combination problem）とは区別されます。結合問題への応答が仮にうまくいったとしても、それだけでは、現象的性質に満ちた世界のなかでそれぞれの主体を境界付けるところまでしか行き着けません。物理主義的なパースペクティブのもと、それらの主体は同等のものとして一望されてしまいますから、これでは意識の一人称的な――つまり「それしかなさ」によって孤立化された――在り方が成立しないのです。このとき、「それぞれの主体にと、っ、て、は、それぞれの境界内しか認識できない」だけであると応じても答えになっておらず、その「とっては」とは何であるかが同じ問題として再燃することについては、永井先生が以前から指摘してきた通りです。

それでは、発表の後半に移ります。ここからは『世界』をすでに読まれた方に向けて、「累進構造」のような永井哲学の用語も使って話を進めていきます。

累進構造の議論を経ると、僕だけでなく他者たちもそれぞれ意識を持っているという、常識的な世界像が復元されます。しかし、その場合でも、自分の意識と他者の意識との存在論的落差が消えるわけではありません。だれもが意識を持つのだとしても、複数の意識が一枚の地図上に共存することはないのです。

にもかかわらず、だれもが意識を持つとはどういうことか？　それはつまり、「ある私のある今の意識が存在するとき、他の意識がそれと同等の仕方で存在することはありえない」ということが、だれにでもいつにでも当てはまるということです。存在論的な落差がもたらすこの「いびつさ」が、い、び、つ、な、ま、ま、に他者たちに振り分けられていく——。このことと、複数の意識が同等のものとして共存することとの違いを、しっかり摑まなくてはなりません。

以上のことをふまえて、『世界』からの二つの引用を見てみましょう。

各人の意識の私秘性という問題なら、あちらにあるものをこちら側から見ても、またこちらにあるものをあちら側から見ても、(直接経験できないだけで) 存在はしているといえるであろう。［…］〈私〉にせよ〈今〉にせよ、〈 〉が表現する本来の独在性は、そのような捉え方はまったくできない。それらは、客観的な (もちろん各人の心の中という意味での主観的な世界を含めた意味での客観的な) 世界把握から出発した場合には、そもそも存在していないからである。(p. 84)

客観的世界の側からそもそも存在しないとは言っても、出発点を逆にして、こちらから出発すれば、そこから客観的 (=相対主義的) 世界を構成して、おのれをその内部に (人物や時点として) 位置づけて実在させることなどはできる。［…］しかし、その逆のルートは存在しないのだ。重要なのはむしろその点である。客観的世界を構成しておのれをその内部に位置づけたあかつきには、その世界の側からその道を逆に遡る道はもはや存在しないのだ。(pp. 84-85)

「その道を逆に遡る道はもはや存在しない」という箇所が、入不二さんの発表でも触れられた「一方向性」を描き出した箇所です。現実には、ある人物が〈私〉であるところから、すべてが始まっている。この人物がなぜか〈私〉を「受肉している」ところから出発する以外のルートはありません。ところが、いびつさが形式化され、それぞれの人物に振り分けられたあとでは、出発点となったいびつさがどこにあったのかは分からなくなる。つまり、ルートを遡って、どの人物が〈私〉であるのかを知ることはけっしてできなくなるのです。

議論がこの段階に達すると、これまで僕が用いてきた「意識」(「一人称的な意識」) という表現では、それが言わんとしていたいびつさを言えていないことが分かってきます。だれもがいびつな仕方で意識を持っている――、そんな世界が構成されたのちには、「それぞれの意識は同等に私秘性を持っている」という、じつは理解困難な説明を通して、いびつさが覆い隠されるからです。こうなってしまえば、私秘性を持つことは意識の一般的な形式とされてしまい（そして私秘性なるものは認識論的な壁のようなものとして理解されてしまい）、もはや、「意識」という表現で存在論的な落差を表せなくなってしまいます。

このことを十分に嚙みしめると、独在論において真の謎となるのは意識ではなく、意識とはその真の謎の頽落形態である、と見なす地平が開けてきます。とはいえ、このことをもって「意識それ自体にとくに不思議なところはない」と考えてしまうなら、独在論のいわば中核に注目するあまり、独在論を論として提出可能なもの足らしめている意識の不思議な働きを見逃すことになるでしょう。

先述の通り、「意識」という表現は、いびつさを伝達するための梯子《はしご》としていったんは使われるものの、昇ったあとでその梯子は捨てられます。しかし、ここで問うべきは、「この梯子がなぜいったんは使えるのか」であり、また、「もし、それをいったんは使わざるをえないのだとしたら、それはなぜなのか」です。これらの問いは、『〈私〉の哲学 を哲学する』（春秋社、二〇二二年。永井、入不二、青山、および上野修による共著）における主要な問いの一つであった、「独在性を持つことができるのは、私、今、現実だけであるのか」という問いと直接的に繫がっています。

『世界』では、独在性の受肉の媒体として、〈私〉についてはもっぱら身体が、〈今〉については出来事や日が挙げられています（ただし、持続的な媒体としては、〈今〉について身体にあたるものがないという指摘も終章でなされています）。でも、僕はここに疑問がある。身体や出来事といったものにいきなり受肉した場合、「なぜ、相並ぶもののうち、これだけが現に在るのか」というかたちで問いを立てられなくなるのではないか、という疑問が。あとで詳しく述べる通り、身体にせよ出来事にせよ、意識を媒介とせずにそれらだけを見るなら、境界線なしでの境界付けなど果たされていません。ようするに、「それしかない」という仕方では孤立化されていないということです。

『〈私〉の哲学 を哲学する』でもその方向で話をしましたが、僕個人の考えとしては、独在論の提起において意識への受肉が（いったんは）必要だと言いたい。ただし、ここで注意すべきなのは、意識が独在性を作るとか、与えるとかいった話ではないということです。

だれもが意識を持つことを前提としたうえで、「そのうちの一つだけがなぜか現に在る」と語るとき、任意の「私」の任意の「今」の意識が境界線を持つことは、一般化・形式化されたかたちですでに了解されています。とはいえ、その境界線がいかなるものであるのかを、百台のパソコンでも持ちうる認識論的な境界線に存在論的な落差を「一方向的に」重ね合わせたものとして説明するだけでは不十分でしょう。百台のパソコンとオメガについてのあの想定は、この不十分さをある角度から描き出したものとして理解できます。そして、ここで言う「重ね合わせ」が可能となるには、独在性（とりわけ純化された現実性）にとって本来は不純物であるはずの、意識の内包物が必要となるのです。

『世界』での「実在性」の用語法からすれば、複数の意識が共存させられたとき、そのうちの一つが現に独在していることは――それはまさしく独在しているのですが――客観的な実在性を持ちません。これに対して、オメガから見て私の意識が客観的に実在しないことは別の問題ともいえますが、完全に別の問題であるわけではない。より正確にいえば、まずはこれらを別の問題として（『世界』で言うところの「現実性」と「中心性」とを切り離すことによって）一度は理解できたうえで、完全には別の問題ではない（独在論を論として提示する際には「現実性」と「中心性」とを重ね合わせなくてはならない）ということを理解する必要があるのです。

僕の解釈が正しければ、『世界』の最終章において、このことはすでに示されています。二つの箇所を引用してみますが、とくに二つ目の引用にある「一つの問題への統合」がなぜ可能かが問われねばなりません。いったいなぜ、意識の比喩としての「箱」に関して、そんなことができるのか？

「意識」とか「感覚」とか「体験」とかいった概念には、独在性に由来する意味を持たせないかぎり、形而上学的な意味を持ったアプリオリな私秘性などを付与することはそもそもできない。(p. 264)

意識の私秘性という問題にはじつは、経験的事実としてそれぞれ他の箱の中を覗くことができないという種類の問題と、箱はじつは並列的に存在してはおらず、なぜか一つだけいわば裏返されており、すべてがその「中」にある、という種類の問題とが、一つの問題に統合されているのである。(p. 266)

さきほど僕が挙げた問いは、並列された箱と一つだけ裏返された箱とがなぜいずれも「箱」なのか（同種の境界を持てるのか）、という問いに置き換えることができます。脳を含めた身体の物理的な境界や、諸身体間にある認識論的な境界は、相並ぶ箱に境界を与えるための重要な素材ではあるものの、この問いへの十分な答えにはなりえません。そうした素材がいくらあっても、それだけでは、「境界線なしでの境界付け」を成立させることができないからです。これはつまり、「それしかなさ」が成立しないがゆえに、「一つだけ裏返され」たものがまだ与えられていないことを意味します。他方で、たんに「それしかない」何かが成立しているに留まるなら、相並ぶ複数の箱について語ることはできません。「境界線なしでの境界付け」を、世界に複数実在する物理的境界や認識論的境界に重ね合わせる余地がないからです。そして、僕としてはこの発表で、意識こそがその重ね合わせを可能にするという道を探っています。

観念論や唯心論のような、意識から出発するタイプの議論は、今日それほど人気があるとは言えません（少なくとも〈心の哲学〉の領域においては）。思うに、その大きな要因は、意識にあまりにも多くの産出的な仕事を負わせたことにあるでしょう。産出的かつ能動的に世界を構成するような仕事を、です。しかし、このことを省みてもなお、意識にはやっぱり注目すべき特殊さがある。この直観には根拠があって、それは意識の能動性よりも受動性に関わる特殊さなのではないか——、つまり、〈私〉と〈今〉の受肉の媒体となるにふさわしい内包を意識が持っていることなのではないか、と僕は考えます。

繰り返しとなりますが、意識の持っている何らかの力が〈私〉や〈今〉を生成するなどと僕は主張しているのではありません。おそらくは、意識それ自体に存在論的な落差の産出力が備わっているわけではないでしょう。むしろ意識は、〈私〉や〈今〉の受肉に関してまったく受動的であってよいはずですが、にもかかわらず、いったん受肉した際には先述の「重ね合わせ」を促します。それを可能にするような――相並ぶ箱を境界付けたうえで自らをその一つに位置付けるような――特殊な内包を持っているということです。

意識はそれ自体としての境界を持ちませんが、意識の内容はある種の境界を持っている。その「内容」は、世界の局所的な部分しか表象しないようになっています。たとえば触覚に関して言うと、〈私〉の〈今〉の意識内容が表象している世界の範囲は、どういうわけか、こいつの皮膚の表面に限定されている。視覚にせよ聴覚にせよ、このような表象範囲の限定性が意識内容には多様に見られるのですが、それらを取りまとめてやると、身体に代表される、世界に複数実在している境界付けのどれかと重なるようになっている――。これは当たり前の話に聞こえますが、先述の「重ね合わせ」について考慮するなら、じつは驚くべきことです。というのも、それしか存在しないということと、存在するそれの内容物がそれを並存する「箱」の一つに紐づけるということは、本来、独立のことなので。この二面性を備えた存在を、僕は意識以外に知りません。

身体にせよ、出来事にせよ、日にせよ、それ自体としてはこの二面性を備えていないと僕は考えます。だからこそ、それらにいきなり独在性が受肉しうるという考えに、疑問を呈しているのです。身体はたしかに並存する「箱」の代表例であるように見えますが、そう見えるのはあくまでも意識のほうからスタートしている――意識の内容物のほうからある身体を特権化している――からにほかなりません。「それしかない」という仕方で身体そのものは存在していませんし、出来事や日についても同様です。たとえば、東京オリンピックという出来事は二週間ちょっとの時間幅を持ちますが、もし、この出来事が〈今〉であったとして、二週間ちょっとの時間幅が「それしかない」という仕方で存在するなどというのが、どういうことなのかはよく分かりません。

このことを念頭に置いて『世界』の叙述を確かめてみると、まずは意識（やその内容物）が受肉の媒体として語られ、意識の備えた二面性から多くの論拠を得たあとで、他の媒体について語られていることが分かります。具体的には、第8章で「スクリーン上の映像」の比喩を通して「受肉」とは何かが述べられた箇所では、「現に見えている」こと、「知覚状況」、「来歴の記憶」が受肉の媒体とされている。そして、第9章の前半では「意識」が明示的に媒体として挙げられる。ところが、そこでの議論の狙いが超越論的な世界構成の議論（主観的意識から客観的世界を構成する議論）とは異なることが指摘されたあとでは、もっぱら身体こそが〈私〉の受肉の媒体であるとして議論が進められていく――。

『世界』において意識から身体へと焦点を移していく際には、自由意志をめぐる議論（この身体だけが現に動かせる！）が大きな役割を果たしています。しかし、その議論をふまえても、いま述べた私見は変わりません。この発表では立ち入れませんが、『世界』でのその自由意志の議論は、僕から見れば、あくまでも意識の内容物についての議論にほかならない（それ以上の意味での自由意志については語っていない）からです。つまり、先述の二面性をもたらすのは、やはり意識のほうなのです。

さて、自分としては以上の私見に説得力を見出していますが、他方で、『世界』に注として記されている次の文章は重要です。

ここで身体のかわりに精神を置いても、精神もまたここでの意味では身体であるから、本質的には同じことがいえる。［…］しかし、精神は自他に共通の仕方で（すなわち他の物体と同様に）目によって見られるという側面がないので、ここで論じている、客観的世界への定位という問題にとっては不適切な例になるというにすぎない。（p. 154）

引用文中の「精神」を「意識」に読みかえたうえで、その後半に目を向けましょう。複数の物体を一望するように複数の意識を一望できないことは、相並ぶものの一つへの受肉を語るうえで、意識をその媒体と見なすことをたしかに妨げる、と言えます（相並ぶ意識など見えないことによって）。しかし、意識のこの特性は、「境界線なしの境界」を成立させる類まれな特性でもあるわけです。たとえ、それが偶々の――『世界』p. 261での表現によれば――経験的（生物学的）事実によるものであったとしても。

この発表の最後に、『〈私〉の哲学 を哲学する』に収録された拙論から二つの箇所を引用してみます。なお、二つ目の引用に出てくる《 》の記号は、永井先生がときおり使う《 》の記号とは別のものであり、入不二さんの言う「無内包な現実性」をより純化したもの――執筆時点での僕がそう解していたもの――を表す記号として使われています。

〈私において、今において、在る〉ものは、他の〈 〉を排する全体性をもつ。しかし、その全体性はどこから来るのか。その定義上の全体性ではなく、事実上の全体性は？〈私〉〈今〉の全体性は、現象的光景のパースペクティブ性——特定人物・特定時点から遠近的に限られた全体が開かれているという特性——によって実質を与えられている。つまり、〈 〉の成立にとって不純物であるはずの現象的内包によって。(p. 287)

世界がただ《在る》だけのものであり、それが在ると知られていることが《在る》ことにとって余計だとすれば、意識とは、この余計なものの名前である。問題は、それゆえに意識は〈私〉〈今〉だけのものなのか、ということだ。もしそうなら、在ると知ること——意識——は独在しても、《在る》こと自体は独在しないだろう。独在性はその《現実》にとって、不純な内包となるだろう。(p. 296. 傍点原文)

入不二さんの今回の発表をふまえて上記を読むと、執筆時点での僕がまだ摑みきれていなかったものを、よりしっかりと摑むことができます。つまり、《 》で表されているものを、入不二さんの今回のお話にあった「第〇階の無内包の現実性」、すなわち「純粋現実性」として読むと、僕としてはしっくりくる。自分が書いていたことの、より深い意味を教えられたという感じがします。

引用した一つ目の拙文にある「他の〈 〉を排する全体性をもつ」というのは、「それしかない」、

「それが全体だ」ということによって、他の〈　〉を排することであり、「境界線なしの境界付け」にあたります。しかし、この全体性はどこから来るのか？　それも、言語によってもたらされた、いわば定義上の全体性ではなく、事実上の全体性は？　今回の発表と同様、この拙文を書いた十二年前の時点でも、僕はそれを意識に求めています。意識の現象的なパースペクティブ性のうちに、その全体性を求めているということです。

二つ目の拙文を見てみましょう。世界がただ純粋現実性を持つかたちで「在る」だけのものであったとしたら、それが在ると知られることは、在ることにとっては余計です。だとすれば、意識というのは、まさにこの余計なもののことでしょう。問題は、「それゆえに意識は〈私〉〈今〉だけのものなのか」ということ、つまり、それゆえに意識は人称的・時制的に独在するのかということであり、もしそうなら、在ると知ること（意識）は独在しても、在ること自体は独在しないでしょう。純粋現実性を持って「在る」だけのものはただひたすらに在るだけであり、それが在ることが知られてもいなければ、独在性を意味付けるための他の「箱」を境界付けることもない——。この観点に立つならば独在性は純粋現実性にとって「不純な内包」になるだろうと、この拙文には書かれているように読めます。

この発表の後半で述べてきたことをまとめてみましょう。〈私〉の意識のもとで他者たちの意識が見えないという事実は、無内包の現実性にとって、とりわけ第〇階のそれにとって、梯子《はしご》として捨てられるべき不純物かもしれない。とはいえ、この「見えなさ」は、一方向的に意識が独在性を受肉して、その「境界線なしの境界」が世界にたくさん共存する認識論的な境界の一つに重ねられることによって、成立したものです。つまり、さきほどの表現でいえば、裏返されたものと相並ぶ複数のものを、どちらも「箱」と見なせたことによって初めて成立したものなのです。そして、この「見えなさ」こそが、なぜこれが〈私〉であるのかという初発の問いを可能にします——。これを可能にする受肉の媒体は、意識以外にないのではないかというのが、今回の僕の問いかけです。

3

ゾンビに語りうることと、A変容

谷口一平

──これで、見えて、聞えていますでしょうか？　──すみません、接続が安定しませんで。では発表を始めさせていただきます。

私は、永井先生が日大にいらっしゃって以降の学生でして、大学院で教えていただきました。最近ぷねうま舎から『遺稿焼却問題』という永井先生のツイッター本が出ましたが、その編集なんかも、吉田廉さんとともにお手伝い致しております。特に今現在の身分はありません。ええ、入不二先生、青山先生という、私自身の主観的にはもとより客観的に申し上げましても大変「偉い」先生方にひき続いて、なんでこんなやつが発表するんだっていう、ちょっと冗談みたいなことになってしまっておりますけれども、永井先生ご冗談はお好きでいらっしゃいまして、これもお呼びくださった永井先生のご冗談なのかもしれません。それをおもしろくできるかどうかは、偏《ひと》えに私の発表の内容にかかっていると承知しております。

それで張り切って書いてみましたせいでしょうか、馬鹿に長くなってしまいました。あんまり長くて、全部を読み上げるということがとてもできません。で案をめぐらしてみたのですが、もうここに誰か知らない人の発表資料がある、と。私は昨夜《ゆうべ》ひと晩かけてそれを読み込んできたので、聴衆に理解可能なよう自由に要約しつつそれを口頭でご説明する、と。そういうことにします。

どうもこの原稿は、前半と後半とに大別されるようです。前半では、「第〇次内包」に関する話がされています。とりわけ『なぜ意識は実在しないのか』における第〇次内包概念、それが改訂版でどう書き換わったのかっていう、一種の「版問題」が扱われています。この議論を受けて、後半で「A変容」という時間論的な独自概念が持ち出されてきてですね、前半の、永井さんのテクストに沿った議論から飛躍しつつ、問題それ自体の回収を試みるわけなんですが。いやいや、遠大なことですね。まあ始めましょう、終わるかどうかは知りませんが。

前半の議論の起点として、「風間くんの「質問＝批判」」というのから見てゆきます。永井さんご自身が、この「質問＝批判」から、自身の哲学の新ステージが拓かれた、というようなことを記していらっしゃいます〔『存在と時間——哲学探究1』の付録「風間くんの「質問＝批判」と『私・今・そして神』」参照〕。その定式化を、発表資料から引用します。

私が〈私〉であるという端的な事実は、谷口というこの人物が持つ実在的諸特性によって根拠付けられることはできず、いつでも「なぜ谷口という人物が〈私〉なのか」と問うことができる。裏を返せば、谷口がこのまったく同じ人物であるまま〈私〉でだけない、という想定は充分に可能である（ばかりか、この発表を聴いている方々にとっては「真」でさえあるだろう）。ところで、かりに谷口が〈私〉でなかったとしても、想定がそのようなものである以上、その谷口であるところの同じ人物は、いまこの発表中に「なぜ谷口という人物が〈私〉なのか」と問うているはずである。そのように現に〈私〉でない人物にも「なぜこいつが〈私〉なのか」と問えてしまうのだから、私がいま「なぜ谷口が〈私〉なのか」と問おうとしたところで、その問いはじつは、問えていないのではないか？

（発表資料より）

この定式化を、『なぜ意識は実在しないのか』に登場してくる「ゾンビ」という概念を使って、さらにパラフレーズしておきましょう。『なぜじつ』におけるゾンビは弁証法的な概念で、こういう定義だ！とのっぺり提示できるようなものではないんですけど、もっとも原型的な意味は明らかで、それは「他人」ということです。他人こそがゾンビである、と。ちょうど青山さんのお話にあったような意味での、素朴に経験的に捉えれば他人というものはゾンビ的に現れる、ということですけれども、「質問＝批判」をそれで言い換えれば、「ゾンビだって「なぜこいつだけがゾンビではないのか」と問える以上、その問いはじつは問えていないのではないか？」ということになりますね。この発表資料は、タイトルに「ゾンビに語りうること」という語句を含んでいますが、この発表での「ゾンビ」は一貫して、要するには「他人がそのプロトタイプであるような思弁的摸型《モデル》」という意味合いで使われています。

この問いに、永井さんがその後いろいろ展開された中で、『世界の独在論的存在構造――哲学探究2』に出てくる「一方向性」という概念が、まさしく端的に答えたわけです。つまり、〈私〉の側からは〈私〉の存在は言えるけれども、〈私〉が世界を構成してしまって、しかして言語的な世界把握の側に到達してしまったなら、そちらからはもう戻ってくることができない。戻ってくることができないので、その世界の中からすれば、ほかの他人たちも私と等しく〈私〉である、ということになって、これがゾンビ問題の起源なわけですね。そのことを「一方向性」と名指して明示的に描写＝解決した著作が、近年の『世界の独在論的存在構造』だったと思うわけです。

哲学においては、問題に適切な記述を与えることと、その問題の解決とには、さして違いがありません。適切な記述とは、適切な類比のことでもあります。永井さんの諸著作においては、「一方向性」という決算以前から、神の存在論的証明とか、マクタガートの時間論ですとか、哲学史上のさまざまな焦点的問題が、実際には「風間くん問題」である、というふうにして類比＝解決されてゆきました。この中に、『なぜ意識は実在しないのか』にある「現象判断のパラドクス」も含まれます。それがどういうものかというと、「現象判断」という判断のカテゴリーがあるのですね。通常の、体験の対象に関する判断（第一次判断）に対して、「私は今、赤さを感じている」といった意識上に生起する体験そのものについての判断（第二次判断）や、「私には意識的体験がある」といった意識一般や体験一般についての判断（第三次判断）を、まとめて「現象判断」と呼びます。こういう現象的な意識についての判断は、もし「現象的な意識を持たないが、現象的な意識のあるふつうの人間と行動においては区別がつかない人」すなわち「哲学的ゾンビ」がどこかにいたとしても、定義上ゾンビもまた同じ判断をしますよね。もっとラディカルに、「ゾンビ」を「他人」としても、経験的にはそんなものありえない（他人にそれが現象するとはどういう意味なのかわからない）にもかかわらず、他人が「私には「赤い」という感覚が現象するし、私には意識という体験が生じている」と言い（判断し）ます。だから、私にだけそれがあるという端的な事実は、言語によっては語り得ません。他人（「ゾンビ」）もまたそう言いますから。これは「風間くん問題」そのものですね。

　ところで、改訂版の『なぜ意識は実在しないのか』には、オリジナルの双書「哲学塾」版から、本質的な点でその主張内容に変更が加えられていることが知られています。先程から話頭にのぼっていますが二〇〇九年の大阪大学公開シンポジウム、こちらは『〈私〉の哲学　を哲学する』として出版もされていますが、そのおりまさに――ちなみに私もこのとき会場〔21世紀懐徳堂〕に足をはこんでおりまして、私自身にとっての重大問題が目のまえで提起されたといえるのですが――まさに入不二さんから、「マイナス内包」と「無内包の現実性」という二つの概念が提案されました。この前者、マイナス内包については永井さんは、公式見解としてではありますが否定的に答えられたわけなんですけれども、後者については全面的に承認され、『なぜじつ』を改訂版に書き改められるとともに、以来の著述でも「無内包の現実性」を主張されるようになったわけです。ここで、改訂版と元の「哲学塾」版とで、「第〇次内包」の意味に微妙な差異が生じることになりました。それを「現象判断のパラドクス」に即して確認してみましょう。

「現象判断」の中には、第二次判断と第三次判断とがありました。『なぜじつ』の論述では、これらを区別して応答するようなことはなされていませんが、これらが一緒にされてしまえるのは、両方とも「哲学塾」版では「第〇次内包」と呼ばれていたから、区別の必要がなかったんですね。改訂版ではどうでしょうか。「(旧概念の) 第〇次内包」に占められていた領分は、「無内包の現実性」と「新概念の第〇次内包」との、二つに割り当てられています。それでもまだ、「風間くん問題」との類比が成り立つでしょうか? 私が問うてみたいのは、このばあい類比的になるのは、片方の「無内包の現実性」に関してだけなんじゃないか、ということです。つまり、今ここに私の意識が生じている、端的に〈私〉がある (第三次判断) ということに関しては「風間くん問題」なんだけど、じゃあ「赤さ」が生じている (第二次判断) ということの方は、何なんでしょうか? 「第二次判断についての現象判断のパラドクス」は、本当は「風間くん問題」と類比的ではな<ruby>い</ruby>のではないか。なぜなら、

「赤さ」っていうのは存在論的差異そのものじゃなくて、あくまで内容的なものだから。こういうふうに言うことは、できませんか？

「私は今、赤さを感じている」と判断する。これは第二次判断です。もちろん、〈私〉じゃないと想定される私、つまりゾンビである私も同じように判断しますから、ここにはパラドクスがあります。このとき「哲学塾」版のように、もしも「赤さ」が〝無寄与成分〟であるとしていいなら、無寄与なものは語りえない（なぜなら語るべきもの――寄与成分――が、最初から無いからだ）という話になって、それでおしまいです。「第〇次内包」という概念の中に、クオリアみたいなものと〈私〉の存在とがごっちゃに押し込められていたんで、そういう議論が通って、それでいい。でも改訂版では、「無内包の現実性」から「第〇次内包」のニュアンスが引き算されているわけですよ。第〇次内包というのは、まあ心に生じる「赤さ」のクオリアみたいなものですが、これは内容があるということにされていて、「無内包の現実性」とは区別されています。クオリアのようなものは、改訂版の方では、完全に世界に寄与する実在物にされてしまっていますね。そうだとすると、ゾンビにもそれは語りうるけれども、でも実際には〈私〉にしか生じていないその種の質的存在者って、どういう地位になるんでしょうか。

その話は、話を始めることからしてそう簡単ではないんですが、前提として第〇次内包というのは、言語ゲームによって認められた位置だという観点があります。それは永井さんがくりかえし論じられている私的言語論ですけれども、ウィトゲンシュタインの「E」の話とかですね、ああいうふうな〝感覚的対象を指すための場所〟っていうのは、そもそも言語ゲームによって最初から確保されている、ということがその論旨ですね。言語ゲームによって「治外法権」で確保されている、その場所にあるものが第〇次内包ということになるわけですが、しかしそんな言語ゲームがなくたって、その前からその位置には何かがあったんではないか？って考えてみることもできるでしょう。そういうとき、永井さんは例えばホッブズ的に「自然状態」みたいな言い方をされますね。永井さんは、主として独我論について治外法権 vs. 自然状態の対比をされますが、「治外法権」で確保されていた場所っていうのは、もともとは感覚的対象の座だったわけです。「E」がそこにあったような位置が確保されていたんだから、すると自然状態においてだって、まず自然状態ではその感覚的対象はどうなっていたんだ、ということが気になるでしょう。

こういう、自然状態的な感覚質が自由奔放にやっている状態のことを、入不二哲学では「マイナス内包」という言い方で呼びます（『〈私〉の哲学　を哲学する』、及び入不二基義『現実性の問題』第7章も参照のこと）。それは内包ですから、もちろん世界に対する寄与成分なんですけど、「赤さ」という概念自身からは独立しているとされる、特殊な意味での「内包」です。

永井さんは、ご存知のように「独在論的累進構造」を問題にされて、その構造によって、「誰にでもある意識」みたいな構成概念がどうやって成立するのか、ということを説明されています。「クオリア」だのという存在者も、独在論的累進構造によって充分に説明されているのではないか、という見方も、ひとつにはできます。読みますと、

「赤」のクオリアの〝心理＝機能〟的側面と〝現象＝非機能〟的側面とが累進の階梯に組み込まれ

てしまうのは、クオリアという端的に「無寄与成分」であるだけのものが、概念化されることで無寄与性を本質＝内包とする実在的「寄与成分」になってしまうから、つまり「他者は必然的にゾンビである」という独在論的事実（これは事実である！）が、世界を非のっぺりと構成していたから、にほかならない。

（発表資料より）

ということですね。だから、そういうふうに各人の意識の中にクオリアみたいな「現象的質」を置いてしまうのは、ちょっと形而上学的に強すぎる主張であって、独在論的累進構造と反りが合わないんじゃないか、というような見方です。

この点について、永井さんの記述はしかし、いささか揺れているようにも私には感じられるんですね。というのは、「第〇次内包」っていうのは「哲学塾」版ではかなり弁証法的な表現であったわけですが、そこから無寄与性という性格が剝奪されてしまった。最初はクオリアというものを、ある意味で無寄与的な、まさに私に現れているありありとした感覚みたいなものとして捉えつつ、それを、「しかしゾンビでもそれは語れるだろう」っていう形で、クオリアから機能的なものを抜いたまま、あくまでその「言語による頽落」だけを議論していたわけですね。それが、「無内包の現実性」導入以後の永井さんの著述では、感覚質、第〇次内包というものが、わりと単純な把握で内包的に存在者化されてしまうことになった。

例えば、この引用文を見てみましょう。

「痛み」「甘さ」「赤」といった概念は〔…〕最初から（最初こそは）客観的世界に届いており、主観性（意識に内在する成分）は逸脱事例の処理のために後から構成されるにすぎない。私には、私以外の人に〔…〕色がどう見えているのかは決して分からないとはいえ、そこにあるかもしれないとされる違いが、われわれの日常のやりとりや科学や芸術などの文化の発展に関与する可能性はない。

（『探究1』第1章、二三頁。傍線引用者）

この文章をどう取るかっていうことなんですけど、「私」と「私以外の人」っていう対比がありますよね。私と私以外の人にその違いがあるか、ないかということが、日常のやりとりとか芸術の発展に寄与する可能性はない。そう言われてるとも取れるんですけど、他方で、主語は「どう見えているのか」で、それは言い換えれば「そこにあるかもしれないとされる違い」です。〝そこにあるもの〟の話をしてるわけですね。だからこの意味では、これは「第〇次内包」と取ることもできて、第〇次内包が科学や芸術などの文化の発展に関与する可能性はないんだ、と言われてると取ることだってできるわけです。できそうに思うんですけど、永井さんはそのあとの叙述で、それは完全に否定されていますね。そうじゃなくって、ここで言われてるのは「無内包の現実性」なのだ、と、そういうことを書かれています。

でも、ここの記述に現われているようなものというのは、まさしく第〇次内包と無内包との微妙な混成体であって、これが「哲学塾」版本来の姿で自らを示した「第〇次内包」なのではないか。第〇次内包にも、無内包的な側面、いかなる形相規定も受けない純粋質料的側面がまたあるんじゃないのか、というふうに、私はここから取ることができるんです。それはどういうものかというと、永井さん風な書き方をすれば、山括弧を受けた〈赤さ〉。こういうものがあるってことは、永井さんは否定されてますけれども、永井さん風に書けばこうなるでしょうし、入不二さん的には、まさにそれこそが自立的な「マイナス内包」なのだ、ということになりますね。だからこうした、無寄与性はあるけれどもやはり内容成分であるようなもの、クオリアみたいなものと、〈私〉の現実性っていうのは、分けて考えないといけないいんじゃないかな、と思うわけです。

発表資料では、そのあとちょっとカントの「物自体」の話をしてるようですけど、ここでもポイントは一緒で、永井さんからの引用文を見ますと（冒頭の「ここで論じられている問題」というのは、まさに山括弧の問題のことです）、

> ここで論じられている問題は、心と物のあいだの問題ではなく、カント用語を使って言うなら、物自体と現象とのあいだの問題なのであり、ここで論じられている意味での〈私〉はいわば物自体なのである。それが客観的世界の内で動くことができないのはそういう理由に拠っている。
>
> （『探究1』第2章、四二頁）

という話なんですが、――「物自体（Ding an sich）」っていうのは、カント自身は複数形（Dinge an

sich）でよく使っておりまして、ただ一つしかない〈私〉みたいなのを指せるものでは本来はないですね。どういうものかというと、感覚の背後にある、現象してくる「赤さ」とか「甘さ」とかの根拠となるようなもの、それが「物自体」なんです。ここでもやっぱり、そういうクオリア的なものの位置をじつは認めないと、なぜこれが比喩になるのかわからなくなる。個別的感覚の背後に全然「無内包」的側面がないのであれば、なぜそれが「無内包の現実性」と〝いわば〟という関係で結ばれることになるのか、比喩としてすら理解できなくなってしまうのではないか。こういう論が立ちます。

それはとりあえずそれだけの話として、次に、この発表資料でもっとも重要な議論であるようですが、「感覚的確実性」の話に移りましょう。感覚的確実性をめぐる永井さんの記述ですけれど、これも『探究1』で、ここまで見てきたような話に続けて、ヘーゲルの『精神現象学』の冒頭にある「感覚的確実性」を扱った章を、永井さんが論じていらっしゃる。ここで一見すると、私が拘泥《こだわ》っていたような、まさにクオリアの問題みたいなものを永井さんは論じていらっしゃい、しかもそれは、それとは別の問題である「山括弧問題」とはまったく関係ないんだ、というふうに筆を進めておられると取れます。これに対して発表資料は、「感覚的確実性」それ自体に二種類の捉え方がありえ、永井さんの記述ではそれが混同されている、という批判を加えています。いきましょう。

この『探究1』第10章の主題は、「感覚的確実性の言えなさ」と「自己の確実性の言えなさ」という二つの〝言えなさ〟があって、これらは違うものだ、ということです。で、まず始めに、それらの〝言えなさ〟を区別する以前の話として、感覚的確実性って、そもそも本当に「言えない」のか？という問題があります。ここからは、単に発表資料を読み上げた方がいいでしょう。

永井も説明するように、ヘーゲルにおいては「これ」で指示されるような個別者は、それ以上それについてはもはや何も言われえないがゆえに、むしろもっとも一般的なものとされる。しかし、もし問題が日常的な感覚的対象をめぐるもの、すなわち「赤さ」や「甘さ」が言われるような水準のものであったとすれば、それらについて何事か物言うほどのことは、まったく容易なように思われる。私が確実に感じているこの色は、椿や鳳仙花より受けるあの感じであり、情熱的でハッとさせるような刺戟であり、波長700 nm前後の光が網膜のL錐体細胞に吸収されたときにこの感覚は生じるそうで、かつ谷口という個人にとって少し褪せた、深みのあるそれは嫌いではない色の一つである。個体的なものに言語の側から到達しえないとする理由は常識的には、それが無限個の述語によってしか記述され切らないからである。もしこんな風に理解されてよいのだとすると、感覚的確実性は（ほんとうに貧しいかどうかを議論する以前に）いかなる意味でも貧しくない（無限の概念によって充填され、とくに豊かであるに過ぎない）ことになる。しかし感覚的確実性が「貧しくみえる」という点に関しては、ヘーゲルも永井も同意しているのだ。なぜか？

理由はこうだ――もし感覚的確実性が「貧しい」のであれば、それは概念によっては全然充填されていないことの貧しさ、概念が別の概念に杭を打つようにしてはそれが全然杭打たれていないということの取り留めのなさ、それゆえそれもまた客観的世界の内で動くことができないというアーギュメンテーションに、ヘーゲルも永井もよっているからである。従って、感覚的確実性を最終的には改訂版「第○次内包」に帰着させている永井の議論には、本質的に無理があるように思われる。改訂版「第○次内包」は、客観的世界の内で動きうる。帰着させるならば、「哲学塾」版「第○次内包」に、すなわち無寄与性の輝きを帯びたところの内容成分に向かって、でなければならなかった。

（発表資料より）

「客観的世界の内で動くことができない」っていうのは、さっきカントの「物自体」のところで引いた表現ですが、物自体というのを〈私〉と取ったら、そりゃ客観的世界の内で動くことなんかできませんよね。でも、それと同じように、「赤さ」のクオリアみたいなものだって、客観的世界の内で動くことはできないわけです。そういうものだからこそ、それは「貧しい」と言われてるんじゃないですか？

なので、例えば、このような永井さんの引用文があります。

「これは甘い」と決定する権利は私の感覚に与えられている。私は「塩が甘い」と主張して医者に診てもらうであろう。つまり、感覚的確実性はどんなに貧しく見えても実は世の中で客観的な役割を演じることができるわけである。

（『探究1』第10章、一八〇頁。傍点原文。傍線引用者）

続く『探究1』の註では、「感覚の確実性」は「第〇次内包」に当たる、と説明されていますね。これに対して、

発表者の反論はこうである。世の中で客観的な役割を演じることができるとき、感覚的確実性は少しも貧しくみえない。そして感覚的確実性が少しでも貧しくみえるとき、それは世の中で客観的な役割を演じていない。改めて繰り返すまでもないが、この二種の感覚的確実性のあいだの差異こそが、「哲学塾」版「第〇次内包」から改訂版「第〇次内包」への距離なのである。

（発表資料より）

というわけです。

このような反論に対して永井哲学には、もちろん応答があります。まず、そんな「世の中で客観的な役割を演じていない」感覚的確実性ったって、じゃあそれは誰の感覚の確実性なのか、という当然の疑問が一つめ。また別に、「赤さ」や「甘さ」って言って、今それを言葉で言ってるけれども、そういう概念によって感覚質を捉えるっていうことは、私自身にさえもできないんじゃないか、っていう言語哲学的な問いがあって、これが二つめ。

一つめの方、永井さんが「ロードス島」と呼ばれているやつですね。こちらの方から考えてみますと、この感覚的確実性は「誰の」確実性なのかと訊かれても、『精神現象学』の出発点である「感覚的確実性」の章では、感覚を感じる主体というのはまだ公共的な社会のメンバー、一員であるわけで

はない。そうじゃなくて、今は感覚的確実性しかない、っていう段階なので、当然「おまえは誰か」と言っても、応答するための答えがないわけです。従って、この感覚的確実性は、まだ誰の所有物でもない。逆に、各人が感覚的対象の私的同定の権利を所有するような段階であるならば、もうそこまで話が進んでいるならば、所有者ははっきりするにせよ、逆に「確実性」の方がなくなってしまうんじゃないか？と言えるんですね。その段階では、

医者は単に疑わないだけで、疑いたければ「この患者は感覚質記憶の把持能力に重大な障害を負っているようだ」とか「言語野がやられて記号表現と意味との接続がおかしくなっているようだ」とか疑ってかかることもできる（疑わないのは、われわれの経験的世界ではたまさかそういう出来事が生じにくい、という事実によるにすぎない）。ここでは実は、第〇次内包だってちっとも〝確実〟ではない。もしそこに感覚的確実性があるとするならば、そのときの第〇次内包は「哲学塾」版のものであり、それは端的に確実なのでなければならない。

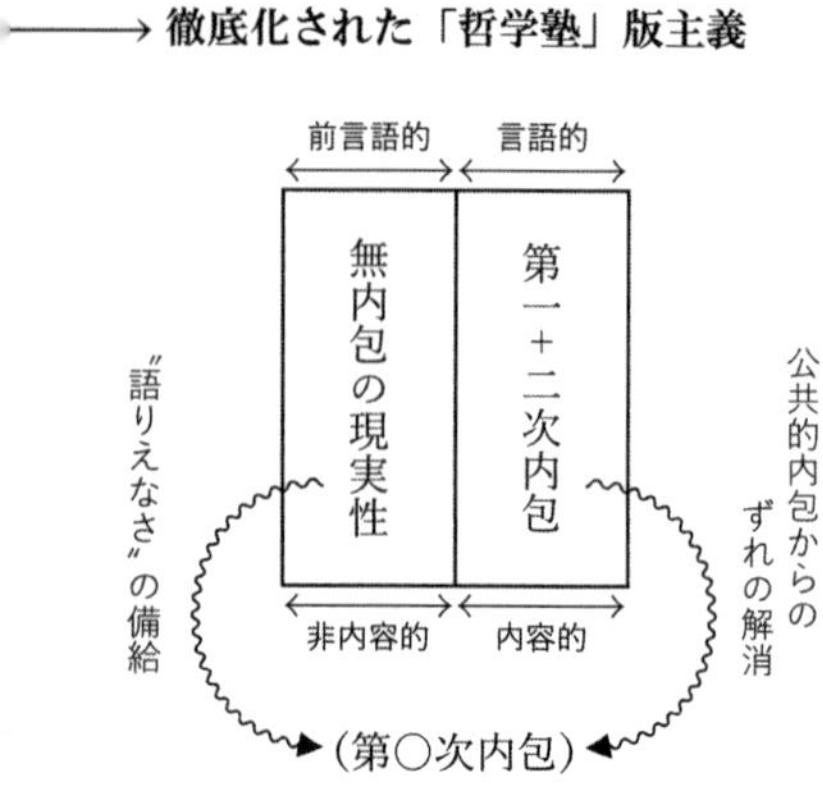

（発表資料より）

でも、この「端的な確実さ」において、「何が」確実なのか、

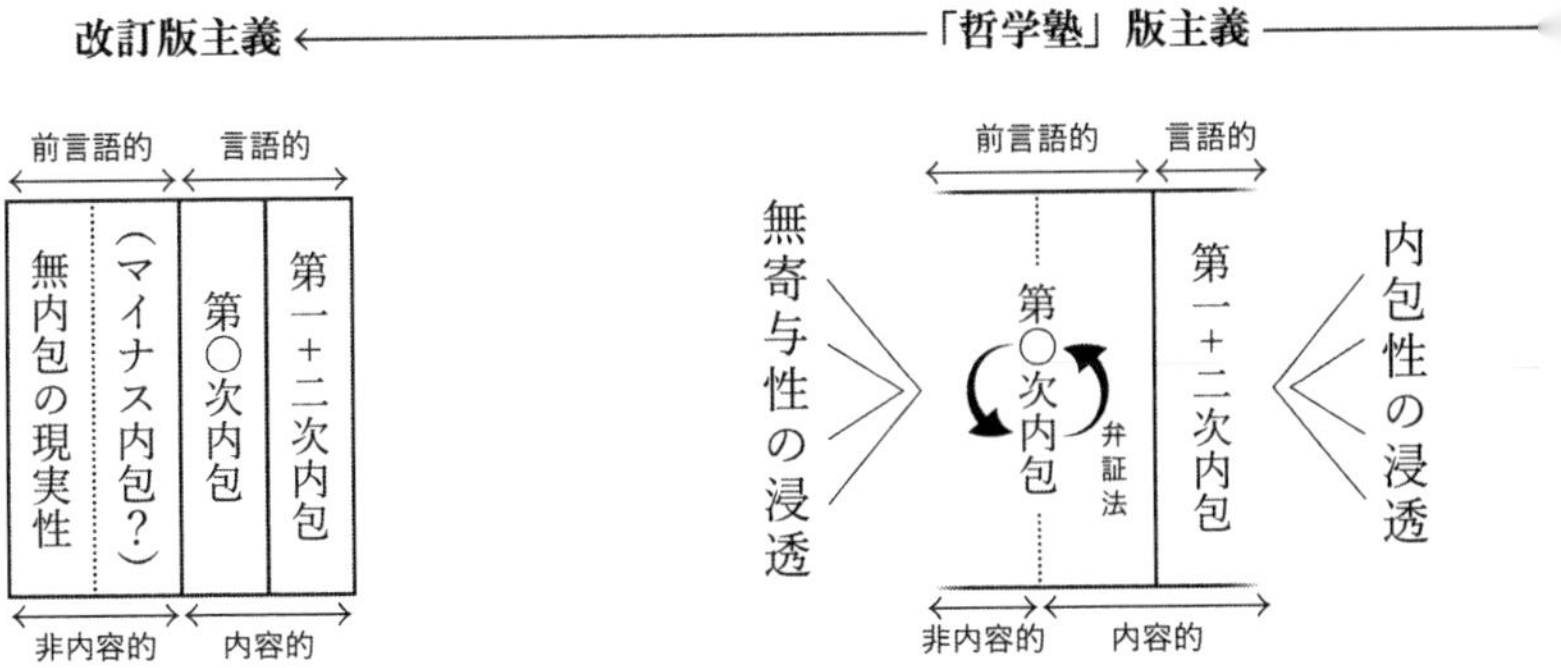

という二つめの疑義については、じつはたしかに、それが何であるとも言えないんじゃないか、と思えます。ここでちょっと思考実験してみましょう。まさに『私・今・そして神』に出てくるように、朝起きたら、空が赤くなっていた。でも、別に物理的には空は何も変わっていなくて、誰も違いに気づいていないんだけれども、私にだけ、昨日まで青かったものが今日は赤く見えている。そういう状況がありえます。そういう状況がありうるわけですが、そのとき私はどうするかといえば、昨日の空の記憶表象と引き較べて、「なるほど今日の空は昨日のとは違うぞ」っていうことを知るわけですね。そういう意味では記憶というのは大事ですけど、それはでも同定をするから、同定をするために大事なんですね。今見えてるこの感覚印象と、記憶の中にある過去の感覚表象とが同定されるときには記憶が必要ですけど、そうじゃなくて、ただ単に赤い空を見てるときに、その同定を本当にしていますか？　してないとも言えるんじゃないですか？　だって、空が赤いとき、単に「これは赤いな」って思うだけじゃないですか、いってみたら。それは要するに、「私の今の概念」という言い方をすれば、「私の今の概念」であ

る「赤」が、今日の空によって惹き起こされ続けていただけでしょう。もしいろんなものを疑うのだったら、「記憶」とか「言語」だっていくらでも疑いうるので、今与えられている感覚印象が昨日の「赤」と等しいということは、別に全然確実ではない。「端的に確実なのは、これやそれがそれぞれの仕方でそうである、ということだけ」（発表資料）だ、というわけです。

結論的なことを述べますと——図〔前頁〕もご参照ください——ここでは三つの立場がありえます。**「哲学塾」版主義**とかりに名付けてみたものは、「第一＋二次内包」と「第〇次内包」とのあいだにだけ強い断絶があり、第〇次内包を、内包性の浸透と無寄与性の浸透との中間で宙づりにされた弁証法的な概念として、そういう弁証性格をあくまで堅持するものとして捉えています。これに対して**改訂版主義**っていうのは、「哲学塾」版の第〇次内包から無寄与性は全部剝奪してしまって、みなから内包化しようとしている立場であるわけで、これが『〈私〉の哲学　を哲学する』以後の永井さんの立場だと見ることができます。しかし、そのときには「マイナス内包」の位置、クオリアの場所だって存在することになってしまわないか。これが私の批判です。『探究1』の記述では、そういうものはないとされていますけれども、でも実際その記述を追ってみると、これまで見てきたように、そういう位置がないと困ることになってはいないか？という論点が提出できます。

でも、それとはまた別に、「第〇次内包なんて、所詮ゴミ回収だよ」と。公共的内包からずれてるものを、言語が用意した権利によって回収しているだけだよ、という立場もありえて、これが**徹底化された「哲学塾」版主義**ですね。こういうまた別の理論的立場にも、可能性はあると見なくてはならない。唐突ですがここから先、この発表は、ある意味ではこの立場に立つことになるんですけど、その位置に充当されるものを単純に「クオリア」と想定するのは誤りだと思っています。その存在論ではちょっと扁平すぎるので、話があんまり立派じゃない。むしろ、そのような位置には「時間」をこそ充当すべきなのではないか。やってみましょう。ということで、次の「A変容」の概念を出します。

——ええと、発表時間が足りないと洞察されている方もいらっしゃるかもしれませんが、ご明察と言わざるをえないでしょう。まったく足りていません。ただ「A変容」の概念は、出せば終わりという種類の発想ですから、出して終わりにしましょう。

☆

いきなりマクタガートの話から始めます。永井さんの区別された、「A事実」とか「A変化」について、おさらいしましょう。「A事実」というのは端的な事実であって、今は現実に二〇二二年であって、一九八五年でも二〇三〇年でもない、というような事実がそれです。ただ、もちろん他の時点も同じことを言う（今は端的に二〇三〇年だぞ、と二〇三〇年の人が言います）ので、その意味では「A事実」というのは語ることができない、言語に乗らない事実です。他方、「A変化」っていうのは、出来事がこうむる「最初は未来で、次に現在となって、最後に過去になる」という時間性格の流れのことなんですけど、これは「時間の動性」とも呼ばれています。

ただ、私が思うんですけど、この「時間の動性」っていうのは「移動性」のことであって、「運動性」のことではないんじゃないか。どういうことかというと、例えば「お湯になる」というのは、火にかけた時点が現在から過去になった時点で、沸騰する時点が未来から現在になっている、という、二時点間の関係なわけですね。で、各時点に対して、こういう二時点間の比較というものが可能であって、そういう「動性」というのが各時点に附随してるんですけど、じゃあコンロの上でお湯がゆれて、まさにぽこぽことしている〝あの感じ〟については、一体この話のどこに挟めばいいのかしら、という問題が出てきます。それが、この発表の言う「A変容」です。

「A変容」というのは、「A変化」でも「A事実」でもありません。例えば、イメージしてみて欲しいのですが、川べりに腰をかけて、どこかから、ぱっと黒い影みたいなのが出てきて、それはヒバリで、ヒバリがカーブを描いて西の方の空に消えていった。その様子を私は眺めている。これが「A変容」です。これが「A変容」なんですが、いきなり大事なことを言いますと、この「A変容」っていうのは〝語りえぬもの〟なわけですね。なんで語りえぬものなのかというと、「A変容」について言葉によって説明しようとすると、必ず起点と終点とを指示することによってしか説明することができない、言語がそういう仕組みになっているからです。

「おまえはA変容ということで、何が言いたいのか」と誰かが問います。私は、大空においてヒバリによって生じた、この〈変容〉＝transfigurationについて説明します。すると対話者は、「なるほど。おまえは、ヒバリがまず木叢《こむら》にいて、次に空の中央にいて、最後に西の空にいたっていうことを言いたいんだな」というふうに返してくるでしょう。でも、そうじゃない。私が言いたいのは、ヒバリが大空を横切ったっていう〝一つのこと〟なんですね。そこに前後関係などは考えてないし、だからといって同時に生じたとも言ってるわけではなくて、「現在」というものがそのようにして〈変容〉している、と。そういう〝動き〟があったということを私は言いたいんです。ただ、それは言えないですよね。なんで言えないかというと、私がそれを言ったときには、聞き手の方は、時間的な先後関係の中で、「時点 t_1 に地点 x_1 にいるヒバリ」と「時点 t_2 に地点 x_2 にいるヒバリ」とを私が識別した、従って私に識別可能な出来事として、そのような「移動」がヒバリに生じた、というふうに命題内容として捉えざるをえないから。だから言えないんです。

これは、いわばゾンビ問題なわけですよ。いいですか。つまり、最初のゾンビ問題ではクオリアというものについて考えていましたけど、時間で考えてみたらどうなるだろう。そうすると、まさに時間的な変化・運動というものは、これは〝言えない〟ものなわけですね。というか、喋ってしまったときには、それは二時点間の関係（移動性）になってしまい、運動性ではなくなってしまう。というわけで、これは「第二次判断についての現象判断のパラドクス」という最初に出したテーマの、正確に〝時間論バージョン〟なんです。「A変容」というものは、語られてしまった瞬間に「A変化」に読み換えられます。「A変容」は、だから客観的世界の中で動くこともできません。「A変化」が客観的事実であって、改訂版「第〇次内包」の相当物であるとするなら、「A変容」は、無内包性の輝きを帯びた内容性、つまり「哲学塾」版の「第〇次内包」に相当します。

発表資料では続けて、じつはマクタガートだってこの「A変容」について語ってるんじゃないかと か、そのあと、大森荘蔵の「時は流れず」における議論においても、「運動とは現在経験に固有な現象だ」と言っているとき、大森は「A変容」について語っていたのではないか、みたいなことが書いてありますが、これはありうる議論の方向を示してみたものにすぎません。割愛します。

もう時間的猶予が全然ありませんね。

それで、「一方向性」の話を最後にちょっとだけしたいのですが、A変容の中で感覚的対象を捉えるということを考えたとき、それと相即的に、A変容の中でだけ理解されるような言語、「A変容言語」っていうものも考えられるんじゃないか、と思います。「私の今の言語」の基層、それより下の部分に、「A変容言語」というものを想定する必要があるのではないか。どういう違いかといいますと、「私の今の言語」というのは、私に今、与えられている記憶に基づいて、感覚的対象を私的同定する能力を持った言語なわけですね。それに対して、ここから「記憶」とか「同定」とかいう要素すらも除いて、ただ端的に概念を世界から惹き起こすだけの言語だって、またあるに違いない。なぜならば、まさに時間において、感覚的対象をその変容の中で直接判断できるからです。そこでは、まだ記憶や同定は何も関係してこないけれども、ただ「赤い」って言えるんですね。それを言うときの言語が、「A変容言語」です。

どういう話をしたいかというと、「A変容言語」こそが一方向性の言語なんです。第三次判断、つまり「端的に〈私〉が存在する」ですね。「端的に〈私〉が存在する」というような判断については一方向性が成立しますが、それと同じように、第二次判断、「これは赤い」についても、一方向性が成立するんです、と言いたい。他の人が「赤い」って言ってるときは、そういうふうに言葉で語られていて、そういう機能を果たしてるだけですけど、私の側から「これは赤い」というふうに概念を超えて照らしたときには、決して言語的世界把握の側からでは戻ってこれないような真理が私の側にあるわけです。それがあるから、第二次判断についても一方向性が成立する。

改めて、これがどういう違いなのかを確認しましょう。まず普通の日常的な言語というのは、ものを伝達します。感覚判断であっても、他人にその感覚の有する機能的側面を伝えます。それに対して「私の今の言語」っていうのは、クオリア逆転を可能にする言語。あくまで私の今から捉えられているので、記憶によって感覚的な対象を同定はしますけれども、それによって過去と現在とをつなげようとはしますけれども、つなげようとするだけですね。「実際につながってるかどうか」みたいな問題は、もうそこでは立てようがない地点ですが、しかし、つなげようとはしています。つなげようとしているときに、つなげようとすることで、そこに語りえないものが出てくるわけです。その語りえないものというのが、「赤さ」とはもう言い表わすことができないような、「これだ！」としか言えないような、その「これ」なんですけど、しかし、それよりなお手前に戻って、「A変容言語」まで沈潜してみると、――再び、「これは赤い」って言えるんですね。なんでかっていうと、世界がまさに赤いからです。それについて、誤っているとか正しいとかいうことは、そもそもありえない。そこで概念が初めて成立してるんだから。どう呼ぼうとも、私が「赤」と呼ぶからそれは「赤」なんだから。そういう審級があって、それを担保するものが「A変容言語」だと考えます。この「A変容言語」は、もはや「私の」でも「今の」でもありません。感覚的確実性は、誰の所有物でも、どの時点の所有物でもありませんから。

ここでさらに一歩を進めてですね、第二次判断についても「一方向性」が成立するだけじゃなくて、第二次判断についてしか「一方向性」は成立しない、とまで考えてみると、どうなるか。これが最終的な論点なんですけど、ここで入不二さんの今回のご発表ともかなり接続すると思います。第三次判断（「端的に〈私〉がある」）については、それは内包が何もない、現実性の位置だけを示しているにすぎないので、じつは言語的世界把握の側からでも到達可能なんだ、と考えてみましょう。いいですか、私はとんでもない主張をしているのですよ。永井哲学を知っていればいるほど、これはとんでもない主張ですが、敢えてしてみているのです。「一方向性」の備給源泉は、むしろ第二次判断（「これは赤い」）なのではないか。つまり、独在論的真理として臨在する（偕《とも》に在《いま》す）ような、時間において受肉したクオリア＝物自体に、一方向性の源泉があるのだ、と思ってみることは、できませんか？このとき、「現実性こそ神である」という、入不二哲学のテーゼの意味も、よりはっきりするんじゃないでしょうか。つまり、第三次判断に関しては「一方向性」を持たないから、〈現実性〉が直接的に、神の位置から働いたっていいわけですね。

　これに対して、じゃあ永井哲学的に突きつめて考えるとどうなるかっていいますと、〈現実性〉に、ある特殊な意味での〝内包〟を認めないといけないのではないか。アクトゥアリテートは本当は無内包じゃなくて、「A変容言語」の中での第二次判断の対象である〝一方向的なリアル〟、時間的質みたいなものによって充ち満ちていて、そして、それが語りえず示されもせぬということを、むしろ明示的に語り示すことによって、「一方向性」を実質の側から担保しようという試みしかありえないのではないか。このように考えてみたとき、それが離存すると一方向性が消えてしまいますから、現実性は〝内容〟から離存不可能にもなって、まさしく入不二さんの立場と対立することになるのではないでしょうか？――私の発表は以上です。

4

リプライと議論

永井のリプライ

もともとの時間配分がちょっとおかしくて、みなさんがそれぞれ四〇分ずつ話されたのに私は三〇分でそのすべてに答えて、そのうえ議論の時間もその三〇分に含まれることになっていますので、これはとうてい無理だと思われます。もしそれぞれの議論に関して、その議論に即して論じていくと、それぞれ違う問題を扱っていますから、少なくとも同じ時間は、だからつまり四〇分ずつぐらいは、かかることになります。谷口さんのなどはそれだけで一時間、あるいはもっとかかると思います。それをしている時間はもちろんないので、私としてはあまり好きなやり方ではないのですが、個々の議論に即して論じるのではなくて、自分自身の見地と三人の方々のそれぞれの見地はどう違うかを語ることで、いわばお茶を濁したいと思います。

これは内在的議論とはちょっと違う種類の話なので、本当はそれを喋ってもあまり意味がなくて、少なくともこの三人の方々にとっては「そんな違いは初めから分かってる」とみんな仰ると思いますが、時間的にそれしかできませんし、それからまた、聴いてる方々にとっては、それは十分に意味があることであろうと思われます。三人にとっては、私を入れて四人にとっては、最初からもうみんな知っていることを改めて解説するようなお話になるかと思います。

それで、話の順番として、話がうまくつながるような順番を考えたんですけど、単純に逆の順番にというわけではなくて、最後の谷口さんの話から始めますけど、真ん中に入不二さんの話を入れて、青山さんの話を最後にする、というやり方で答えていって、うまくいけば話がつながるということを、ちょっと企画してみました。繋がると言うのはあくまでも自分の話が繋がるということなので、それぞれの方にとっては失礼ながらそれぞれ利用するだけというになりますから、元々の趣旨と関係ない繋げ方で繋げられてしまうことになるとは思いますけれど、そこはご寛恕を願うほかはありません。

谷口さんのはすごく長くて、一つのお話になっているのですが、お話としては十分価値があると思いますので、これだけで自立させた方がよいと思います。その際は永井のことは無視した方がいい。むしろ、途中で永井解釈をやってる所はあまりできがよくなくて、独立の話として理解したほうが、ずっと鑑賞に値する話になっていると思います。永井を利用したかもしれないけれど、そこはもう、利用したとひとこと言うだけで、あとは独立の議論にしたほうが、むしろ面白い話だろうと思います。

この谷口さんの話は、最初が「風間くん」の話から出発してて、これはその通りなんですね。この際はっきり言っておくと、「風間くんの質問＝批判」が永井哲学の全てなんですね、はっきり言って。その次が入不二さんの、まさに谷口さんが主題にされた点。これを繋げて「風間質問・入不二提案」って呼びましょうか。永井哲学は、じつはその二つからできてるんです。そして、その二つは実のところは同じことを言っています。突っ込みの起点が違うけれども、煎じ詰めれば同じことを言っている。だから、「永井哲学」って言われるけれど、永井自身の寄与成分は本当はないんですよ。「二人が言ったことは真に素晴らしいことだ！」と見抜く、いわば鑑識眼があっただけで。自分で発見したものはないんです。有り難いことに、自分じゃないからすごく褒めることができますね。自分だと褒めにくいじゃないですか。で、すごく褒めますと、これは哲学的に真に画期的な発見だと思うんですよ。

風間質問・入不二提案は、哲学史上真に画期的な見地を初めて切り出していて、今これを無視したらもうほとんど哲学をやる意味がないといえるぐらいの価値がある、と。私は、それに初めて気づいて評価した評価者として、そう断言したいです。

だから、風間質問と入不二提案から始まっている谷口さんのこの議論も、その始まり方からしても、よく本質を見抜いていると思います。それで要するに谷口さんは、第○次内包から無内包の分離という入不二提案に反対してるわけですね。その話が、3ページの入不二説っていうことが出てくる箇所ですね。その前の、ページで言うと3ページの上から3行目ぐらいの所で、「そして「哲学的ゾンビ」とは「実存的ゾンビ=他人」が本質化されたことによって生じた頽落形態の名であろうから」と言われていて。この辺のところも、じつは要するに風間問題なんで、青山さんの発表で出てきた、他我問題と心身問題が本当は同じだっていう話と同じ話ですね。ゾンビの存在という問題は、実存ゾンビの存在、つまり他人の存在という問題と、じつは同じだということで、こういう話が風間質問から直に出てくる帰結である、という点が何よりも重要です。ここのところが永井哲学のキモのキモで、素晴らしく面白いところで、ここを取り逃がすと、山括弧の〈私〉なんてものが存在してみても、それはとても不思議なことだといえるだけで、そこに特に哲学的といえるような意味はないでしょう。

そのあとに、この入不二説には問題があるということを谷口さんが言われているんですが、これは私の見地から言うとまさに逆で、これもやっぱり入不二提案が画期的なんですよ。もしこれを入れなかったら、「なぜ意識は実在しないか」という話は、哲学的に全然つまらない話にすぎなかったと思いますけど、「無内包」という新しい視点を入れたとたんに、画期的に素晴らしい問題提起になったことで、しかし哲学的ゾンビ（元の文脈では、外部からはそれと分からないが本当は意識的体験を持たない人）だって同じ現象判断をするだろうから、その判断が判断しようとしていたことは、じつは言語によっては言えていない。そして「哲学的ゾンビ」とは「実存的ゾンビ＝他人」が本質化されたことによって生じた頽落形態の名であろうから、ここに「風間くん問題」があることは、見やすい。

ところでよく知られているように、改訂版『なぜ意識は実在しないのか』には、オリジナルの双書「哲学塾」版から、あるきわめて本質的な点において、その主張内容に重要な変更が加えられている。この件の消息は、大阪大学での公開シンポジウム[8]を記録した『〈私〉の哲学 を哲学する』（以下「〈私〉の哲学」と略）に辿ることができるが、つまり、そこで提起された“入不二説”に対して、永井が「マイナス内包」概念の方は認めなかった一方で、〈私〉等の「真に第〇次的」（「哲学塾」版ではそう書かれていた）な“内包”は、むしろ「無内包の現実性」と呼ばれるべきである、という提案の方には、永井が全面的に賛成して、そのように本文を改訂した、という経緯である。これは、〈私〉の存在が、世界の内容に対する「無寄与成分」（探究 2）であることを明確化したものであり、「風間くん問題」への解決はそのようなものでしかありえないという点で、頷かれるところである。

さて、しかし「現象判断のパラドクス」を、もう一度考えてみよう。第二次判断と第三次判断とが「現象判断」として一緒にされてしまえるのは、それらがともに「第〇次内包」とされていたからである。「哲学塾」版の論脈では、それで問題がなかった。だが、改訂版では「第〇次内包」と「無内包の現実性」とが峻別されたのであるから、そこで「風間くん問題」と類比的になるのは「無内包の現実性」に関してだけ、つまり判断の区分としては「第三次判断」の方だけ、ということになるのではないだろうか？　すると「第二次判断についての現象判断のパラドクス」は、本当は「風間くん問題」と類比的であるとは言えない、ということになる。どういうことか。

私は上海西泠印社製の印泥を練りながら、「私は今、赤さを感じている」と判断する。これは第二次判断である。もちろん〈私〉でないと想定した私、ゾンビである私も同じように判断するであろうから、ここにはパラドクスがある。もしも「赤さ」が無寄与成分であるとするならば、これは「端的な〈現実性〉はだから語りえないのだ」という話になって、それでよい。それは「風間くん問題」そのものである。「哲学塾」版では、神の存在論的証明とシームレスに論じられていることからしても、まさにそう言っている、と取れる。つまり「第〇次内包」概念の中に、クオリア的なものと〈私〉の存在とがごっちゃに押込められていたお

[8] 2009 年 3 月 7 日。なお私事であるが、このとき発表者は聴衆のひとりとして、21 世紀懐徳堂の空気を呼吸していた。本発表の問題意識自体が、このシンポジウムなかりせば決して胚胎することのなかったであろう類いのものである。

のですよ。これは入不二さんのおかげだけど、本当にそうだと思いますよ。あれが入るか入らないかで全然違ってきます。

それでね、谷口さんの言ってることは意味はわかるけど、いったんそれを経たあとで意味がある、というそういう話なんですよね。いったん入不二提案を経た後で、「いやいや、そうは言っても、こういうふうになってるよ」というふうに言うのであれば、それは意味があるけれど、それを経ていない「哲学塾」版それ自体には、それ自体としては、価値がないと思うんですね。いったんはそれを無内包的視点を取り入れて改訂した後で、「遡って見れば、哲学塾版のあれは、こう解釈できる」っていうふうに持って行ったときに初めて、価値を持つのであって。だから、今となっては谷口さんが言ってることは十分意味があると思うけど、だからといって「哲学塾」版に独自の意味があったわけではないというふうになってると私は思います。

そのあたりの細部の議論は、全部やってると切りがないので今回は省略させていただくとして、谷口論文の中に「まずい」と思ったところがあって、それはさっき言った永井解釈的なところで、どう言ったらいいのかな、要するに永井の文章の解釈を、ちょっと読み込み過ぎで、引っ張り過ぎなんですね。これを読んで思ったんですけど、哲学って昔の偉い人のある文章を引用して、それをいろいろと解釈して、そこから引っ張って議論するという伝統芸があるじゃないですか。あれって、そもそもあまりよくない芸風なんじゃないかと思うんですよ。普通のアカデミックな哲学研究者もよくそれをやるし、ハイデッガーとかデリダとか、ああいう人たちも昔の人のちょっとした文章を引いてきて、それを深読みしてごちゃごちゃ言うけれど、あれって最初の読みが見当はずれだと、全体として意味のない話になってしまう。そういう場合ってやっぱり結構多いんじゃないかという気がするんですね。

それはどこかというと、6ページ（次頁参照）に出てくる引用文なんですけど。ここが決定的に重要な役割を、谷口論文では果してるわけです。6ページの「痛み」の個所です。6ページの5行目、6行目ぐらいから始まる引用文で、「「痛み」「甘さ」「赤」といった概念は〔…〕最初から（最初こそは）客観的世界に届いており、主観性（意識に内在する成分）は逸脱事例の処理のために後から構成されるにすぎない」。その次、第2文ですね。「私には、私以外の人に〔…〕色がどう見えているのかは決して分からないとはいえ、そこにあるかもしれないとされる違いが、われわれの日常のやりとりや科学や芸術などの文化の発展に関与する可能性はない」。

ここで、第2文をね、谷口さんは第○次内包的なものと読んでいるんだけれど、それで、他の解釈もあると言って複数の解釈を出して、一方を取ってるんだけど、じつはどれでもないんですね。これってもっとはるかに嫌味な文章なんですよ、私の意図としては。何を言ってるのかというと、「そこにあるかもしれないとされる違い」っていうのは、これってじつは嫌味、あるいは皮肉なんですよ。「そんなもの、ねえよ」と言ってるんです、実は。だから、これはどちらかというと、第○次内包でもなくて、強いて言えば、マイナス内包ですね。「あるかもしれないとされる違い」っていうのは、「でも、ないんだ」と言っていて、ないから「われわれの日常のやりとりや科学や芸術などの文化に関与する可能性はない」。っていうのは全体的に否定的な文章なんですね、私の意図では。

だから、6ページの下の方で、永井はこう続けているっていうことは当然で、私の中では、この文章はそういう否定的な意味しかなくて、谷口さんが解釈されたようなポジティブな意味は、どちらのに外挿される形で“〈私〉の哲学”以後の永井哲学が展開されることとなったためで、本来ゆらぎを残した弁証法的表現であった「第〇次内包」から無寄与成分が全的に剝奪され、内包的に存在者化されてしまったことで生じた事態ではないか、と発表者は考えている。「探究1」はまさに「無内包の現実性」から出発するが、そこで「実在的《リアル》な差異」と「現実的《アクチュアル》な差異」という最重要の対比を導入する場面で、永井の記述は次のようである[13]：

> 「痛み」「甘さ」「赤」といった概念は〔…〕最初から（最初こそは）客観的世界に届いており、主観性（意識に内在する成分）は逸脱事例の処理のために後から構成されるにすぎない。私には、私以外の人に〔…〕色がどう見えているのかは決して分からないとはいえ、そこにあるかもしれないとされる違いが、われわれの日常のやりとりや科学や芸術などの文化の発展に関与する可能性はない。

1文目では、第一次内包の第〇次内包に対する認識論的先行が述べられ、第〇次内包は第一次内包からのずれを公共的に処理するための事後的構成物である、と言われている。2文目は曖昧である。そこで「私」と「私以外」とが対比されている以上、現実性の水準における差異が非実在的であると言っている、とも取れはするのだが、あくまで主語は「どう見えているのか」であり、内容上の「とされる違い」であり、第〇次内包が無寄与であると言っている、と解釈する方が自然ではないだろうか。だが、後続する叙述はそうなってはいない。続く段落では、第〇次内包も含めて「これらはすべて実在的《リアル》な内包である[14]」と言われ、次頁では、他人に生じる痛みと私の痛みとの差異が「そこには内包的な違いはない[15]」とされて、かくて「無内包の現実性」が導入されるのである。「重要なことは、この無内包と先ほどの第〇次内包とを混同しないことである[16]」とさえ注意されている。だが引用2文目に見られたようなものは、まさしく第〇次内包と無内包との微妙な混成体であり、じつはこれこそが「哲学塾」版本来の姿で自らを示した「第〇次内包」である。第〇次内包にも無内包的側面、いかなる形相規定も受けない純粋質料的側面が、またあるのでなければならない。そもそも「無‐内包」という語の構成契機（「無」及び「内包」）それ自体が、現実性が単に現実性であるのみならずして、「内包」の譬喩によって語られねばならない無寄与的な何かもそこに随伴している、ということを暗示しているのではないか。それは、デリダ＝永井風には（抹消記号

[13] 探究1、第1章、23頁。下線引用者。

[14] 同上。

[15] 同24頁。

[16] 同上。

意味でも、初めから全く持ってないところなんですね。だから、ここで谷口さんが言おうとしてることと自体は意味があるだろうけれど、この文章にかこつけてそれを言うと、こじつけ的な感じがして、こじつけられた話がわりあい長いために、この文章の価値が損じられているという印象が、若干あるんですよ。でも、本当はこれは要らなくて、むしろここはこういう文章解釈からじゃなくて、始めから自分の主張として語ったほうが、はるかに価値があっただろうと思います。解釈的議論はなくても全然話は通じますし。

こんなふうにやってるとやっぱり一人三十分ずつ使っちゃいますね。なので、そのあとの「物自体」の話は抜かして、それからヘーゲルの『精神現象学』も抜かしましょう。でもね、今回の議論と全然関係ないことで言いたいことがあるので、それはちょっと言っておきましょう。宗教の話に関係している、注21と注12があるじゃないですか。注21は仏教で注12はキリスト教の話をしてる。これって全然話題にもなってないけど、私はここがいちばん好きで、注21（次頁参照）のいちばん後ろの数行でこう書かれているんですね。「とまれ〈私〉が気づくためには、その次元で相即的に成立する〝気づかれる何か〟が存在しなければならない。無我であるところの〈私〉に比して、それ（ら）は全然、無ではない。もし単に、認識に与る世界寄与的な何事か（例えば岸田政権）に気づくのでよければ、そんなことは瞑想せずとも誰でもやっているし、また感覚（第〇次内包）に気づくことだけが重要なのだとしても、そうである理由は説明されるべきだろう」と言うんですけど、この議論は、実はある意味で間違っていて、なぜかというと、例えば岸田政権に気づくっていうことは、瞑想しないとできないんですよ。岸田政権のことを考えているときは、「岸田政権のことを考えているな」と気成分）には与らないといっても、端的な現実存在を指すものなのでもまたない。それは、現象してくるもの（例えば「赤さ」「甘さ」等）の、根拠となるところのもの（形相の手前にあり続けるような基体的質料）である。永井の語りは、ここでもふたたび「物自体」に“第〇次＝無＝内包”混成体の色を、すなわち「哲学塾」版「第〇次内包」では失われていなかったところの陰翳を、帯びさせている（叙述が、というよりは、その譬喩に「物自体」という用語を選択した、というそのことにおいて）。無寄与的実質＝純粋質料成分もまた、「客観的世界の内で動くこと」はできない。なぜならば、それ（ら）について語りうることはゾンビにも語りうることに尽きていて、私はそれ（ら）について“語り始める”ことすらできないからである（〈赤さ〉という表現が、それ（ら）については何も語っていない、という点に注意しよう）。それ（ら）についての事実などない。われわれの客観的世界の中には〈私〉は実在しないが、ひとしくそれ（ら）も実在していない[21]。

3　二種の感覚的確実性のあいだの差異

ヘーゲル『精神現象学』冒頭の「感覚的確実性」を扱った「探究1」第10章では、一見すると、ここまで発表者の粗描してきたような問題層に永井が意識的であるようでありながら、そこでの「第〇次内包」にかかる負荷と、それによる概念の軋りとは、もっとも大なりとせねばならない。改訂版（＝「探究 1」版）「第〇次内包」の箍なす規矩に、「哲学塾」版「第〇次内包」の概念的自然に根ざす放埒な揺蕩が、ほとんど矯めきれていないようにも感じられる。感覚的経験の確実性には実存だけあって内容的本質がない、というヘーゲルの指摘を釈義してのち、永井は書く[22]：

---

[21] マインドフルネス（ヴィパッサナー瞑想）を扱った近年の著述についても、ここで「物自体」について述べたことと、ほとんど同様の論点を指摘できると思う。「探究2」付論の「自我、真我、無我について」を見てみると、「気づき（サティ）」それ自体は反省的自己意識の働きであるにせよ、そのとき気づく（マインドフルである）主体は真我＝無我（＝〈私〉）であらねばならない、と論じられている。ここで、気づかれるためには感覚的存在に対する本質直観が必要なのか、それとも単に個的なものとして捉えられていれば充分なのか、という点は（それ自身としては興味深いが）措いておくにしても、とまれ〈私〉が気づくためには、その次元で相即的に成立する“気づかれる何か”が存在しなければならない。無我であるところの〈私〉に比して、それ（ら）は全然、無ではない。もし単に、認識に与る世界寄与的な何事か（例えば岸田政権）に気づくのでよければ、そんなことは瞑想せずとも誰でもやっているし、また感覚（第〇次内包）に気づくことだけが重要なのだとしても、そうである理由は説明されるべきだろう。

[22] 探究1、第10章、165‐6頁。傍点原文。

づけない。っていうことが話のポイントで、これはもう仏陀が直接言った放逸状態という問題ですね。「岸田政権のことを思っているな」と気づくということが、これがマインドフルになるということで、それがヴィパッサナーですから、岸田政権のことを考えているっていうそのことに気づければ、岸田政権のことがものすごく気になる人で、ついついいつも岸田政権のこと考えちゃうような人は、「あ、また岸田政権のことを考えている」というふうに気づけばいいんで、そのときは岸田政権の思考の実存に気づくんですよ。本質ではなくて。ここがポイントですね。ここに実存が入るんですよ、ここにもやっぱり。それで、そのときにね、通常は普通の自己が、関与的・寄与的な自己、つまり実在的《リアル》な自我が実在的《リアル》な何事かに没頭しているわけです。実在的《リアル》な連関があるんです。それに対して、無関与的・無寄与的な〈私〉が、あるいは「無我が」でもいいんですけど、どっちでもいいんですけど、それが実在的《リアル》な関与的没頭に気づくんですね。これがヴィパッサナーの本質で。

そして5ページの注12（次頁参照）に戻ります。ここはキリスト教の話で、最後の所で「キリストの受肉とは、「〈私〉が世界へと受肉している」という気づかれるべき奇蹟の象徴的な再現なのであって、ひとは私こそがまさにキリストであるという真理に気づくことによって、魂を救済されるのである」とあります。その後の大乗仏教の菩薩と言い換えているところはちょっと違うと思うけど。菩薩というより如来蔵思想のほうが近いんじゃないかと思うけど、それはまあどうでもよくて、「私こそまさにキリストである」という真理に気づくための象徴がイエス・キリストだっていうのは、まさにそのとおりで、そうなんだよということを、禅僧の内山興正も、イエスの磔刑と坐禅との類比の議論の中で言っていますし、それを引き受けた山下良道もそう言っていますし、それからカトリック柳田

してのそれであろう[10]。アリストテレス風に言うならば、「第一質料《プロテ・ヒュレー》」の問題である。

実存・対・本質という、中世イスラム哲学（アヴィセンナ）によって論点化されたようなアリストテレス解釈における対比を、スコラ的な質料・対・形相の問題軸と混同されないよう強調することに、永井の哲学はかくべつの注意を払ってきた。それは、おそらくはその主要な“敵＝誤解”との闘いの場（つまりデカルト以降の西洋、欧米哲学全体）が、そのような伝統の圏域にあったからである。だが、さるにても、永井の“哲学説”における質料形相論の方の帰趨は、さだかではない。ある読み方によっては、それは独在論的累進構造が哲学史の地平に落とす、影の如きものにすぎない（と永井自身がはっきり言っている（かのように取れる））。「赤」のクオリアの“心理＝機能”的側面と“現象＝非機能”的側面とが累進の階梯に組み込まれてしまうのは、クオリアという端的に「無寄与成分」であるだけのものが、概念化されることで無寄与性を本質＝内包とする実在的「寄与成分」になってしまうから、つまり「他者は必然的にゾンビである」という独在論的事実（これは事実である！）が、世界を非のっぺりと構成していたから、にほかならない。もし、言語的には──語り終えることはおろか──語り始めることすらできない「現象的質」といったものが、各主体の内面に平等に配られているような形而上学的世界像を想定するならば、そこでは私秘性が「前言語的かつ非独在論的」に、すなわち「素《す》で内包的」に成立してしまい、永井の見解に反するように思われる[11]。〈私〉の開闢の神（至高神《アイオーン》）に対し、いかにもその造物神《デミウルゴス》の権能は超越的すぎる[12]。というのも、その「クオリアへの絶対に到達できなさ」は、まさに独在性が与えるべきものだったはずだからである。

こうした世界質料（質料‐形相運動の起点にありながら、それ自身はいかなる意味でも形相の側からは到達不可能な純粋質料）の独在論的位置付けをめぐる、永井の記述はいささか揺れている。その理由は、入不二の「無内包の現実性」概念が「哲学塾」版の「第〇次内包」

---

[10] 入不二基義『現実性の問題』第7章を、ひとは是が非でも読まなければならない。

[11] 探究2、終章（257頁以下）で、独在性がいわば客観的事実でもあることによって言語の意味にまで入りこみ、結果として“ア・プリオリな”私秘性を成立させる、と主張されている。

[12] これは開闢神学をウァレンティノス主義化した言い廻しであり、デミウルゴスとは贋物の神（アルコーン）で、その旧約文脈における固有名がヤルダバオート（ヤハウェ）である。「旧約の神なんて、せいぜい世界への寄与成分を造ったにすぎないではないか！」と、グノーシス主義者たちは言い立てていた、と取れる。この意味で、グノーシスの思想が世界の独在論的存在構造を映した“影の如きもの”であったことは、発表者にはあまりにも自明である。この幼稚な譬喩を続けるならば、キリスト（それは魂を充満世界《プレーローマ》へ救済するためにアイオーンの遣わした使者である）の受肉とは、「〈私〉が世界へと受肉している」という気づかれるべき奇蹟の象徴的な再現なのであって、ひとは私こそがまさにキリストであるという真理に気づくことによって、魂を救済されるのである。大乗仏教におけるその対応物が「菩薩思想」であることも指摘しておく。

敏洋神父も、そう言っている、と解釈できます。これは、キリスト教の公式的教義がなんと言おうと、じつはそうなのだと思いますよ。そこのところでキリスト教と仏教は繋がっているんですね。私の解釈では、そのことは内山興正が発見したんですけど、しかもそこが彼の第四図に対する第五図、第六図の対比といういちばん中心的な議論と直接的に関係しているんですよ。この話は『仏教3・0を哲学する』（春秋社）とその続編で、哲学的にも議論していますから、ぜひそちらも見てほしいけれど、ここでもやはり、そこにこそ第〇次内包と無内包との対比が重なってくるところなので、やはりちょっと強調しておきたい。要するに、気づきの対象が、質料・形相の質料、すなわち感覚的要素ではなくて、つまり感覚的要素に還元していくというテーラヴァーダ仏教ふうのやり方ではなくて、岸田政権のことを考えているっていう思考の実存そのものに気づくだけでいい——それを質料的成分に解体する必要はない——というそのことが同時に、気づく主体の側のほうも、これまでの通常の自我ではなくて、いわば真我＝無我に生まれ変わらねばならない。そこが相関関係になっていて、これが大乗仏教的な発想だとすると、その生まれ変わりがそのまま、イエス・キリストが十字架上で死んでそれゆえ復活するということに対応していることになるわけです。

　哲学の話に戻って11ページ（次頁参照）に飛びます。4の前のところですね。4の前の数行。「「私は赤さを感じている」は、この場面では全然確実ではない。端的に確実なのは、これやそれがそれぞれの仕方でそうである」ということだ。「にもかかわらず私は」何とかに驚いてうんぬん……と書かれているのですが、この区別も無内包と第〇次内包やマイナス内包との区別ですけれど、今日の話の中では誰もそれに触れなかったけれど、ヨコ問題・タテ問題という区別のほうで考えると、マイナス疑ってかかることもできる（疑わないのは、われわれの経験的世界ではたまさかそういう出来事が生じにくい、という事実によるにすぎない）。ここでは実は、第〇次内包だってちっとも“確実”ではない。もしそこに感覚的確実性があるとするならば、そのときの第〇次内包は「哲学塾」版のものであり、それは端的に確実なのでなければならない。しかし何が確実なのか？——という経路によって、第二の応答が立ち上がってくる。

そう、確実なのは「私は赤さを感じている」ということではない。「私の今の言語[26]」に立ち戻って、このことを考察してみよう。目がさめてカーテンを開け放ってみると、雲一つない真赤な空が広がっていた、とする。私はどう思い、何を考えるだろうか。恐らくまずは、村上春樹の小説の主人公のように「やれやれ」と呟くであろう——「やれやれ、今日は空が赤いときている！」。次に、ニュースは空の大事件などまるでなかったかのように戦争のことばかり報じているのを一瞬り眺め、恋人に青空の見えかたをめぐる短い電話をかけた後で、はじめて何らかの異常《アノマリー》が自分にだけ生じていることを知る。ことここに至って、もしかすると私は昨日見た空の色の記憶表象を浮かべ、今のそれと引き較べてみるかもしれない。「同定」が登場するのは、ずっと遅れてこの瞬間である。それまで、私は別にその空の色を、記憶と比較して同定していたわけではない。「私の今の概念」である「赤」が、今日の空によって直接惹き起こされ続けていただけである。いったん異常《アノマリー》の存在を認めたならば、私は色々な仕方で色々のものを疑う羽目になるが、その疑いの宛て先に「記憶」や「言語」もまた含まれうることは、医者の例のときと同様である。そこに確実性は見留められない。「私は赤さを感じている」は、この場面では全然確実ではない。端的に確実なのは、これやそれがそれぞれの仕方でそうである、ということだけで、それにもかかわらず私は（「私の今の概念」である）「空の色」に驚いているのであって、決して世界が存在することそれ自体に驚いているわけではない——この違いも、明らかではないだろうか？[27]

4 「哲学塾」版主義・改訂版主義・徹底化された「哲学塾」版主義

ここまで書いてきて、紙幅（発表時間）があまりにも足りないことは誰の眼にも明白となったので、発表者が「探究 2」についてどんなことを述べるかはご想像にお任せするとして（ご想像通りなので）、一章の結論部を急ぐ。「第〇次内包」に関する「哲学塾」版主義とは、

[26] 『私・今・そして神』第3章参照。

[27] 次章において主張されるように、このような「私の今の概念」を保持する言語は、いわば「A変容言語」であると発表者は考える。そしてA変容の中では、「私は赤さを感じている」ということの確実性は、ある意味では恢復されることになるだろう。

内包も第〇次内包もタテ問題上の概念なんですよね。無内包だけがヨコ問題上の概念ですから、そもそも違う種類の話なんだ、ということになると思うんです。

これを、そういう永井用語ではなくて、分析哲学の用語で言うと、「確実なのは、これやそれがそれぞれの仕方でそうである」のほうは、つまり私がこう感じていることは絶対確実だ、そもそも間違えて捉えるということ自体が（したくても）できない、という話で、incorrigible ってやつですよね。incorrigibility、訂正不可能性という問題ですね。それに対して、「それを感じてるのは私である」、それが私であることは間違えられない、というほうは、misidentification、つまり誤同定ですね。incorrigibility と misidentification の問題を混同してはいけないという話は、シューメイカーたちが強調していて、私は「哲学探究3」の連載の中でシューメイカーのこの議論を批判していて、誤同定が不可能なのは、それがじつはヨコ問題だからなのだ、と論じているけれど、しかし彼のあの議論自体は非常に優れていて、それは混同されがちでもある。とはいえ事態は複雑で、その混同に根拠がないわけでもないんですよ。なぜかというと、直接与件の確実性の根拠を探っていけば、煎じ詰めると、〈私〉の存在からはじまる世界理解にまで辿り着かざるをえないはずなんで。とはいえ、そこまで煎じ詰める前には、やはり厳密に区別しなければいけない。山括弧性とか無寄与性とか無内包性という問題、つまりヨコ問題と、タテ問題における感覚的確実性の問題は、切り離して考えなければいけない。しっかり切り離したうえで独自の哲学的議論によって繋がりを解明していかなければならない。

この連関でヘーゲル『精神現象学』についても一言だけ戻って言っておくなら、ヘーゲル自身も混同しているんですよね。というのは、『精神現象学』の冒頭は「感覚的確実性」の話をしているはずなのに、ヘーゲルの出している例は、感覚の例じゃなくて、〈今〉なんですよね。だから、『精神現象学』の冒頭の話は本質的に間違っていて、感覚の確実性と言ってるくせに、第〇次内包でもマイナス内包でもなくて無内包性の問題を扱っている。つまり、混同したままでヨコ問題に越境してしまっている。だから、異なる種類の「確実性」が最初から混同されてしまっているといえます。

この連関で、もう一度そこについて言うなら、「これやそれがそれぞれの仕方でそうである、ということだけで、それにもかかわらず私は……」って言っているところは、ここで「私は……」って出てくるときに初めて、無内包性、ヨコ問題性が出てきていて、つまりmisidentificationの問題が出てきていて、それ以前のところでは、やっぱり誰にとってもそうなんじゃないですか。そういう確実性は誰にとってもあるはずなんじゃないか。だからこれはやっぱり第〇次内包ですね。改訂版においてはっきり区画された第〇次内包の問題で、法によって規定された治外法権ではないかな。そうじゃないほうは、つまり「私がそれを体験してる」というほうは無内包で、その私というのがいったい何なのか究極的にはわからない、無寄与的・無内包的なものですね。この世界の法の内部には存在しない、法によって与えられた治外法権との対比でいうなら、むきだしの自然状態です。

いま言った、incorrigibilityとmisidentificationの違い、タテ問題とヨコ問題の違いについては、ごく最近は、私は別の角度から語っていて、これは青山さんの発表にも関係するんですけど、最近出た『現代思想』の大森荘蔵特集号に寄稿していて、大森荘蔵論なのですが、最後のところで廣松渉のパースペクティブ論に触れているんです。あのパースペクティブっていうのは、廣松さんは意識していなかったと思うけど、そこには暗に所与とパースペクティブという対立が込められていて、所与っていうのは意識に直接与えられたもの、直接与件で、ありありと生々しいものですが、パースペクティブのほうは、そっちの系統の話ではなくて、実はヨコ問題なんですよ。ヨコ問題をあそこに入れちゃってるんですよ。パースペクティブの違いがあるっていうことで、所与の側が全く同じであってもパースペクティブが違うということがあるんだ、と彼自身がはっきり言ってるんですね。複数の人間の所与がまったく同じでありうるということが驚くべき主張なので、どうしてもそっちに注目が行っちゃいますけど、そこには別の論点が隠されていると解釈を差し入れることが出来ます。

リンチに遭ってる息子に対して、お母さんであるゲリラ兵が、息子の身体のその箇所に、同じ痛みを感じる、と主張していると主張されていて、まったく同じ痛みを感じているにもかかわらず、それを感じる際のパースペクティブだけが違うと言っているんですね。あれは、まったく同じ痛みだけどヨコ問題として捉えた時だけ違いがあるともいえる、という主張だとも解釈できるんですよ。痛みのような事例だから異様な主張に見えるけれど、理念的なものが例なら、だれでも受け入れると思いますよ。だれが考える2＋3＝5もまったく同じ内容だけれど、私は私の考える2＋3＝5しか考えられませんから、その意味では他人の考える2＋3＝5はいかにしても考えられない。感覚的なことがらにさえもこれと類比的なことがいえると考えることはできます。

最後に、もうすでに与えられた時間をだいぶ、というかほとんどすべて使っちゃっているんですけど、A変容。A変容の話は、これと独立で重要だと思います。15ページ（次頁参照）の終わりの方に、15ページの下から6行め、7行めぐらいですね。「発表者は「A変容」こそが、時間論において哲学者たちが本当は問おうとしてきたことであると思っている」。そりゃ、そうですよ。A変容こそが時

リがまず木叢にいて、次に空の中央にいて、最後に西の空にいた、ということを言いたいのだな」と、対話者は返してくる。違う。私はそんなことが言いたいのではない。私は、ヒバリが大空を横切ったという一つのことが言いたいのである。そこに前後関係（B関係）などはなかった。かといって、それらは同時に生じたわけでもなかった。そうではなく、私は、ヒバリによって「現在」がそのような〈変容《トランスフィギュレーション》〉をこうむった、ということが言いたいのである。――ああ、だがしかし、私はどうやってそれを言えばよいのか！　私が何を語ったとしても、それは、時間的な幅の中でヒバリのいた地点が x_1 から x_2 へ移動した、ということになってしまわざるをえないではないか。それは「移動」であって「運動」ではない。だが結局のところ、私が語ってしまったことは「A変化」である。まさに「A変化」ではないものとして、私は「A変容」を語ろうとしていたのに！

これは、「第二次判断についての現象判断のパラドクス」の、時間論ヴァージョンである。ゾンビにも語りうるがために語りえなくなってしまうことは〈今〉以外に他にもあって、それは「A変容」である。私が「言ってしまったこと」は、単に「時点 t_1 に地点 x_1 にいるヒバリ」と「時点 t_2 に地点 x_2 にいるヒバリ」との識別能力が私にもある、ということにすぎない。ゾンビだって（他人や、他時点の私だって）それを識別し、私と同じことを言うであろう以上、私が言いたかったことは、じつは言えていない。「A変容」は、語られてしまった瞬間に「A変化」に読み換えられる。そう語り落とされる。「A変容」はだから、客観的世界の中で動くことができない。つまりそれが存在することは、客観的世界の中でいかなる役割も演じようがない。従ってそれは無寄与的ではあるが、私の言いたかったことが端的な〈今〉の存在（とその語りえなさ）ではなかったこともまた明らかである。A変容は内容成分であり、無寄与的な内容成分である。「A変化」が客観的事実であり改訂版「第〇次内包」の相当物であるとするなら、「A変容」は無内包性の輝きを帯びた内容性、つまり「哲学塾」版の「第〇次内包」に相当する。

しかし「A変容」なんて言うが、そもそもそんなものが本当に時間論の主題であったのか？そんなものに興味を持つのは、おまえの特殊な関心にすぎないのではないか？　と問われる向きもあるだろう。しかし、発表者は「A変容」こそが、時間論において哲学者たちが本当は問おうとしてきたことであると思っている。マクタガートにおいてもまた、「時間」を問い始めるにあたって暗に前提されていたものは、まさに「A変容」であった。そのことを示す証拠が一つだけ、「時間の非実在性」論文に残されている[30]：

> 時間が変化を含むことは一般に認められていると思われる。なるほど、どんなに時間が経過しても変化せずに存在するものもありはしよう。しかし、異なる諸時点をあるいは

[30] UT注解、20頁（段落番号（10））。永井均訳、下線引用者。

間論ですよ、間違いなく。それがA変化と違うっていうことはおっしゃるとおりで、これは重要な点ですけど、でも、それは、ベルクソンもフッサールも気づいていたことなんじゃないでしょうか。

それに対して私が言っているのは、いやいや、A変容もA変化も大事だと思うけど、おれが言ってるのはその問題じゃないぞ、「A事実」だぞ、と。時間というものには、A事実というものがあるじゃないか、あらねばならないじゃないか、究極のところそれこそが時間というものの本質じゃないか、と。マクタガートも、最も根底的には、究極のところは、やはりそのことを言ったんだと思いますよ。A事実がなければ、ほかには時間的なすべてが揃っていても、やはり時間は存在しないじゃないか、と。もしA事実がなければ、どこを取っても、その現在において、A変容が起こっていて、A変化が起こっている、というだけのことで、結局のところは時間にならないでしょう、という話ですね。だから、そういうような時の流れ方についての一般論ではなくて、そういう話とは別に、この現在だけがほんとうの現在である、そういう特別の本当の現在というものがある、という一点に時間というものの存在の全重量がかかっているわけですよ。A事実という問題は、通常時間論という分野で問題にされる事柄とは違う種類の問題かもしれません。単なる無内包の問題であって。そこには入不二さん的な根源的な現実性の問題が出てくるだけで。にもかかわらず、それなしには時間はありえない。そして、空間にはこれにあたるものがないんですよね。

それで、やっぱり私は、A事実とA変容は本質的な関係はないと思う。A変容は大事な問題だけど、A事実の中身がつねにA変容であったとしても、だとしたらそれは非常に興味深い事実ではあるけれども、やっぱりそのことはA事実がA事実であるということには関係ない。A事実とA変容はやはり別の問題だと、そこはむしろ強調すべきことであろうと思います。時間のあり方がどうなっていようと、それには関係なく、やはりA事実にあたるものは必ずあらねばならない、と。

すでに持ち時間の全てを使い切っていますので、残りは非常に短くしなきゃならないことになりますが、入不二さんのは、超短く応答すると、こうなりますかね。一方向性のところで、その1番めは「断裂」と「循環」って話があったんですね。で、接合、接続じゃなくて構成っていう話がありますね。そのことに関しては、今回はヨコ問題・タテ問題も誰も言わなかったですけど、もう一つ言わなかった問題があって、僕の中では、「カテゴリー」っていう問題がここに入ってくるんですよ。接合でいいですし、単なる「接合」とか「接続」で全然いいんだけど、構成でもあるっていうのは、なぜ構成する力があるかといえば、「人称」というカテゴリーがその力を持つのだ、という考え、そういうアイデアを私は持っているんです。これはあまりうまく展開できているとは思わないけどね、しかし、そうでなければ説明がつかない、という意味ではこれは絶対に正しい、ともいえる。ここでは超越論的主観性はなくていいんですよ、〈私〉にはね。そんな力は全然ないんだけれど、たまたま存在している「人称」っていうカテゴリーを使うと、それを累進的に広げることができる。そのカテゴリーという能力それ自体はどこから湧いて出たのか、という疑問はあります。カントにもそれはありますし、言語から導き出したとしても、その言語のもつ構造それじたいはいったい何なのだ、という問題がありますけどね。ともあれ、そういう種類の話をここに入れたいということが一つ。

それよりももっと重要なことは、次のところですね。無限否定性の話です。「しかし、現実性や否定性によっては近づけない」っていうことなんですけど、だから純粋現実性のほうからじゃなきゃ駄目だというふうに入不二さんはおっしゃっているわけですけど、私からすると、そうじゃなくて、純粋現実性はもちろんあるんですね、それは現にあるんだけど、たんに一般的にあるわけじゃないんですよ。「この人が私である」っていうことが、そのことが純粋現実性で、そのことが現実性なんです。そうじゃなかったら、つまりもし純粋現実性が任意のものに適用できるというのであれば、私自身の問題の解明装置としては、それでは足りないんですよ。

だから〈私〉の問題にも適用できて、いちばん下に書いてあった図では、A・B・C・Dという風車みたいになってるやつがありましたよね。あれの中で、真ん中に〈私〉があるのは私的にはやっぱりまずいんで、私の場合は、端的に「私はCである」ということの現実性こそが問題なんですね。私は端的に現実にCなんですよ。入不二さんの言い方だと、全ての人物主体に対して文字どおりただ一つで、それを異なる角度から分け持つっていうふうにおっしゃってたと思いますけど。「分有するんだ」というふうにおっしゃっていましたけど、私としてはそうではなくて、私はなぜかCなんで、なぜかCが私なんですね。そのことの現実性。

この中で言えば、永井が私なんですね、入不二や青山や谷口じゃなくて永井が。永井が私だということの現実性があるんです。そこが現実性の問題の成立場面なんです。現実世界がそこで成立するわけです。Cが私だとすれば、他の人たちは、つまりA、B、D、E、Fたちは、決して私ではない。というそのことの現実性ですね。

だから、風車の下の複数の円が対等に存在しちゃっているのはまずいわけで、対等には存在していないということの現実性っていうことを、「現実性」という言葉を使って表そうとしているのです。これは、何ですかね。議論というより、私はそのことを言っているのだ、というだけのことで、これって別に批判とか反論とかそういうことでもないね。ただ「違う」というだけですね。そういう違いがあるよ、と。

しかし、もっと根本的に言うと、現実性っていうことがらの捉え方が違うんじゃないですかね。根底で働く現実性っていうような形で。私にとっては、それはしかし働いたりはしていないのですね。現実性という捉え方、そういう概念にすぎない。物事のあり方のそういう側面ということで、それが世界にメタフィジカルな力として働いてるとか、そういう考え方は私は全然してないです。何の働きもしていないですね。単なる捉え方、単なる概念です。だから、抽象的であっても、何か働きがあったりするようなイメージは私は持っていないんです。

もう一つ言っておくと、その一つ前のところで、「特異点がある」と。私に特異的に可視化されるというふうなことをおっしゃったと思うけれど、そうだとすると、何で純粋現実性が私のときに特異化するのか、ということですね。無中心的な現実性がまずあって、それが中心に入るのだとすると、その中心性はどこから来るのかという問題と、もう一つは、なぜ一つの中心化の仕方だけが現に現実なのかという、そこに働く現実性ですね。永井の場合は、そこに働く現実性のことだけを問題にしてるわけですから、そこ以前に無中心の純粋現実性があるという話では、現実性の働き方として満足できないということになります。

では、青山発表に行きます。青山発表は、簡単に言ってしまうと、要するに意識というものを媒体にするわけですけど、これに一言で簡単に応答するならば、意識というものがそんな能力を持っているのだとすると、こんどは意識というものが神秘的なものになってしまうのではないか、ということですね。どうして意識という自然生成物がそんな特殊な力を持ててしまうのか、そちらがこんどは謎になってしまう。〈私〉の存在も神秘的ですけれど、意識の存在も神秘的で、少し機能が違うけれどかなり似てもいる神秘的なものが重なって二つもあるのは変じゃないですか。本当は一つなんじゃないですか、一つにしたくないですか、という単純な疑問で、そこでここでは、もともとあるのは物理的なものだけなのではないか、と考えてみたい。

つまり、認識論的な境界づけがあるだけで、それを突破して地図そのものに広がっちゃうみたいな、全部になっちゃうみたいな力を持った意識などというものは、〈私〉が生まれるまでは、じつは無かったのだ、と。簡単に言うと、そう考えてみたいです。意識に対応する物理的なものは、あったと思いますよ。だから、生物のある段階で、「意識」と描写できるような鏡のようなもの、つまり世界を表象するようなものとか、世界を記憶的に保持する能力とか、そしてそれを自分の行動につなげる力とか、そういうものは動物にあったと思いますけど、それを「一枚の地図の上に共存できないようなものを持つ」というふうに描写するということは、〈私〉、独在性の側から与えるしかないんじゃないか、と。そっちの側をまず範型にしないと、そういうものがあるということは決してわからない。という意味で、ありえない。だから、現実的には、〈私〉が存在したから、それに基づいて、意識というものの現在われわれが持っているような理解の仕方が生じているのだ、と。

だから、それなしには何も始まらないことになります。何でしたっけ？　オメガでしたか？　そういうコンピュータの話で、オメガさんにできないのは、結局、自分が意識じゃないからだ、ということであると思うけれど、これはつまり、他者に意識を付与する仕組み自体が、原理的に自己参照的であらざるをえない、ということですよね。言い換えれば、主体の側が必ず〈私〉である必要があるということで。それを言うときには、私自身の使っている表記法としては、二重山括弧の《私》が正しいのですけれど、それでもやはり、この仕組み全体を理解しているのは、最終的には人からは永井均と呼ばれている、現実の一重山括弧の〈私〉であらざるをえない。とても珍しいことだとは思いますが、この仕組みはこっちが最終的な起点であるような仕組みなんだと思うのですよ。

興味深い事実だと思いますが、この問題を論じる主体は、みなすべて最初からこれに乗っかっていますよね、実は。だから、そこからうまく主観的なものの客観性が出せちゃうのではないでしょうか。論じる人はみな、「意識」っていうと、「ああ、おれの持っているこれのことね」みたいなやり方で実は理解している。だから、完全に客観的に見ることができた場合には、世界に「一枚の地図の上に共存できないような」意識というものが生じた、というような事実はないんじゃないかと疑ってます。

そういうわけなので、青山さんの問題提起は、問題提起としては全部おっしゃるとおりだと思いますけれど、これを意識なしに、逆方向から、山括弧側からだけ全部答えるっていうのは、どうでしょうかね。そのほうが面白くないですか。私はその方針で考えているのです。

三つとも私の立場とか見地を言っただけであって、たまたまその立場だと言ってるだけなんですね。

それが正しいかどうかは、本当はわからないですけれど、「一応、こっちでやってみるよ」と。哲学においては立場というのは「選ばれてよい」ものなのだというふうに、私が習った松本正夫さんというカトリックの先生がおっしゃっていました。その方はトミズムというトマス・アクィナスの立場で「存在の論理学」というものを構想して体系化したのだけれども、「カトリックの信者だからその立場に立ったのか」という質問に対して、「そうじゃない」とおっしゃっていました。トミズムの立場に立つことによって自分が最も生産的に哲学的な体系が作れると思ったからこの立場に立ったのだ、と。これを聴いたときには、かなり意外な答えで、ちょっと驚いたのですが、そういう意味では、ここに関しては私もそうで、その意味でこの見地に立ってやろうとしてるということです。お三人の発表に対しては、みんなそれぞれちゃんとした根拠のあるものだとは思いますけれど、私としては、それぞれ少しずつ違うということをお話ししました。

入不二のリプライ

まず、永井さんに対して、リプライを二点だけ。一点目は、先ほどのように言ってくれると、こちらにとっても違いがよく分かるということです。重要な違いっていうのは、永井さんがカテゴリーとして人称や様相を重要視して加える仕方で、現実性を問題にしているという点です。私の方は逆で、「減算」が今回のキーワードであることからも分かるように、人称や様相を引き去る仕方で現実性を捉えることに、むしろポイントがあります。これは、対立っていうよりは、現実性の問題に対して、どっちの方向から迫っているかという違いなのだと思います。そのことが、よりはっきりしました。永井さんは「永井が私だということの現実性」を問題にしていますが、入不二のほうは「私であることを通じて働いている現実性」を問題にしているという違いです。

それから、二点目として、最後の方に出てくる、扇形が重なった円の図のところに関して。先ほど幾つか見た限りでは、参加者からの質問でもそこが一番多かった点なので、その点も含めて応答してみます。

次頁のような図を提示しているわけですけど、私の本来の意図（純粋現実性というテーマ）から言えば、唯一中心であっても一種の「影」みたいなもので、まだ純化の手前だと考えています。唯一中心としての〈私〉と独在的な〈私〉のどちらも、純粋現実性と人物（主体）性とのあいだに位置する

図27

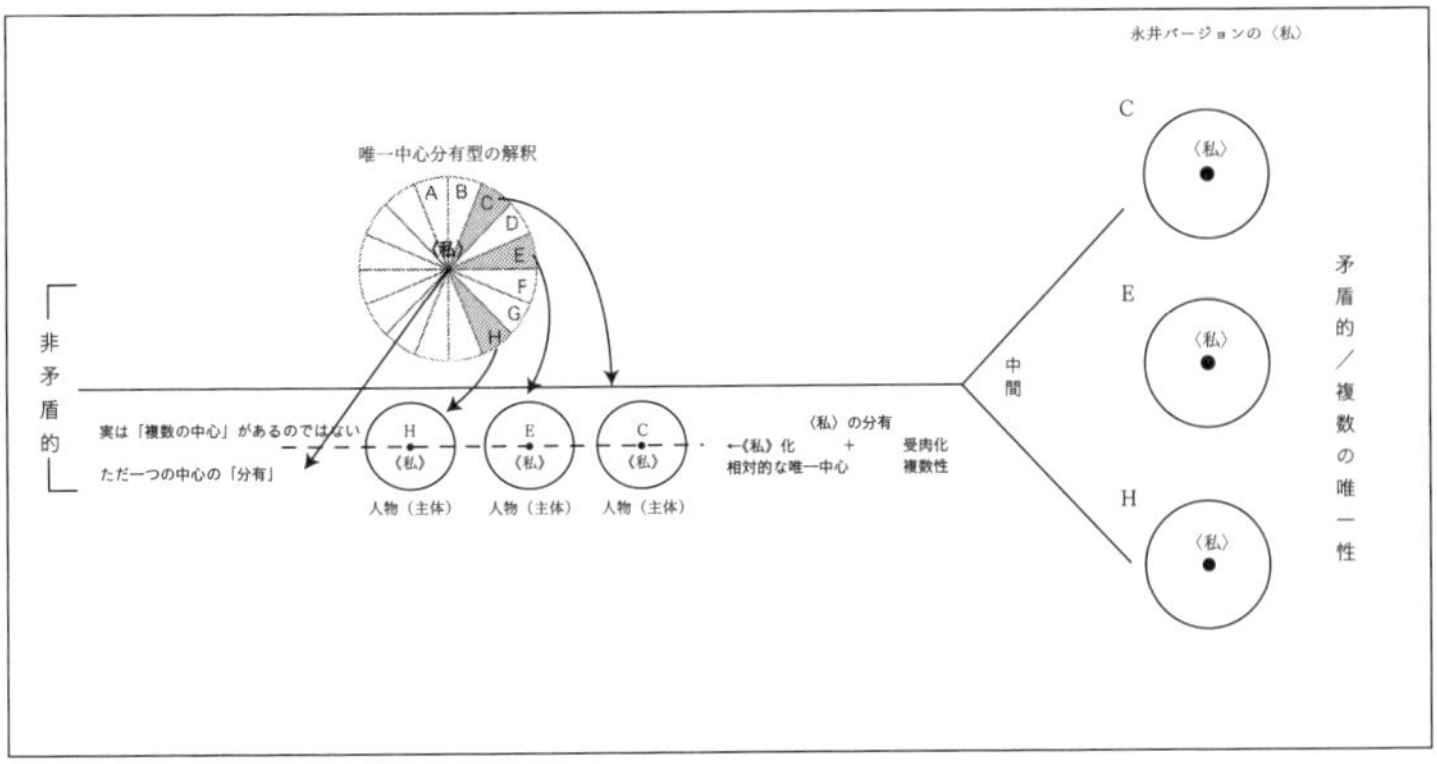

中間態であって、その両端を「実」だとすれば、どちらの〈私〉も、その両端の効果として生ずる「虚」なる存在だと考えています。ただし、唯一中心としての〈私〉のほうが独在的な〈私〉よりも、純粋現実性により接近している、とは言える。ということは、様相・人称性・中心性をいっそう失いつつある。他方、独在的な〈私〉のほうは、唯一中心としての〈私〉よりも、より人物（主体）性に接近している。ということは、様相・人称性・中心性をより色濃く残している。〈私〉というあり方の内に、そのような純粋現実性の度合いや人物（主体性）の度合いの違いを見ようとしているわけです。

この四者——純粋現実性と唯一中心としての〈私〉と独在的な〈私〉と人物（主体）性——のうち、後半の三者（唯一中心としての〈私〉・独在的な〈私〉・人物（主体）性）だけを採って並べたのが、上の図でしたので、こんどは唯一中心としての〈私〉と人物（主体）性が両端になって「実」の扱いになって、その中間である独在的な〈私〉を「虚」の扱いになっているわけです。

そういうわけで、「唯一中心分有型の解釈」を積極的に主張したいという趣旨の話ではなくて、純粋現実性と永井の独在論的な〈私〉の間にも、更に中間態を考えることができて、それは「唯一中心分有型」になるだろうと言っているだけです。独在論的な〈私〉から更にもう一歩、純粋現実性よりの〈私〉の考え方の可能性について提案してみたということです。

次に、谷口さんへのコメントへ移ります。谷口さんの原稿は長いので、本当はいろいろあるのですが、これも二点だけにしておきます。

一番気になったのは、最後に出てくる「位置」という表現です。「位置」という表現が何度か出てきて、単なる「位置」ですから、もちろん無内包性と関連していて、無内包と繋がってくる言葉遣い、概念だと思います。しかし、私が問題にしたような無内包の現実性は「位置」や「場所」のようなものではないのです。「位置」や「場所」というと、どうしても名詞的になり実体化しますよね。中身はまだなくとも場所として予めあって、特定できるようなあり方を「位置」という概念は予想させます。しかし、私の言う無内包の現実性は、融通無碍に働く「力」であり、「位置」や「場所」のような空（くう）なる容器的なあり方とは異なります。これが一点目です。

その点に関連して言っておきますと、永井さんは現実性を力としては考えない（概念である）と言っていますが、私のほうは現実性を、「現に」という副詞的な働き（力）として考えています。その点には、「概念」や「空なる場所」として考えることではないことに加えて、谷口さんや永井さんが使用する対立区分――実存と本質、質料と形相――という座標の内には「力」は位置づけられないという点まで含みます。谷口さんの発表は、質料のほうを純化して純粋質料に向かうという方向性を持ちますが、「純粋質料」は私の議論では「潜在性」に対応すると思いますので、現実性と潜在性（純粋質料）の関係はどうなっているのかという問題になります。「現に」という現実性の力は、もちろん潜在性の全体に及びますが、それとは異なる仕方で、「実存と本質」「質料と形相」の対立区分を跨いで（超えて）入り込んで働きます。つまり、四つの対立区分の中に位置を持たない「力」は、四つの全てにわたって異なる仕方で働いてもいるのです。

そういう点まで含めて、無内包の現実性を「位置」「空なる場所」として記述するのは、まずいのではないかと思ったわけです。

谷口さんへの二点目のコメントは、「無内包」や「無寄与性」の「無」という表現についてです。谷口さんの「無」の否定性は、私には次のように読めてしまいます。

無寄与性で言いますと、「無寄与」というのを、〈まだ寄与していないけれど、寄与することが可能な状態で待ってる〉こととして谷口さんは考えているように読める。このような「無」の否定性は、マイナス内包や潜在性のことを考えていることになると思うのです。もちろん、この点で「無寄与」を考えることもできるのですが、その場合には、「無寄与」とは言っても、「寄与可能」であり「寄与を待っている」わけです。

しかし、「無寄与」の「無」、「無内包」の「無」は、そういう意味の否定性ではないのでは？というのが、私の疑問です。「まだ寄与していない」「まだ内包を持たない」のではなく、「そもそも寄与しない」「そもそも内包を持たない」ことこそが本質であるようなあり方が、〈私〉なのではないでしょうか。それこそが、無内包（の現実性）とマイナス内包（の潜在性）の決定的な違いであって、両者の「無性」は異なる「否定性」である。しかし、谷口さんの発表では、そのうちの片方の否定性しか見えてこない。これが二点目のコメントです。

最後に、青山さんへのコメントに移ります。青山さんの発表の一番重要なところが「意識」ですよね。初めはちょっと誤解していて、青山さんには前もって伝えたのですが、谷口さんと同様に無内包性を認めない方向だと誤解して、意識を充塡して有内包にしていくという、そういう（私とは逆の）方向性だと思って読んでしまいました。しかし再読して、青山さんからの指摘も受けて、その解釈は誤読だったことがよく分かりました。

青山さんの場合、意識が二面性を持っていることが最重要で、そのうちの一つが、境界線なしの境界付けを持つ意識と、一方、境界線を引けるような仕方で、地図の中に書き込めるような境界線という仕方での内容を持つという側面と、いわば矛盾するような二つの側面が一つの意識に重ねられているところが、大きなポイントだったわけです。そこで、「果たして、どうやって重なっているのか？」ということが、私としては非常に気になっていて、さっきの永井さんの言い方を借りれば、不思議なものが一つ増えたっていうことになると思うのです。

意識の場合には、あらかじめ両側面が重なっているかのように話をしているわけですが、それを地図の比喩で言っていますよね。一つの地図の中には入ってない（書き込めない）のだと。その違いは。むしろ別の地図の重ね合わせというところへ話をもっていって、地図を二つ重ねるという話をするわけです。これは、いわば意識の二面性がそれぞれ分離されたうえで、もう一度重ね合わせるのが、地図の重ね合わせになりますね。さて、一体どっちなのだろうと思うわけです。初めから一つに重なっているのか、本当は別のものだけど二つの地図を重ねるように後で重ねているのだろうか。そこが、最後まで疑問に残りました。

青山さんが、十二年前の自分の文章を振り返り、「自分が書いていたことの、より深い意味を教えられた」と語るところを聴いていますと、青山さんと私は「逆の方向性」なのではなくて、むしろ同じ方向を見ていて、その方向性の中で「意識」の特殊性を浮かび上がらせようとしていることがよく分かりました。純化や不純物ということについても思考している点に、その共通の方向性が現れていると思います。

「中心性の材料になるような不純物が入ってこないと」という言い方や、「梯子を投げ捨てる」というウィトゲンシュタイン由来の表現が出てきます。不純物や純化を意識しているからこそ、このような言い方になるわけです。無中心の現実性や、不純物を投げ捨てる(ためにも不純物が重要な働きをする)という論点において、青山さんと私の論は実はかなり親和的である。そう言えるように思って、最初の自分の誤解を訂正しました。以上です。

青山のリプライ

これまでのやり取りにあったように、独在性がすでにして不思議なものであるのに、僕の議論では意識もまた不思議なものになってしまいます。そして、不思議なものが二つになるのは気に入らないという思いもある。ですが、哲学における一般論として、不思議なものを一つにして一挙に説明したいという欲望は危ないんですね。実際に不思議なものが複数あるときは、個別に丁寧に考えていかざるをえない。

とはいえ、境界線なしに境界付けられることの源泉が独在性のほうにあるという見方には、実のところ僕も賛成です。意識の二面性のうち、「それしかない」という仕方でそれが境界付けられていることの源泉は独在性にあるのだと思います。他方で、たんに「それしかない」んだったら、意識のもう一つの側面が与えられず、独在性の問いは問えなくなるでしょう。つまり、複数の「箱」があるなかで、「なぜ、この箱だけが現にあるのか」と問うためには、意識の内容物が必要になる。その内容物はやっぱり不思議なことに、境界線なしの境界を、身体などの境界付けに重ねられるような構造を持っている。だから、「不思議なものが二つあるのか」と聞かれたら、そうだと言わざるをえないのですが、でも、その二つの不思議さが重なるようになっていることこそ、意識の真の不思議さです。

こうした内容物を持っているものは、意識以外にないと思います。

たとえば、「この辞書がここに独在する」とか、「東京オリンピックが独在する」などと言われてもピンとこないというか、「それしかない」のに複数の「箱」があるという構造が作られていない。作られているように見えるとしたら、それは言語が見せる錯覚みたいなものではないのか？ 十二年前の本のなかでも同じようなことを僕は書いていて、言語はたしかに、ある事柄が現実であることと、それと同型の複数の事柄が現実でありうること（つまり現実ではないこと）とを形式的に表現できますが、そこで言う「現実」の「それしかなさ」は定義上のものにすぎないのではないかと述べています。

〈今〉に関して考えた場合も、東京オリンピックのようなある出来事について「その出来事は〈今〉である」などと述べることができますし、そこでは言語の力によって、その出来事が〈今〉ではない場合の諸可能性が把握されているように見えます。でも、「現にこの瞬間しかない」、「この瞬間だけが〈今〉である」と捉えるときの初発点は、意識のほうにあるのではないか？ 一定以上の時間幅を持った出来事について「現にそれしかない」というのがどのようなことであるのかを、僕らは本当は知らないので――。意識に時間的な窓があり、その窓が「現にそれしかない」ものを与えてくれていて、しかも、その表象内容から作り上げた境界付けが、世界に複数共存する境界付けの一つと重なっている。〈今〉についても意識には、なぜかこの二面性があるわけです。

ところで一つ質問しようと思っていたのですが、もし、意識という第二の不思議なものを持ち出さずに、独在性こそを源泉としてやっていけるんだとすると、百台のパソコンについての話はどうなるのでしょうか。百台のパソコンがあって、それぞれのパソコンが認識論的な境界を持っているとき、「このパソコンだけが独在する」といったことが、永井先生の先述の方針だと、言えることになりそうです。つまり、「このパソコンの認識論的な境界内部だけが受肉する」といったことが。僕はそのような言い方に否定的であるわけですが、先生はどうでしょうか。

永井 それは簡単で、私がもしパソコンだったら、それはできるだろうと。

青山 もしパソコンだったら、ですね。

永井 そう。私がパソコンであるということの意味は、私の存在が与えるんですね、やっぱり。それで、私はたまたま人間だった、動物だったっていうことからこの話は始まっていて、これが与えるんで。

それで、二つ不思議なものがあるって話についてひとこと言いますと、ぼくも実は二つあるんですよ。さっき入不二さんの時にちょっと言ったんだけど、カテゴリーというものがあって、それは青山さんの嫌いな「言語」ですね。カテゴリーって要するに言語じゃないですか。言語から抽出されたものでしかない。そういう種類のロゴス的なものに、ここで力を与えるような主張をしているわけです。意識と独在性と、似たものを二つ持ってくるのは嫌だから、そこではロゴス的な、別のものを持ってくるわけですが、それでも、不思議さというか、神秘性というか、要するに説明できなさは、減らないですね、むしろ。

青山 そうですね。

永井 同じぐらいですね。説明価値がどちらにあるかは、よくわからないです。

青山 『〈私〉の哲学 を哲学する』（二〇二二年）のなかに永井先生の論稿が入っていて、「聖家族」

という題の、三兄弟とお父さんが出てくるやつですが——。あれは面白い論稿で、あの三兄弟のなかには、意識を司る人と物質を司る人に加えて、言語を司る人がいるわけですよね。

青山 ああ、そうですね。

永井 三兄弟の話をふまえると、言語を源泉とすることへの抵抗感が僕にはある一方で、他の源泉として意識を使っているので、結局、不思議なものが二つあるという構造自体は同じです。

青山 同じなんですね。

永井 はい。そして、こういう話になってきた場合、どちらの源泉を取るべきかについて競うよりも、まずは構造の同じさにこそ注目すべきだと思います。つまり、切り分ける力を持っていることと、一つだけ現に与えられていることという、この組み合わせが必要なんですよ。

青山 おっしゃるとおりですね。それならば、全然同じじゃないですか。

永井 はい。ただ、この同じさをふまえたうえでも、意識というものに特有の論点はあるだろうと考えています。意識は、哲学史において特別扱いされてきたところがありますが、そこでは意識の能動的な構成作用にしばしば目が向けられてきた。でも、意識の凄さをそこにばかり求めるのは誤解で、それよりも——もしかしたら言語にもそれはできるのかもしれませんが——受動的に受肉されたものを世界に複数ある境界の一つに重ねてしまうという、この二面性のほうが凄いんじゃないか？　この二面性によって、複数に区切られた境界のうち一つだけが現に在るという話が出来上がるのではないか、と思います。

青山 前半はまったく賛成ですけど、最後の一点はやはり問題で。やっぱり、あり過ぎなんですよね。

もうすでにあったならば、そのうち一個だけが特別のやつであるってどういうことなのか、そこでいったい何が起こったのかが、やっぱりわからなくなりますね。

青山 そうですね。

永井 まったく余計なものだよね、そいつは。

青山 ただ、この話をちゃんとやるんだったら、「意識」っていう言葉を途中で使わなくするべきで。

永井 それはそうですね。

青山 つまり、いわゆる意識というのは、僕が言おうとしている何かに独在性が結合したときに出てくる。

永井 もう入っちゃっているんですよね、最初から。

青山 そうです。

永井 みんな、もう入っちゃった言い方を使って、それなのにそのことを無視して、意識の話してるから、全然だめなんだ。

青山 はい。だから、大事なところが必ず誤解されるようになっている。

永井 そうなんですよ。それが問題です。ちょっと大袈裟に言うと、哲学全体がどうもだめなところは、始めからそれが入っちゃっているというところなんですよ。

青山 ちょっと僕が喋りすぎちゃっているので、入不二さんと谷口さんの質問に対しては、簡潔にお答えしようと思うのですが――。

入不二 その前に、一言だけ付け加えさせてもらっていいですか。

今、二つという話が出たから、実は私も二つあると言っておきたいです。私の場合には、現実性（無内包）と潜在性（マイナス内包）の二つです。潜在性（マイナス内包）がもう一つの不思議さで、そちらを谷口さんがすくい取ってくれて、展開しようとしてくれている。そのように私には見えています。

青山 僕に理解できた限りでの入不二さんの発表は、いま述べてきた二面性の構造について、「現実性」と言われているものを綺麗に切り出してくれる力を持っています。あの発表における、現実性が無内包化され、さらに純化されていく議論の運びは、どこまでのものが不純物であるかを教えてくれる点でとても重要です。「不純物」というのは悪口じゃなくて、「現実性にとっての不純物だけれど、こういう貢献の仕方をしている」ということ、たとえば、「世界を複数の「箱」に切り分けてくれている」といったことを、ぜひとも語りたいわけです。現実性のこうした純化を段階的に見せてもらったことで——さらに潜在性の話を聴くことで——僕も自分の考えをより明確に捉えることができました。

谷口さんの発表に関しては、やっぱりA変容の話が気になります。僕も時間論を研究しているので、そこでの問題提起の意味はよく分かりますし、とても面白い論点だと思います。そのうえで、A変容の話と独在性の話との繋がりがどのくらいの細部を持っているかというのが僕にはまだ摑めていないので、その点についていろいろとアピールしてもらえると嬉しいです——。ところで、二つの話の繋がりがどれくらいあるかとは独立に、A変容はそれ単独でも重要なテーマであることはたしかです。分析哲学的な時間論のアプローチにおいて——近年では分析哲学的な〈時間の現象学〉の領域で新たな動きも出てきていますが――A変容に類するテーマはまだ十分に開拓されていない、という印象を僕は持っています。

谷口のリプライ

それでは私の応答に。もう短めにしますけれども、そうですね。リプライの中で永井さんが、「A変容こそが時間論の主題だ」というのは、例えばフッサールとかベルクソンとか、いろんな哲学者が中心問題にしてきたので別に目新しくないぞ、というのはおっしゃっていて、それはその通りなんですけど、今回の発表で私が強調したかったポイントは、「それは山括弧の中に入るんだ」ということです。このばあい、山括弧っていうのは「ゾンビにも語れるがゆえに語りえないこと」ですね。A変容は「語りえぬもの」の一部なんだ、ということを主張しているっていうのが、今回の私の発表が独自であり、また永井哲学でなければならない理由です。

それは、本当は「クオリア」とか「実質」みたいなものにも言えて、クオリアというものが本当に問題になるためには、独在性の輝きを帯びないといけない、というのが私の主張なんですね。山括弧の中にクオリアがあって、山括弧とは別に、世界の側に感覚質みたいなものがいっぱい存在していたら、駄目なんですよ、多分。そこで「語りえぬもの」の位置に何を入れるかっていうときに、あえて今回は時間を重視していましたけど、「時間の中で捉えられたクオリア」ですね。でも、その「時間」っていうのは、どの時点でもいいわけではなく、「クオリア」っていうのも、どの私にとってのクオリアでもいいわけでもなくて、まさに今、この私にとって降臨している「それ」の話である。そういう形で独在性とつなげないと、本当は、クオリアとか〈変容〉とかいうことの、問題の意味がわからないのではないか。これが私の主張でした。その点については、A変容話《ばなし》に入る前の、発表前半部の議論でも、ずっとそういうふうに私は主張していますね。

それから、これはちょっと面白い点だと思うのですが。今回の発表で、先生方と私と、かなり同じことを問題にしてるっていう感触が、わりと私にはあってですね。それは、やっぱり山括弧の中には〝何か〟がないと、〈私〉にならないのではないか？というところのポイントが、多分、共通してると思うんですよ。入不二さんは、その中で、山括弧だけという状況も考えうる、っていう話。でも、やっぱり〈私〉になるためには、何かが入らないといけないですね。青山さんのご発表だと、それが「意識」っていうふうに表現されていたと思うんですけれども。ただ、青山さんと入不二さんは、どちらも山括弧の中に入るものを一種の「中心性を持った構造」であるようなものだと捉えていて、その中心性構造があることによって〈私〉が成立する、というふうに捉えていらっしゃるんじゃないか、と思ったんですけど、私は、山括弧の中に入るべきは「世界」——つまり実質——なのだと言っている。山括弧と実質とが合わさったときに、初めて山括弧っていうのは一方向性を持ちうるのではないか、というのが、私の今回の発表での目星でした。

だからそこについては、とりわけ入不二さんと私とは、そんなに対立していないというか、じつは似たような話を、結構いろんなところでしている感じがするんですね。例えば、私の発表の中で、感覚的確実性には二種類があるぞ、っていう話をしているときに、こう書いていました。「世の中で客観的な役割を演じることができるとき、感覚的確実性は少しも貧しくみえない。そして、感覚的確実性が少しでも貧しくみえるとき、それは、世の中で客観的な役割を演じていない」。この区別は、入不二さんのおっしゃる「循環と断裂」に、そのまま当てはまるのではないかというふうに私は捉えていてですね。感覚的確実性が少しも貧しくみえないとき、それは世界の中で、クオリアとして〝循環〟できるわけです。それに対して、感覚的確実性が貧しくみえるときは〝断裂〟があって、その断裂の先にあるのが、到達不可能なものとしての独在論的な輝きを帯びたクオリア――っていうことになるんだと思うんですけど、やっぱりここでも山括弧の中に入れるものが違っていて、入不二さんは、あくまでそこに中心性の構造を入れようとされている。それに対して私は、山括弧の中に入るのは、やっぱり独在論的な実質だという主張をしていて、そこが多分、違うんですよね。

だからその点に関して、どのように入不二さんがお考えになっているのかっていうのは、ちょっとお伺いしたいなと思うんですけれども、基本的には、最後の結論のところまで行っても、あんまり入不二さんの枠内から私は出てない気がするんですよね。その意味で、入不二さんのとりわけ「無内包の現実性」っていう概念が非常に偉大で、「無内包の現実性」と、あと「マイナス内包」ですね。マイナス内包と無内包って分けられてしまった時点で、もう負けっていうところがあるんですね、この話には。そういうふうに捉えてしまったら、もうそれは「ちょっと離存しそうな感じ」がしてくるわけじゃないですか（笑）。そこに対して私も分けながら、「いや、離存しないぞ！」って言おうとしてるんだけれども、もう分かれてる以上、「でも離存可能だよね」って言われてしまうと、反論のしようがない、みたいな部分もあって……。その意味では、これは私の中での永井哲学と、私の中での入不二哲学という二つのものがあって、それが私の中で争い合っているという、そういう構図の発表だったわけです。

それとは別の論点で、個別に入不二さんにお伺いしたいのは「潜在性」のお話で、これが多分、入不二さんにおかれても非常に重要なことだと思うんですけど、私は「A変容言語」っていう言い方をしたときに、そこではもういちど、むしろ潜在性はなくなって顕在性だけになるんだ、っていう話をしたんですね。つまり、普通の言語の世界で捉えられているクオリアっていうものは、顕在的、誰にも見えるものですけれども、それがいったん「私の今の言語」という形で私秘化されてしまったときに、そこにはもう潜在的なものが現れて、それに対してさらに潜在的なものを付け加えるのが、「マイナス内包」だったと思われます。そうなのですが、それに対して私は、それをさらにさらに「A変容言語」まで引き戻したときには、むしろもういちど顕在化するのではないか？という主張を、この発表の中ではしていて、入不二さんの潜在性と、私の述べた顕在性とが、どういうふうな関係になっているのかなあ、というのは、個人的には非常に興味があります。

入不二　それでは、投げかけられたので一言二言だけ応答です。山括弧の中に入るのが、それこそ普通の意味での境界線を伴う個物であるのか、（個物以前の）実質であるのかっていうのは、すごく重要な論点であると思っています。もちろん今回、中心性を取り去っていくという方向で話をしたのは、永井さんが議論相手だからです。〈私〉とか〈今〉を話題にするときには、いわゆる個別化された人物や時点が纏わり付いてくるので、それを取り去るためにも、中心性を抜いていくっていう話になるわけです。しかし、谷口さんが言ってくれたように、「〈　〉の中には何でも入る」っていう私の言い方の内には、「個物が何でも入る」ではなくて、個物だけでなくてそれこそ何でも入るだと思っているのです。

その「何でも」っていうことの一番いい例が、谷口的な「実質」だと思っているのです。その実質を、私は「マイナス内包」と呼びました。この潜在的な実質は、「無内包」と対比するためには、「無限内包」「無尽蔵内包」と言った方がいいかもしれません。A変容の顕在であれ何であれ、あくまでもそこから出てくる当の潜在的な内包なので、もちろん概念的な区別なんてない実質です。ここでの「(区別なんて)ない」は否定的な意味じゃなくて、むしろそこから幾らでも無限に概念的な区別が出てきうるという肯定的な意味での実質ですよね。

その実質が〈 〉の中に一体化して入っていて働いているのが、クオリアや時間であるという点には、私もまったく賛成です。と同時に、〈 〉が表す「現に」の力自体は、実質のさまざまを貫いて(超えて)働くので、やはり実質や個物とは水準を異にすると言いたいわけです。答えになっているかどうか分かりませんけれども、このあたりにしておきます。

谷口　ありがとうございました。それから青山さんには、コメントをしたいのですが、問題設定自体といいますか、発表で取っている立場の隔たりが結構大きいので、難しいというところは正直あります。つまり、外在的に何かを言うような感じになってしまっては、哲学の議論として無意味ですんで。ただやっぱり私は、もし意識というものが神秘的なものではなく——ただ、そこで「神秘的なものだ」という答え方ももちろんありえて、それを否定できる根拠が私の手元にあるわけではないし、それどころか否定したい気分もあまりないのですが——もしそうではなくて、何らかの経験的な基礎とか、生物学的な事実みたいなものに基づいていると仮定してよいのであったら、やっぱりオメガを調べたら、その経験的探究によって、経験的事実として、意識があるかないかも分かることになってしまいませんか？っていうのが問いなんですけど――。

青山　永井先生の応答のなかで「神秘的」という表現が出てきましたが、「神秘的」と言われてしまうと、たしかに、その先に進みづらいところがありますね。ですが、この表現の是非はさておき、意識には意識特有の内包があって、それが他に類を見ないようなものだということはたしかです。

他人の意識について、その他人の脳みその場所をいくら物理的に観察しても絶対に意識は出てこないという話をすると、その話を語ったり聞いたりしているのもみんな人間なので（みんな意識を持っているとされるので）、なかなか問いが真っ直ぐに伝わりません。オメガの話で、意識を持たないオメガなるものを語り手にしていることには、その点への配慮があるわけです。そして、オメガには意識がないものの、オメガは物理主義的なパースペクティブのもとであらゆるデータを手にすることができます。

いわゆる唯物論とか――本心では僕は「唯物論」というのは不明瞭な未定義語だと思っていますが――物理主義的なパースペクティブのもとで実在を描き切るっていうのは、いわばオメガになることが最終的な目的だと言えるでしょう。でも、このことに本当に成功したなら、意識なんてものはないはずです。それはたんに、他人には見つけられないとか、本人だったら見つけられるとか、そんな次元のものじゃなくなる。他人の脳のなかの意識は、「そこから見たら」存在することが分かるなんていう、薄っぺらなものではありえなくなる。なぜなら、「そこから見る」ということが意味を失うのが、物理主義的なパースペクティブを貫徹することだからです。すべてが一望されたなら、「そこから見る」なんてことはありえなくなる。

ですから、オメガが語り手となった場合、意識というものはないんです。見つけられないんじゃなくて、本当にない。これは、神秘的だからというより、本当に、たんにそうだからです。物理的にありとあらゆることをオメガが把握したとして、そのうえで、だれかの脳みその場所に意識が在るなどということを、オメガが見つけることはない。そもそも、それを見つけるということが、どういう意味なのかが分からない――。

入不二 一言、発言してもよろしいですか。

今の問題は、今回の私の発表で言うと、「大元は消え去る」という話と繋がると思います。「大元が消え去る」っていうのは、意味は少々違っていても、永井さんと私で共通しているポイントで、現実性が大元として消え去ることで実在世界が完成するという話です。その「消え去り」と、物理主義においては「分からないのではなく、単にないのだ」の「ない」という話は、少なくとも表面上は、一致すると思うのです。

青山 はい。

入不二 だから、物理主義的に結局「なくなってしまう」という話と、「大元として消え去る」という話がどう関係しているかには、興味があります。

青山 ありますね。

入不二　以上です。

青山　いまのお話と繋がると思うのですが、「物理主義」っていうと、まるで「物理」に要点があるみたいですけど、実はそうではない。「どこから見たのでもない」ということ、すべてが一望される構図で実在を捉えるということに、ポイントがあるからです。そして、それが物理（学）的であるかどうかにかかわらず、すべてが一望されるという仕方で実在を捉えるなら、他人の脳の場所をどんなに調べて記述しても、そいつの意識というものはない。

ただし、こうした問題を見ていくときに、いま述べたような話ができないようにされているっていうのが、ここ数年の永井先生の本における論点で、つまり、いま僕が述べたことは間違っているんじゃなきゃいけない。なぜなら、「意識」という言葉を使っていま述べたようなことを言うことはできなくて、というのも、「意識」の概念自体が累進して、だれもが持っているようなものとしてしか「意識」という言葉を使えないようにされちゃっているからです。だから、僕のいまの話は語義的な観点において間違っているんですけど、別の観点においては合っている。合っているというか、さきほどの話のように「現にそうなっている」ということを、少なくとも僕は分かっている。

ですが、このことを意識について語っているかのように語るなら、意識っていう種類のものが神秘的なものだと語っているように誤解されてしまうでしょう。たとえば、そんなことはちっとも言っていないのに、意識という特殊な種類のもの（そして複数のもの！）が物質とは別にふわふわ存在しているなんていう、戯画化された心身二元論に出てくるような話をしていると誤解されたりするわけです――。以上で、谷口さんのコメントへのお答えになっているでしょうか。

谷口　ありがとうございます。もっと熟考します。

5

質疑応答

質問　永井先生の哲学をあえていうと経験論、観念論　いずれの立場に近いと思われますか？

永井　経験論と観念論という対比もちょっと問題ですけど、観念論じゃないっていう話はよく言ってることで、大事ですね。観念論という立場はとてもまずい。観念論は、まさに独在性という問題を消し去る典型的なやり方ですから。ですから観念論には近くないですが、経験論って何でしょうかね。経験論だと言うこともできなくはないですよ。経験からだけ出発してるという意味で。でも、だれの経験？　という問題はやはりあります。そうすると、結局、一般的な経験論は、観念論と同じ理由で全然駄目ですね。どちらも、そもそもの問題を取り逃がしている点で同じです。

しゃべったついでに言うと、観念論とよく対立させられる、さっきから出ている唯物論、あるいは物理主義という立場がありますけど、観念論対唯物論のどちらに近いか、と問われたならば、観念論よりははるかに唯物論に親和的です。さっき青山さんが言ってたこととほぼ同じような、ほぼ重なるような考え、問題感覚を持っているので。青山さんが言ったことと同じことか違うことかわかりませんが、おそらくは問いはまったく同じだけど答えはまったく違うというようなことだろうと思います。意識とか、心とか、そういうものは、本当はないような気がしますね。文字どおり、意識は実在しない、と。

今、ここに聴いてる人は、みんな百歳以下ですよね、多分。ということはつまり、百年前にはいなかった人たちですね。だから、そういうふうにちょっと単純化した話でいえば、「百年前には意識がなかった」という言い方をしてもいいんじゃないでしょうか。私が登場した時に私の意識が生まれて、それによって意識ということが理解できるようになった時にはじめて、それと相関的に意識というものが生じる、と。そのことを可能ならしめる基礎となるような物理的な仕組みが、脳や神経が作り出すものの中にあったというようなことはいえると思いますけれど、それは、われわれがいま理解してる意味での意識ではないと思います。つまり、われわれが理解してる意味での意識ではないものしか、本当は存在しないんですよ。実在しない。だから、私が生まれてこない限りは、われわれがいま理解してる意味での意識というものはないですね。この「私が生まれてこない限りは」という限定の内に、〈私〉だけでなく《私》も入ってくるというところが、この話の妙味で、この連関では、そここそが問題の焦点ですね。

今はそれをすでに前提して言うなら、その意味を理解するときに、自分自身を参照しないと決して理解できないという構造を、意識とか、心とか、精神とか、体験とかは、もともと持っていますから、その意味では実在するようなものではないのだ、といえます。そういう意味では、私は唯物論者で独在論者です。『世界の独在論的存在構造』の中で規定した意味での「唯物論的独我論者」では全然ありませんけどね。

質問 風間問題が有意義に問えること自体が、私の実在を逆に示しているとはいえないでしょうか。私が〈私〉でない場合、風間問題は、どう理解されるべきか。

有意義に問えること自体が、「逆に」実在を示しているのではないか、と問われると、あたかも、もともとは、有意義に問えることが〈私〉の非実在を示していた、と理解されているように聞こえますが、もしそうだとすれば、それはまったくの誤解です。有意義に問えること自体はとくに何も示してはいません。どちらにしても有意義に問えますから。風間問題は、まず〈私〉が現に存在していることを前提にして提起されていて、かりにもしそれが存在しなかったとしても、という形で、現実には〈私〉が存在しない場合のほうも、そうであることがすでに前提されたかたちで、問題設定が為されます。これは問題設定なのですから、それが有意義に問われうるということによって設定内容が否定されてしまうことなどはありません。

この問題は、〈私〉ではなくなったその人物もその同じ問いには必ず同じ答えを出すことになる——すなわちもちろん存在するという答えを出す——のだから、〈私〉という語の指示は最初から実は空虚だったのだ、という意味で〈私〉というものはじつは実在していない、という議論です。どちらにしても、同じことを言うから、という話になってるわけです。現には実在してるんですよ。現には実在してるんだけど、実在していない場合を想定してもまったく同じことが言えてしまうから、だからじつはその「実在」は何も語っていなかったことになる、という議論です。

これと本質的に同じ問題が、現在の存在や、世界の存在や、神の存在や、……にも成り立つ、というところが風間問題の画期的な点です。

質問　無寄与的である私が、なぜ何かに気づくという実質的働きができるんでしょうか。

本当に無寄与的なものは、何かに気づくっていうことが仮にできたとしても、何にも気づかない、というか、何もできないですね。これは、無寄与的な私が何かに気づくっていう実質的な働きをするわけじゃなくて、そういうふうに理解するっていうことですよね。マインドフルネスとか、こういう修行系のものって、実はメタレベルのものなんですね、みんな。ちょっと前に、ビートルズの「Let it be」についてツイッターで書きましたけど、あるがままにあるのと、あるがままにあろうとするのとは違うじゃないですか。あるがままにあろうとしたら、決してあるがままにあれないじゃないですか。

そういう話と似ていて、無寄与的なものから何かの実存に気づこうとしたら、現実にそれが起こっているときとは違うことが起こるわけですけど、違うことが起こることが、むしろ重要なんじゃないでしょうか。だからつまり、レベルが一旦上がって、不自然なあり方でいつもは生きてるんだけど自然なものに戻ろうとして自然に戻るんだけれど、当然、それは本来の自然なあり方なわけじゃないですね。あえてやったわけですから。そういう話で、本当に無寄与的なものがどうにかなったりするわけではなくて、そのことの理解が、こういうプラクティスを可能にするっていうことですね。もしこれが仏教修行だとすれば、仏教ってまったく哲学なんですよね。哲学を知らないと仏教的修行できない、真似してみてもじつは何をやっているのかはわからない、ということになる。これが本当だとすればですよ。そういうことになりますね。以上です。

質問　唯一中心分有型の〈私〉解釈が面白かったです。この解釈にしたがった場合、ある人物が本当の（？）〈私〉であるということは、どのようにして決定されるのでしょうか。複数の人物のうち、なぜか特定の人物である飯盛から世界が開かれている。この事実を表現したものが永井バージョンの〈私〉だと思いますが、〈私〉が分有されていると考えた場合、その特定ができなくなってしまうように思います。

質問　唯一中心分有型の〈私〉解釈について質問です。永井バージョンの〈私〉が、無数の人物のあいだでじっさいに共有されているような世界もありうると思います。唯一の〈私〉が、全人物を統御しているような世界です。この架空の世界と、唯一中心分有型の解釈で理解された現実世界（我々が住む世界）との違いは、どのように考えたら良いでしょうか。

質問　「唯一中心分有型の解釈」についてもう少し説明してください。

入不二　まず一番目の方に注目すると、「どのようにして（中心は）決定されるのでしょうか」。あるいは、最後の「その特定ができなくなってしまうように思います」とあります。唯一中心分有型の、私が加えた、フラワースタイルと言ってもいいかもしれませんけれども、あちらの方の唯一中心の〈私〉の話ですね。

これは、決定されたり特定されたりするような中心ではないのです。先ほど言ったように、この中心もまた実は「影」のようなもので、決定・特定されて確固として「在る」ものではなく、無中心性と複数中心性（主体性）とのあいだで、あたかも在るかのように成立する中心性なのです。しかも、複数の中の「一つ」ではなく、文字通り「ただ一つ」しかないわけですから、選択して決定する・特定する必要がそもそもないわけです。

これで、二番目に対しても、いっしょに答えたことになると思います。「唯一の〈私〉が全人物を統御しているような世界というのを考えた場合に、それとどう違うのか」という問いですね。唯一中心分有型という中間態は、その想定とはまったく別ものですね。一番大きな違いは、「統御」という点にあります。「統御」という世界内的なコントロールができるのは人物（主体）だからであって、そもそも独在的な〈私〉には「統御」という働きはない（できない）。その独在的な〈私〉に、それでも混入してくる超越論的な主体性を、私は減算しようとしているわけですから、当然、唯一中心分有型の〈私〉には、「統御」とか「コントロール」とか「構成」といった能動的な働きはいっさいない。

それから、三番目の質問にも、今の話の中でだいぶ答えたことになると思うのですが、さらに突っ込んで説明しようとすると難しそうなので、もう一度次の点を強調しておくだけに留めておきます。それは、最後に提示した「唯一中心分有型」という話は、積極的に主張している「入不二説」なのではなくて、永井バージョンの〈私〉が人物（主体）に寄りすぎていると私は考えているので、それを純粋現実性のほうにより近づけてみると浮かび上がってくる（より純粋現実性に近い）影のようなものだと考えています。ですから、ポジティヴな主張であると誤解しないでいただきたいと思います。

質問　〇階の現実性（入不二先生）もしくは受肉される前の純化された《現実性》（青山先生）についてですが、その現実性が「分有」されていると言われていました。この分有の仕方を、たとえばWikipediaの『なぜ私は私なのか』という記事にある「遍在転生観」やアンディ・ウィアーの短編小説「ザ・エッグ」のように想像できるのでしょうか？
　もしそのように、〈私〉や〈今〉に中心化されていない、あまねく遍在する（〇階）《現実性》を想定したとしても、それはなぜ、今ここ、この私だけにイキイキと「現実化」されているのか、という永井哲学の問題がそのまま残されているのではないでしょうか。つまり、この純化された現実性は永井哲学になんら新しい方向性を与えるポテンシャルを全く持っていないのではないでしょうか？

　少々長いのですが、答えられることは限られています。まず、「遍在転生観」との関係を質問されています。その説では、輪廻転生の真の姿を考えているのでしょうから、時間が入って来ざるを得ないですよね。しかし、私の方の純粋現実性や、あるいは、その下で出てくる唯一中心分有型の〈私〉は、全く無時間的なものだと考えています。その点で違う考え方だろうと思います。また、古典的・文化的な背景っていうことで言うならば、いわゆる「アートマン」に近いあり方なのが、唯一中心分有型の〈私〉なのではないでしょうか。
　さて、次の四番目の後半の質問に移ります。質問の趣旨をまとめると、「唯一中心分有型や純粋現実性を持ち出すことには、永井哲学に新しい方向性を与えるポテンシャルはないのでは？」ということになりますね。
そういうポテンシャルなんて無いと思いますし、むしろ無いほうがいいのです。「新しい方向性」なんて与えようとすると、永井哲学を思想や教訓へと頽落させることになりかねません。私は純化する方向は目指していますが、この場合の純化とは、最も貧しい豊穣さへと向かうことであって、「新しい方向性」を与えることではありません。
今回の青山さんや谷口さんの発表にも出てきた、「問うことができるようになる」「問えなくなる」という表現を使うならば、純化するという方向性とは、「かろうじて問うことができている」地点から「問うことが不可能になる」地点に至ることなのだと考えています。そういう意味でも、「新しい方向性を与えるポテンシャル」などは、無いほうがいいわけです。

質問 「任意のもの」や「代入」という表現は適切ではないのでは？「遍く」というのだから、特定のものを指示するような表現は純粋現実性をうまく言えていないと思う。「任意のもの」や「代入」とは言えないのではないか。あくまでも「遍く」という表現が重要であり、適切だと思った。

〈 〉の遍在性のところに関わることを質問してくれています。山括弧の中に「何でも入る」「任意のものを代入できる」という言い方をしているが、遍在性ということと任意のものの代入ということは、違うことなのではないか。そういう趣旨の質問です。
ある意味で、その通りだと思います。しかし、気をつけていただきたいのは、この「任意のもの」

っていうのは、先ほど谷口さんへのリプライの中で言ったように、必ずしも個物に限るものではなく、マイナス内包的な実質というものも入ってきます。そういう意味で、分割された個体であれ、それ以前の潜在的な実質であれ、その全てに浸透して働くので遍在性なのです。ただ、「任意のものの代入」っていう言い方が、あるいはペットボトルという例が、〈 〉の中に入るものは個物であると思わせてしまいます。その点はまずいですね。ですから、遍在性という点を明確にするためには、〈 〉の中は必ずしも個体化されている必要はないし、個体化以前のマテリアルもまた入るという点を強調しておきたいと思います。言い換えれば、〈 〉としての「これ（この）」は、個体化を超えた働きを含んでいるということです。質問者の意図を生かして表現するならば、〈 〉の中への代入ではなくて、〈 〉の方が、あらゆるもの・実質を貫通している、と言った方がいいですね。

質問 独在性として提示された〈私〉は加算的・乗算的な性格を持つのに対して、入不二氏が減算的な性質から〈 〉をとる場合に、それは割り算として示されないのは、何か思索があってのことなのでしょうか？

私に対する最後の質問になりますが、「加算的・乗算的に対して、減算的しか出てこないが、除算（割り算）的はないのでしょうか」という質問です。たしかに、表現としては、うまく釣り合いが取れていないですね。加算・乗算は、中心性などを経て個体化が成立した後に進んでいく方向性であるのに対して、その逆の減算は、先ほど強調したように、個体化以前のベッタリしたマテリアルへと遡っていくところも含んでいて、「割り算」に対応するような複数個物間の分数関係を考えにくいので使っていないのだと思います。もちろん、「割り算」のイメージを適切に拡張すれば（微分？）、「減算的・除算的」と言ってもいいとは思いますが、今のところ私にはいい考えはありません。以上で、私のリプライを終わります。

質問　○階の現実性（入不二先生）もしくは受肉される前の純化された《現実性》（青山先生）についてですが、その現実性が「分有」されていると言われていました。この分有の仕方を、たとえばWikipediaの『なぜ私は私なのか』という記事にある「遍在転生観」やアンディ・ウィアーの短編小説「ザ・エッグ」のように想像できるのでしょうか？
もしそのように、〈私〉や〈今〉に中心化されていない、あまねく遍在する（○階）《現実性》を想定したとしても、それはなぜ、今ここ、この私だけにイキイキと「現実化」されているのか、という永井哲学の問題がそのまま残されているのではないでしょうか。つまり、この純化された現実性は永井哲学になんら新しい方向性を与えるポテンシャルを全く持っていないのではないでしょうか？

青山　僕に宛てられたこの質問は、入不二さんにも宛てられていたものですね。
「遍在転生観」というものを僕は知らなかったので、さきほど急いで調べてみました。僕の理解が合っているなら、それは、ただ一つだけ存在する〈私〉がすべての時点とすべての人物のなかを渡り行く、という考えのようです。単一の〈私〉が時間のなかを行ったり来たりすることで、すべての人物が〈私〉であることになる、と。

もし、この説明が正しいとすると、僕も大学生のときに同じ考えを検討したことがあって、それは、物理学者のホイーラーの逸話を読んだのが切っ掛けでした。ホイーラーはファインマンに、すべての電子が同じ電荷と同じ質量を持っているのは、すべてが同じただ一つの電子であり、それが時間を行ったり来たりしているからだ、というユニークな仮説を述べたのです（このとき、過去に進んでいる電子は陽電子としてわれわれに認識されています）。

この逸話を学生時代に読んだとき、この発想は山括弧の議論に使えるんじゃないかと思ったのですが、しかし、すぐに無理だと分かりました。その理由は単純で、山括弧性が移動するなどと言っても、その移動を意味付ける時間系列がないからです（さきほどの電子についての仮説の場合、「世界線」と呼ばれるものがあるので、この問題は生じません）。物理的な時間のなかを唯一の山括弧性が移動するためには、物理的な時間とは異なる別の時間系列が要りますが、それがいかなるものであり、また、いかにしてそれを認識できるのかを説明することは困難です。

ただ、ここに面白みを見出すとすれば、これは山括弧性のみについての一種のタイムトラベルを含んでいて、それは僕がある本で「テンストラベル」と呼んだものにあたります（『新版　タイムトラベルの哲学』、ちくま文庫、二〇一一年）。A系列とB系列という時間論での区別を用いると、B系列上で、A系列的な〈今〉だけがタイムトラベルをするというものです。ここで興味深いのは――僕に理解できている限りでは――相対性理論に依拠するタイムトラベルの議論では、（複数化された）B

系列のみによってタイムトラベルを意味付けており、B系列上でA系列的な〈今〉が動き回る、みたいな話はしていない。これはたしかにそうであるべきで、そうでないと、B系列とまったく独立に〈今〉の時間系列が在るという、よく分からない話になってしまう。

質問の後半部分については、入不二さんのさきほどの応答に同意します。そして、「なぜ、この私だけに現実化されているのか」という問いには答えが出せないわけですが、「なぜ、この私に」という表現は一種のレトリックであって、「なぜ、あれでもそれでもなく、これなのか」の直接的な答えを求めているというよりは、「これだけが現にある」ことへの驚きを表明するものです。

現実性の純化をしていくことがどんな意義を持つのかについて、入不二さんは、この問いが問えなくなる方向に向かっていくことの意義を語ったわけですが、僕としてはこう付け加えたい。この問いが問えなくなるところまで現実性を純化してくれたなら、その話を反転的に使って、どういう不純物があればこの問いが問えるようになるのかを言えるようになる、と。そして、この点だけを見たとしても、現実性を純化していくことには特別な意義がある、と。

質問 「オメガには知らないことがある」という見方も可能だが、反対に、「オメガには知らないことなどなく、一人称的な意識と言われるものはそもそも錯覚である」という見方も可能だと思うが、どうか?

また、私の脳内の物理現象を熟知したオメガが、その現象をコンピュータ内でシミュレートした結果、そこに一人称的な意識が生じたとしたら、どうだろうか。そのときオメガは、「あなたの一人称的な意識とは、このような物理現象を、あなたの側から見たものなんですね」と私に言えるのではないだろうか。

オメガがあらゆる物理的実在を一望していて、むしろ、一望することしかできないのだとすると、オメガが私に対して、「あなたの一人称的な意識とはこれこれの物理現象であり、それをあなたの側から見たものなんですね」などと説明することはできないでしょう。ある物理現象を「あなたの側から見る」ということが意味不明になるからです。一方、「錯覚である」という見方も可能かという質問については、先述の通り、それは可能であるわけで、その場合、一人称的な意識なるものは隠されているのではなく、「たんにない」とされるでしょう（ただし、「意識」の機能的側面は物理的に説明されるでしょうが）。

質問の後半については、「コンピュータ内で」の意味が重要です。オメガがあるコンピュータを道具として使って、という意味であるなら、「そこに一人称的な意識が生じた」ことを知る術はありません。それは「たんにない」とされるほかないでしょう。他方、オメガが自分自身であるところのコンピュータ内でシミュレーションをした、という意味であるなら、別に考えるべき問題が出てきます。この場合、オメガのもともとの情報処理内容に、シミュレートされた意識の内容がすんなり結合されるとするのは虫が良い想定ですが（自分自身であるコンピュータ内でのシミュレーションであっても、そこで生じた一人称的意識をオメガが情報として知る保証はない）、この点には目を瞑りましょう。そして、仮に、オメガが一人称的意識とはどのようなものであるかを知ったとする――。

これは、「メアリーの部屋」と呼ばれる有名な思考実験と似て非なるものになっています。メアリーは赤いものがない部屋の外に初めて出ることで、「赤色を見る」とはどのような一人称的体験であるかを知るわけですが、オメガは、こうした個々の体験の在り方のほかに、もっと大きなことを知ることになる。それは、一人称的な意識なるものが、世界の限られた部分のみを表象するものでありながら「それしかない」という仕方で存在することです。認識論的には「限られている」のに存在論的には「それしかない」ということを、一人称的な意識のパースペクティブのもとでオメガは初めて知ることになります（一方、メアリーはそれを、部屋の中にいるときからよく知っています）。

　このときオメガは、物理主義的なパースペクティブに加えて一人称的なパースペクティブを得るわけですが、ここに現れる問題は、永井先生の『世界の独在論的存在構造』に出てくる独我論的唯物論者の問題と重なる部分が大きいでしょう。そこから引き出せる論点は数多くありますが、いまは一つだけ、次のことを述べておきます。一人称的なパースペクティブを得たのちのオメガが独我論的唯物論者の立場を取るなら、それはそれで一つの立場となりえますが、しかし、オメガが私に「あなたの一人称的な意識とは、このような物理現象を、あなたの側から見たものなんですね」と言うためにはとんでもない飛躍が必要になります。そこでの飛躍は、物理主義的なパースペクティブへの本質的な離反を含んでいるからです。ただし、それは物理（学）主義への離反というより、三人称的なパースペクティブへの離反であるわけですが。

谷口　おひとかただけ、ご質問をくださった方がいらっしゃいまして、まことにありがたいことで、お答えさせていただきましょう。

質問　A変容を、つまり、運動性を理解しようとする時には二時点間の移動性からしか理解できないような気がするので、むしろA変容を体感する前から時間という概念を理解していなければいけない、つまり、A変容はクオリアのようなものではないのではないでしょうか？

ということなんですが、これは――私としては、「間違っている」と言いたい、ですね。A変容は、二時点間の「移動性」から理解されてしまったときには、当然ながら二時点間の移動にすぎない、という把握にならざるをえないと思いますけど、しかし二時点間の移動の側から理解されなくたって、それより手前に「A変容」は、もちろんあります。そうした意味で、「A変容」の位置というのは、「意味には還元されえないもの」としてのクオリアが置かれているのと、かっきり同じような位置です。存在論的に同じ。A変容とクオリアは一体的である、っていうのが、従って私の議論ですね。

ただ、当然ながらA変容というものも、言語で語られるかぎりにおいては、「全ての時点においてA変容はある」ということになって、「一九八五年のA変容」とか――加えて「誰の」ってつくでしょうけど。こういう言い方をする以上は――「私の今」というものがいろんな時点にあるんだから、当然、そのいろんな「私の今」が権利上、A変容するわけです。そのときの「A変容」というのは、何を言ってるのか理解しようとすれば、「そこに二時点があって、その二時点の間に移動があった」っていうこと以外のやり方では理解できなくなってしまう。これが、語れない、語りえない、ということの意味です。まさにゾンビによっても「A変容」が語られてしまうことによって、それは初発において言わんとされていたことを裏切るような仕方で語られていざるをえなくなる、必然的にそうなる、という議論ですね。

しかし、これは哲学的な見え方の問題なんで、もしそういうふうに世界が見えないときには、もしかすると、本当に見えないのかもしれない。哲学って面白いもので、世界の見え方が本当に変わってしまう、っていうことがあるんですよね。私、十七、八ぐらいの頃だったかな、自由意志について、めちゃくちゃ考えていたんですよ。自由意志についてずうっと考えていて、最終的な結論として「自由意志はない」と思ったんですけど、思った瞬間に本当に自由意志がなくなってしまって、それ以来、いまだに「自由意志感」というものが戻ってこないんですね。なので、もう自由意志の問題について、私が論じることはできなくなってしまいました。だって、自由意志の問題においてそこで問題にされていたはずの当のものが、もう何だったのだか分からない。

それと同じようなことがですね、クオリアについても私は経験があって、それが、まさに『なぜ意識は実在しないのか』を初めて読んだときの体験ですね。『なぜじつ』を読んだときに、私はそれまであると思っていたクオリアが、ある意味で、なくなってしまったんです。世界にクオリアがあるようには、本当に見えなくなってしまった。そういうことがあって、いかに『なぜじつ』が凄まじい本かということがわかるのですけれども。さらに大阪大学のシンポジウムがあり、自分の中での深まりもあって、私にとってその問題は、『なぜじつ』と関わる非常に重大な問題となって、しかも、それから十年以上も経って、ずっと考えていたわけですけど、今回の発表を書いている過程で、「クオリアって、ある」感じがしてきたんですね。

発表を書き始めるときまで、じつはどういう結論にしようか決めていなかったので、まったく逆の結論を出そうと、ちょっと思っていた時期がありました。なんですけど、書いているうちに、なぜか勝手に、クオリアがまたある感じがしてきたんですね。書き終わって、発表を終えた今の時点では、すごく世界が色に満ちあふれていて、とてもクオリアがあるように見える。なかったクオリアがあるようになって、とても便利だなっていうことで、私にとっては、非常にうれしい。そういう自己治療的な発表でもあった、と。そういうことがあります。

運動性に関しても、そうですね、もし「ない」と見えたら、それはなくなってしまうかもしれません。わからないですが、でも、哲学って、世界の見え方を驚くほど劇的に変えてしまうことはありますね。社会も、人生の問題も、すべてが吹っ飛んで、ただこの思考の先にしか真の問題はない、とさえ感じられてしまうまでにです。

▶　第Ⅱ部

アフターソート

1

青山発表の提起した問題に触発されて
カント的世界構成との関連を再考する試論

永井均

このアフターソートは二つの目的のために書かれる。一つは青山発表で主題となった「意識」の役割の議論について触発されて少し考えたことを述べてみること。もう一つは、拙著『独在性の矛は超越論的構成の盾を貫きうるか』の最終章で論じたカントに関連する議論の一部をさらに少し掘り下げてみること。当然のことながら、その二つのあいだにはある関連があるとの展望の下にこの作業は為される。それは尻切れトンボになる可能性が高いとはいえ、その内容には、その真偽は別にしても、ある明確な意味があると私は思う。

それゆえ私のこの後知恵《アフターソート》は、青山発表全体に関連するものだとはいえるが、強いていうならば以下の箇所についてのものであるといえるだろう。

意識はそれ自体としての境界を持ちませんが、意識の内容はある種の境界を持っている。その「内容」は、世界の局所的な部分しか表象しないようになっています。(…具体例を省略…)これは当たり前の話に聞こえますが、先述の「重ね合わせ」について考慮するなら、じつは驚くべきことです。というのも、それしか存在しないということと、存在するそれの内容物がそれを並存する「箱」の一つに紐づけるということは、本来、独立のことなので。この二面性を備えた存在を、僕は意識以外に知りません。

(本書九四頁)

同趣旨の発言は他にもあるが、もう一か所だけ、今度はきわめて短く、最後の段落からその一部分を抜き取って。

…「境界線なしの境界」が世界にたくさん共存する認識論的な境界の一つに重ねられること…

（本書九九頁）

以下は、この「重ねられ」についての議論であるといえる。

さて、そもそも「意識」のこの二重性格は何に由来するのだろうか。これを引き起こしているのは、①時間的に限定されそれらの諸意識現象が一つの意識（すなわち自己意識）のもとへ統合される（言いかえれば統合されたその一つのものに共に関与できる）ことと、②そのようにして成立した自己意識が、その外にある一つの客観的な外界（あるいは概念的世界）に共通に属するものとして、それと同型の他の諸意識たちと一括される（言いかえればその客観的世界に共に関与できる）こと、そして③その二つのことに共通のある特有の仕組みがはたらいていること、である。私はこのように主張し、以下ではこの主張を弁護するためのいくらかの議論を与えるべく試みたい。

まずは、②から先に始めよう。

私が外界にある一本の樹木を見るとする。いったん目をつぶるか別の方向を見て、またその樹木を見る。樹木は点滅したのではなく、それ自体は持続的に存在したのだが、それを私の側がいったん見るのをやめてまた見ることによって、いわば自分にとって点滅させたわけである。点滅は私の側に起こった現象であると考えられる。[1]

この理解の成立を、たとえば「実体持続の規則」のような孤立した何らかの規則を自分（の知覚）に適用するということによって根拠づけようとするのは、素朴に考えて、ちょっと無理な話ではないだろうか。もし一個の主体（あるいは同型同種の諸主体）にそのようなことができるとしたら、その（諸）主体は規則に従ってそうしていることをそのまま平坦に知ってしまわざるをえず、従われたその結果だけがいきなり自明なものとして与えられるという飛躍は起こりそうにないからである。

もし、そうではなく、規則に従ってそうしていることは（通常は）知られることなしに、従ってしまったその結果だけがいきなり自明なものとして与えられるのだとすれば、それはじつは同じことが他者たちにも成り立っているという別の要因がそこに付け加わっているからではないだろうか。そもそも他者の心の中で起こっていることは見えない（もっと過激な表現でいえば他者であるかどうかはわからない）のだから、他者に見えていることは見えず、他者が考えていることはわからない。しかしわれわれは通常、そのような懐疑的な捉え方を（少なくともあまり強くは）していない。それは、先のような規則が、外界のあり方と並んで、それとともに他者のあり方をも、その規則によってはじめて理解可能なあるいは知覚可能なものとして、いっきに作り出しているからだ、と考えることができないだろうか。そして、それがこの世界の——ここではわれわれの共通世界のという意味だが——そもそもの始まりなのではないだろうか。だから、われわれは（通常は）この規則の適用の前後を見渡す見地には立てない。

だからここでは他者と樹木の二種の超越者が同時に立てられていることになる。他者たちのほうは、（私がそうするのと同じ仕方で）客観的な樹木を作り出している（私と同じ種類の）者たちとして。そして樹木のほうは、他者たちによってもまた（私がそうするのと同じ仕方で）見られているものとして。これはどちらも、単独では根拠薄弱な信憑にすぎないだろうが、組み合わされれば新たな一つの世界をはじめて作り出しうる力をもちうるだろう。少なくとも、一方を確保したなら他方は連動的に確保されるという繋がりがあって、それが相互に支え合うとはいえるであろう。そして、そういう繋がりの存在こそが、それぞれの本質（意味の中核）をかたち作っているといえる。客観的に存在する樹木とは他者にも見える樹木という意味であり、実在する他者とはそういう客観的な樹木を私と同様に見る者という意味である、というように。樹木が客観的に持続的に実在するなら、私が見ていない時にも他者たちがそれを見るであろうし、他者というものが実在しているなら、私が見ていない時にもその樹木は彼らが見るであろう。そういう、相互補完的なシステムが成立するはずである。

この議論のキモは、これが主体の複数性の話ではない、という点にある。この場合、客観的に存在する物（ここでは樹木）に対立する主体は、並列的に存在する同種・同型の者たちであってはならない。より精確にいえば、同型であってもよい（というかむしろあらねばならない）のだが同種であってはならない。[2] もし同種・同型の主体たちが並列的に存在するだけなら、それらが何人いても規則に従って客観的世界を作り出すといった質的な飛躍をそこにもたらすことはできないだろう。自他のあいだにも、主客のあいだにと同様に、いやそれ以上に、それらを架橋するにはきわめて特殊な媒介装置を必要とするような、きわめて特殊な断絶が存在していなければならないのだ。自他もまた、主客と同様に、いやじつはそれ以上に、まったく異質の、まったくかけ離れた存在でなければならない。

他人が「見る」とは、この種の客観的世界構成とともにしか可能になりえない、いやそれ以前にそもそも意味をもちえない、きわめて異様な事柄であるのでなければならない。

きわめて特殊な媒介装置だけが架橋しうる、同型ではあるのに同種ではありえない、その質的な断絶とは、どのような断絶であろうか。それはすなわち、私のほうは現実にはそれしかないものであって、いいかえれば現実的なすべてであって、箱の比喩でいえば、一つだけ現実に裏返っているのであって、その外がないものであるのに対して、他者のほうは、それの形式的な反復、すなわち現実的ではない（つまりたんなる規則上の）すべてであり、規則上のそれしかないものであり、箱の比喩でいえば、それぞれ一つだけ裏返っていてその外がないとされているものである。この描写はもちろん、すでに規則が適用されて、架橋が為された後の描写である。そして、現実的ではない、たんに規則上のあり方のほうが通常のありかたである。なぜなら、私自身にもその規則は適用されるからだ。

私自身にもその規則は適用されるとはいえ、ここにある断絶は、現実と非現実との、存在と無との断絶なのだから、あまりにも巨大である。他者が無であるというのは、他者はたんなる物体ではないので、与えられたままの姿では、樹木のようなものとは違って、たんなる表象（映像）としての地位さえも確保されないからである。[3] 規則の媒介なしには、それはたんなる動く物体であり、その固有の意味においては存在しない（つまり無である）。にもかかわらず、それほどまでにまったく違うものが本質的に同じものとみなされることになるのである（だからこそ客観的世界も成立するのだ）。

前段落で述べたことを別の言い方で繰り返しておこう。樹木のようなものであれば、私とそれらとの違いは、すべてであることとその中に登場するものであることとの違いである。しかし、他者にかんしては、私とそれらとの違いは（樹木のようなものとの違いと同様な側面も併せもちつつそれとはまた別に）現実的にすべてであることと規則によってすべてであるとされることとの違いなのである。だから、樹木であれば規則の介在なしにも表象（すなわち「その中に登場するもの」）という資格においてはその存在が確保されるが、他者は規則の介在なしには、確保されるべき何ものも残らないことになる。[4]

そのうえ、まさにそうだからこそ、ここにはもう一つの問題が起こる。それは、現実的なすべてでありかつ規約上のすべてでもあるというその二重性は、それ自体がまた、現実的にその二重のあり方をすることと規約上その二重のあり方をすることに累進していく、という問題である。現実的にその二重のあり方をするのは私の場合であり、規約上その二重のあり方をするのは他人の場合である。「私」と「他人」の意味のとり方によって、そのどちらであるかは視点の取り方に応じて変化するともいえるが一つに固定しているともいえるのだ。会話状況を外から見れば視点に応じて変化するともいえるが、人生のあり方という観点から見れば最初から最後まで一つに固定している（そしてそれがすべてである）ともいえるからである。さらにこの後者については、なぜか今は現実にそういうあり方をしている唯一の人間が現に存在している特別の期間であるともいえるし、いつでもだれでもそうであるともいえる。そして、この二重性はつねについてまわるのでなければならない。

とはいえ、この種の（現実と非現実の、存在と無の）決定的な断絶を無化して、それらを一般的な主観性という同種のものと見なすことができるようになって、客観的な世界（物理的な客観性にかぎらず概念的な客観性も）もまたはじめて成立可能になるわけである。それゆえ、決定的な断絶のこの無化と客観的世界の成立とは、同じこと（の二つの現われ）であるともいえるのだ。もしそれが同じことでなければ、どちらも成立しがたいのではないだろうか。

次に①に話を移そう。

ここまでのところでは、他者は（もちろん自己も）最初からふつうの（つまりわれわれが現在ふつうに理解しているような）人間であるかのように論じてきたが、じつのところは話はむしろ逆で、この規則のこのような適用が、われわれが現在ふつうに理解しているような人間というものを作り出している、というべきであろう。では、それ以前にも存在したはず（規則適用以前の）存在者はいったい何なのか、と問われもしようが、それは現在のわれわれにはもうわからない、と答えるほかはない。それは、現在のわれわれが動物として理解するものとも違う何かであっただろう。

本稿のタイトルは、「……カント的世界構成との関連を再考する試論」であるにもかかわらず、②についてのここまでの議論、すなわち自己と他者の同種性の確立と客観的世界の成立の同時性の議論は、私にはまったく自明なことのように思えるとはいえ、カントは少しもそうは考えてはいないようである。そのかわり彼は、じつはこれとほぼ同型であるともいえるのではあるが、むしろ遥かに独創的な（と少なくとも私には思われる）驚異的な構想を抱いた。彼の構想において、私と他者の代わりを演じるのは、自己（と後から名づけられるもの）を形成することになる諸々の（バラバラの）意識現象であった。この場合には、②における私に対応するのは今（現在）の意識現象であり、②における他者に対応するのは他時点の意識現象である。

私が外界にある一本の樹木を見るとしよう。いったん目をつぶるか別の方向を見て、またその樹木を見るとき、樹木が点滅するのではなく、樹木自体は持続的に存在したのだが、私の側がそれをいったん見るのをやめてそれからまた見ることによって、いわば自分にとって点滅させたわけである。点滅は私の側に起こった現象であると考えられるが、そう捉えるとき、最初に樹木を見た私と、目をつぶるかそらすかした私と、それからまたその樹木を見た私は、同一の私でなければならない。その同一性の確立と外界に存在する持続的樹木の成立とは相補的な関係にある、これがカントの驚異的な洞察であった。ただし私は、すでに縷々述べてきたように、このことが他者関係を度外視してそれだけで独立に成立しうるとは考えない。とはいえ、それでもやはり、この側面の介在は不可欠であり、それがまた②の他者関係と相補的にはたらかなくてはならないと考える。

私に対応するのは今の意識現象であり他者に対応するのは他時点の意識現象である、と私は言った。たしかに、たとえば二度目に樹木を見る時点が今（現在）であるとすれば、現実にはその今（現在）の意識現象がすべてであり、最初にそれを見たときやその後に目を離したときのことは今（現在）のその知覚とともに意識されている記憶現象にすぎない。とはいえ、それらの時もまたそれらの時で今（現在）であったこととして記憶されているし、そのように捉えざるをえない。この対比のあり方には、私と他者との対比との同型性があるだろう。

どちらの場合も、そこからの超越には、すなわちそこから超越するものを作り出すには、現実的なすべて（それしかなさ）と概念的なすべて（それしかなさ）を、その決定的な異質性を無化してむしろまったく同質のものとみなす、という操作が不可欠となるのだ。②の場合の超越者は諸主観を超えて外界に客観的に存在する事物であったが、①の場合の超越者は諸々の個別的な意識現象を超えて続持的に存在する自己である。そして、その二つは相補的に成立する（相補的にしか成立しえない）。樹木が外界に持続的に存在するためには、私はそれを見たり見なかったりする諸意識現象を束ねて繋げる持続的自己でなければならず、私がそれを見たり見なかったりする諸意識現象を束ねて繋げる持続的自己であるためには、樹木（のようなもの）が外界に持続的に存在しなければならない。そして、それらはじつは同じことの二つの側面なのである。

他人が「見る」ということが、外界に客観的に存在するこのような事物の成立とともにしか可能にならなかった（いやそもそも意味をもちえなかった）ように、自分の他時点の意識もまた続持的に存在するこのような自己の成立とともにしか可能にならない（いやそもそも意味をもちえない）といえる。後者の成立に際してもまた、まずは現実的なすべて（一つだけ現実に裏返っている箱）とそれの形式的な反復とのあいだに、すなわち現実的ではないすべて（それぞれにとってはそれ自身だけが裏返っているとみなされた箱たち）とのあいだに、決定的な異質性が存在していなければならず、次に、その差異を無化して平坦に同種化する決定的な飛躍が介在しなければならないのである。

それゆえにまた、②にかんして語ったような、現実的なすべてでありかつ規約上のすべてでもあるというその二重性は、ここでもまたそれ自体が、現実的にその二重のあり方をすることと規約上その二重のあり方をすることへと累進していくことになる。どちらであるかは視点の取り方に応じて変化するともいえるが、一つに確定しているともいえる。時間進行を外から見れば視点に応じて変化するともいえるが、世界の現実のあり方という観点から見れば、必ず一つに固定される（そしてそれがすべてとなる）ともいえるからである。[6]

しかし、この種の（現実と非現実の、存在と無の）根源的な異質性を無視して平坦に均し、それらを現に生起する諸々の意識現象という同種のものと見なすことによって、持続的な自己ははじめて成立可能になるのだ。その際にはやはり、他時点の今（現在）たちとそれらを貫く自己との二種の超越者は同時に成立しなければならない。他時点の今（現在）たちのほうは、（現実の今がそうするのと同じ仕方で）持続的な自己を構成している（現実の今と同じ種類の）ものとして。持続的な自己のほうは、他時点の今（現在）たちもまた（現実の今がそうであるのと同じ仕方で）帰属している同一のものとして。この二つのことが組み合わされることによって、一個の持続的な自己が作り出されているわけである。

この議論のキモもやはり、それにもかかわらず、持続的に存在する自己を構成する諸々の同型の意識現象はたんに並列的に存在する同種のものであってはならない、という点にあるだろう。すなわち、この議論にも当初からヨコ問題が組み込まれていなければならないのだ。もし同種の諸意識現象が並列的に存在するだけなら、それらがどんなに意味的に繋がっていてもそれだけでは「自己」を作り出すという質的な飛躍をもたらすことはできないだろう。自己形成の備給源泉はやはり、それしかない〈今〉の〈私〉の存在にあらねばならない。[7] にもかかわらず、その起点は独在的でなければならないとはいえ、その結合は超越論的構成の盾の側が——客観的世界の構成とともに——固めるのでなければならないのだ。[8] だから、「自己」の成立にかんしていえば、それは持続するものであると同時に現に〈今〉のこの〈私〉であらねばならないという（矛盾を含んだ）二要素をその内部に併せ持っていなければならないことになる。

カントはこう言っている。

> さまざまな表象にともなう経験的意識はそれ自体としてはバラバラであり、主観の同一性とは関係していない。そのような関係づけは、それぞれの表象を意識するだけではまだ生じず、ある表象を他の表象を結びつけて、それらの諸表象の総合を意識することによってのみ生じるのである。(……)したがって、直観において与えられたこれらの諸表象はすべて私に属しているという考えは、それらを一つの意識に統一する、少なくともそうすることができるということにほかならない(……)。
>
> (『純粋理性批判』B133、強調原文)

しかし、「ある表象を他の表象を結びつけて、それらの諸表象の総合を意識する」(強調引用者)こともやはり、「意識する」ことの一種ではあらざるをえないのであってみれば、この意識は他のバラバラの経験的諸意識といったい何が違うのだろうか。一つはもちろん、それらを「結びつけて」「統一する」ことである。この結合(統一)は自己すなわち自己意識の成立のためには不可欠のものであるとはいえ、常に顕在している必要のあるものではない。「少なくともそうすることができる」(強調引用者)とも言われているように、それは潜在的な能力であって、ただその可能性だけが不可欠であるにすぎない(つまり「…うるのでなければならない」)。しかし、もう一つ、それとは別のある決定的な意味において、それは現に今生起してしているこの意識現象にともなっているのでもなければならない（その場合にのみそれはその本来の力を発揮しうる）。すなわち、それは最先端の（じつはそれがすべてである）意識にともなわねばならない。そのような仕方で、独在性と超越論的構成が結合すると考えなければならない。逆から言えば、独在的意識現象はただそれだけで存在していても――存在しうるだろうが――存在していることがわからないであろう。〈私〉がこま切れで存在するという想定に関しても同じことが言える。[9]

しかし、この二つの要素は分離可能ではあり、むしろ超越論的な統一の秩序構成の側がむきだしの独在性の（神秘の）力をブロックすることがありうることは、『独在性の矛は超越論的構成の盾を貫きうるか』の終章で述べたとおりである。前段落の最後の三行で述べたようなこともそのことの一種であって、それはつまり超越論的統一の正統的な秩序構成の側が未成熟なむきだしの独在性の存在に対してそれにふさわしい地位を与えることを阻止している状態なのだ、とみなすことができる。ただし、これを「純粋統覚がまだ超越論的統覚になっていない状態」などと描写すると、即座に問題の本質を誤解する人が出てくるので、むしろ、これはそのような種類の問題ではなく、あくまでもヨコ問題という異種の問題の位置づけの問題なのだ、ということを強調しておきたい。

諸意識状態の統一による自己の構成についてだけではなく、諸自己の同型化による客観的世界の構成についても、ほぼ同じことがいえる。すなわち一方では、たとえばだれからも見られうる客観的な樹木の存在は不可欠のものであるとはいえ、じつのところはつねに顕在的である必要があるわけでもないだろう。こちらもまた、ただその可能性だけがつねに不可欠であるにすぎないだろう――「客観的かつ持続的に実在しうるのでなければならない」というように。そして、ここでも他方ではまた、それとは別のある決定的な意味において、それは世界が現実にそこから開かれている〈私〉に関連している必要があるだろう（すなわちその場合にのみその本来の力を発揮しうるだろう）。つまり、それは最先端の（じつはそれがすべてであるような）自己からこそ発していなければならない。そのような仕方で、独在性と超越論的構成が結合すると考えなければならない。[10] 逆から言えば、独在的自己、すなわち〈私〉は、ただそれだけで存在していても——存在しうるではあろうが——存在していることがわからないであろう。

　しかし、ここでもやはり、この二つの要素もまた分離可能ではあって、なぜか現実にはそれしか存在していない（すなわちなぜかそれだけが現に与えられている）自己意識が、すなわち〈私〉が、なぜか世界の開けの原点ではない（すなわち現実の世界に対しては開けていない）場合も考えられるはずである。序章で触れた（三一頁）イタリア人のサッカー選手のようなケースがそれにあたるのかもしれない。彼がミラノで育った幼少期にサッカーに目覚めた瞬間の生々しい記憶を持っており、そのことが現在のプロサッカー選手としての人生に強い影響を与えている（等々）とすれば。[11] だが、その場合、彼がその夢から覚めることが不可能なのは当然として、だれがであろうと、だれにであろうと、およそその夢から覚めるということは不可能であろう。だれにも覚めることはなく、その人生はただ跡形もなく消えることができるだけである。もちろん、私のこの人生もそうである。そういう意味では、死後の生が存在する可能性はない。もし存在したら、それは（ここでの意味では）いわばまだ「生きている」ことになるであろうから。

カントはまたこうも言っている。

……われわれがかかわることのできるすべての対象はことごとく私の内にあり、すなわち私の同一的な自己の諸規定である……（A129）

なぜこの文は、「われわれ(wir)」と第一人称複数で始まるのに、途中から「私(mir、mein)」と第一人称単数に変わるのだろうか。ここに私の解釈を強硬に押し込むならば、それは超越論的統覚はじつのところは独在性に支えられなければ真価が発揮できないからである。この引用箇所に即して語るなら、主体が外的な対象に出合いうるのはその主体が持続的に同一の自己であることを可能ならしめている諸規定によってであり、その自己同一性の成立と相即的になるのではあるが[12]、そのような世界構成方法が真価を発揮するためには、その主体とは平板にすべての主体の意味であってはならず[13]、なぜか原初においてただそれだけが端的に唯一（主体として）現実存在している、すなわち独在する〈私〉でなければならないからである。そうでなければ、すなわちここにヨコ問題を介在させなければ、これは結局のところ人間という生き物にかんする世界構成心理学にすぎないことになるだろう。自然の諸対象は、われわれの内にあらねばならないのとはまた別の意味で、原初から私の内にあって、われわれの内にあるあり方の側はむしろ、そのような私を外界に連れ出してくれる装置なのである。

最終的な意味での独在性の事実は無原因の奇跡的な出来事であるとしても、およそあらゆる主体は（つまりそもそも主体という概念は）その現実の様相的変様としてしか（そのこと自体の概念化としてしか）理解できないあり方をしている。その意味では、主体というものをそのような概念として、そのような形式として理解することは可能であるばかりか必然でもあるだろう。このことをもっとよく理解してもらうために、独在性の変様としての内属性という概念を新たに提示して、終わることにしたい。

主体や自己、そして心や意識について論じる際には、だれであれじつは内属性問題を免れることができない。すなわち、論じる主体自身が現実にはそのどれか一つに内属しているという特殊な事実を無視しては、そもそも問題を捉えることができないのだ。対等にあいならぶ諸主体、諸自己、諸意識といったことは十分に考えられることであるにもかかわらず、実際にはそうなってはいないという現実を無視しては、そもそもこの問題を考えることはできないのだ。それどころか、じつのところはその事実がこの問題の本質そのものに深く食い込んでおり、じつは食い破ってしまってもいる、といえる。つまり、主体や自己、そして心や意識の問題とは、じつのところはこの内属という問題にほかならないのである。[14]

だから、この問題を論じる際には〈主―客〉以前に〈自―他〉という対比を度外視しては論じることができない。自は唯一の現実的な内属（すなわち独在）であり、他はその様相的な変様である。現実の百ターレルと可能な百ターレルがまったく同じ百ターレルであるという意味では、それらはまったく同じものである。[15] 先に引用した（そこに私の解釈を強硬に押し込んだ）カントも言っているように、じつは全世界は私の内にある。すなわち私がすべてである。内属者としての他者とはそのことの様相的変様なのであるから、その意味ではそれぞれやはりすべてである。問題はこの対比それ自体が独在性レベルと内属性レベルとで（少なくとも）二回起きるということにある。独在性レベルで起きることのほうは、この独在性レベルと内属性レベルとの対立そのものであり、内属性レベルで起きることはその様相的変様であるから、形式上は独在性レベルで起きることとまったく同じである。これまで何度も「累進構造図」というかたちで示してきたように、この対比はどこまでも累進するのだ。

それゆえ、最終的・究極的な意味での独在性の事実は無原因の奇跡的な現実であるにもかかわらず、たとえそれが実現していなくても、それと同じことは必ず実現しているので、①そこで何が実現しているのかは決して言えず、②たとえその事実がいきなり消えても、通常の場合、[16] それは消えないといえることになる。もちろん、①と②は同じことの別の表現である。

1 ここではその点は議論しないが、外界ではなく概念的世界に属することがらについても、同じことはいえると考える。

2 これはつまり、私自身の用語を挿入してよいなら、この議論には最初からヨコ問題が組み込まれていなければならない、ということである。私見では、これは（超越を可能ならしめる＝超越論的な）決定的事実である。

3 だからもちろん、たんなる物体として見れば、表象（映像）としての地位は確保される。

4 もちろん、たんなる物体としてであれば表象としての地位が確保されることはすでに指摘した通りである。

5 いったんこの関係が成立すると、外界に存在せず、したがって他者の関与可能性もない、しかもそのとき一回だけの単発の主観的現象であっても、外界に実在する樹木と同様に、同一性を保持して後から思い出すことが可能であるという地位を確保することになる。現象の生起それ自体が最初から持続的自己の経験として、原理的に想起可能な仕方でなされることになるからである。

6　時計とはその二つの視点の取り方を結合する装置である。

7　素朴に考えるなら、現実に与えられる諸意識現象群は最初から他の（すなわち現実には与えられない）諸意識現象群からは完全に断絶しているといいたいところではあるが、じつのところはそれはもはや謎の領域でなければならない。すなわち、そもそも――つまり超越論的な結合以前に――それらしか与えられていない系列（のもとになるもの）が画然とあるのかどうかは、もはやなんともいえないのだ。それはいわば世界が始まる前の話になるからである。そこに、超越論的結合の側の優位性がある。実のところはカントの議論でもそうなっている。それにもかかわらず、その成立の原初においては、独在性の矛が超越論的構成の盾をあらかじめ貫いている、とはいえるのだ。それがつまり、自己の形成の源泉である〈今〉の〈私〉の存在である。

8　持続的自己の成立にとっては、他者から同定可能な物的身体との結びつき（現実に世界を見ることができる唯一の眼と他者から見られるありふれた眼の結合のような）もまた不可欠である。

9　独在性は超越論的構成（他者のあり方と対比をも含んだ）と結びつくことによってはじめて、おのれを「私」として概念的に把握可能となり、逆に、超越論的構成は端的な現実性と繋がることによってはじめて、その「私」概念に究極的な実質を与えられることになるだろう。すなわち、「内容なき思考は空虚、概念なき直観は盲目」（A51、B75）というカントのかの有名な標語は、この場面でもういちど適用されるべきなのである。一度目は「質料―形相」論の主観主義的変形としてであったが、二度目はそれとは異なる「実存―本質」論の水準においてである。なぜなら、カントの意味においては、思考（概念）は形相にあたり内容（直観）は質料にあたるので、これを主観化された「質料―形相」論とみなすことができたが、ここではさらにその水準を（カントをライプニッツ方向へ）超えて、思考（概念）を本質にあたるとみなし内容（直観）を実存――あるいは現実性・独在性――にあたるとみなすことによって、この標語のより深い意味を抉り出す必要が生じることになるからである。

10 この点に関連しては、拙著『哲学的洞察』（青土社）の七六～七八頁の「私の数（1）」という項目を、立ち読みでも何でもよいので、ぜひとも参照していただきたい。

11 彼はもちろん、言いたいことを言うその言葉が実はどの物的身体に付いている口から出ているか、端的に見えるその光景が実はどの物的身体に付いている眼に見えているか、といったことを知っている。

12 この注が付いている「主体が…」から「…なのではある」までの節は、直前のカントからの引用文に含まれる「私の同一的な自己の諸規定である」という句の解釈であると同時に、二〇一頁の「どちらの場合も、…」から始まる段落の後半の論旨の要約でもある。

13 そのようなものは構成の結果としてはじめて可能ならしめられるはずであるから。

14 これと現実的に同型な事態は時間における現在（今）の存在しかないと思う。形式上これと同型であるのは様相概念における現実性であるが。われわれは現実になぜか（諸々の現在のうち）特定の現在に内属していることしかできない。現在（今）とは何かという問題は、この内属という問題にほかならないのだ。

15 自明なことではあるが、ここで前注の様相概念における現実性との同型性が使われている。

16 この「通常の場合」の働きを剔抉して見せたのが「風間くんの質問＝批判」であった。通常ではない場合については、本書の序章および『独在性の矛は超越論的構成の盾を貫きうるか』の終章における「分裂」についての議論を参照していただきたい。

2

意識とクオリア

入不二基義

本論考は、青山拓央と谷口一平の発表を受けて、それらに接続する仕方で、私自身の思考を展開したものである。[1]前半の第Ⅰ部では青山論考を受けて、「意識」の矛盾的な二面性という謎に対して、再帰的な意識に注目することによって、一定の対処法を提示する。後半の第Ⅱ部では谷口論考を受けて、クオリア論の再考を試みる。マイナス内包としてのクオリアに焦点を合わせて、潜在性に特有の時間性を抽出することで、（谷口のA変容に倣って）B変容を提示する。

第Ⅰ部と第Ⅱ部は、それぞれ四つの節から構成されている。

Ⅰ．志向性不全と再帰的な意識

Ⅰ―1　「何か」と受肉

Ⅰ―2　「何か」の不定性と志向性不全

Ⅰ―3　矛盾的二面性への問いと応答

Ⅰ―4　緩衝材としての再帰的な意識

Ⅱ．マイナス内包としてのクオリア

Ⅱ―1　マイナス内包の位置づけ

Ⅱ―2　クオリアの深化・潜行

Ⅱ―3　潜在性に特有の時間性

Ⅱ―4　A変容にB変容を追加する

I 志向性不全と再帰的な意識

I−1 「何か」と受肉

青山と入不二の両発表が、共通に言及している永井の一考察がある。[2] それは、スクリーン上の映像の比喩（ウィトゲンシュタインの『哲学的考察』第五四節）を利用した永井の一考察である。青山と入不二のこの箇所への言及は、ともに「受肉」を論じるためになされている。青山は「意識を媒体とする受肉」に焦点を当てるために、入不二は「受肉以前性（受肉の棚上げ）」を引き出すために、この箇所に言及している。

永井は次のように述べる。[3]

（…）スクリーン上に現に今ある映像の内容を調べることで、それがフィルム上のどこに対応するか（すなわち、いつでありだれであるか）を知ることは容易だとはいっても、もちろん、たんに現に今スクリーン上にあるという事実だけからでは、それを突き止めることはできない。だが、幸いにして、実際にはそれだけということはありえず、ちょうどどんな天使にも最低限の質料があるように、いかなる〈　〉にも最低限受肉の事実がともなうのだ。すなわち、現に今スクリーン上に映っているという事実とともに必ず何かが映ってもいるのである。

「現に今見えている」という事実に必ず伴う「何か」、すなわち「見えている内容（映像内容）」が、受肉における媒質である。青山は、その媒質を早々に「身体」や「出来事」へと読み換えることには慎重である。青山によれば、（身体や出来事ではなくて）「意識」、特に二面性を持つ意識[4]の一側面としての「意識の内容物」にこそ、その受肉の媒質を担わせるべきなのである。[5] その意味において、「意識」こそが、独在性の特権的な内包である、と青山は考える。

私（入不二）のほうは、引用箇所を含む永井の一考察から、青山とは別のことを引き出そうとしている。私が注目したいのは、「必ず何かが映ってもいる」のその「何か」という箇所である。「何か」という表現自体が、二重の働きを担っていることを強調しておきたい。英語の語彙で区別しておくならば、something と anything の二重性である。あるいは、「何か」という表現には、〈定〉と〈不定〉の両方の働きが重なっている、と言うこともできる。

「何か」をすでに定まった「何か」として読み取るならば、それはその定まりをもたらす特定の「内容物」が、その「何か」を充足する。しかし、「何か」はあくまでも「何か」に留まってまだ不定であり、何でもありうるし、任意のもので置き換え続けてもよい。そちらの「不定」の側面を強調するならば、「何か」は充足して完了することなく、特定の「内容物」からは距離を取って、内容物をとりあえず棚上げにできる。「何か」とは、特定の内容物へと定まる以前であると同時に、完全なる空虚でもないその手前——充足と空虚の中間——である。

「現に今見えている」は、たしかに「何かが見えている」ことを必ず伴いはする。しかし、その

「何かが見えている」は、「特定の内容物が見えている」にはまだ至らない。「何か」とは、「内容物は何でもかまわない」「内容物は定まることなく、別ものであることが常に可能である」ことを、（少なくともその半面では）表している。

「現に今見えている」ことから、見えている内容物を完全に無くしてしまう（空虚にする）ことはできない。しかし、「不定」の側面を強調するならば、「現に今見えている」という端的な事実には、見えている内容物のその内容性が関与しない（からこそ、何でもいい）という点を浮かび上がらせることはできる。つまり、「何か」の不定性を通じて、「現に今見えている」という端的な事実と、それに伴う内容性（内包性）との間に、隙間をあけることができる。言い換えるならば、「現に今見えている」という端的な事実を、無内包の純粋現実性と特定の内包性との「中途」に位置づけることができる。その隙間あるいは中途を通して、「受肉」の必然性を減算すること――受肉の宙吊り――を私は目指していた。

I－2 「何か」の不定性と志向性不全

ここまでの話であれば、青山は意識による受肉を強調したが、入不二は受肉の役割を減じたのであって、両者は対照的なように見える。しかし、事はそれほど単純ではない。というのも、「何か」の二重性と「意識」の二重性どうしが、重なり合って働きもするからである。むろん、受肉の減算の根拠（の一つ）[6]である「何か」の二重性――〈定〉と〈不定〉――は、受肉に際しての「意識」の二重性――境界線なしの境界付けという二重性、あるいはそれしかなさと並列性という二重性――と同じではない。

意識が内容物を持つという点は、意識の「志向性」として捉えることができる（意識とは何かについての意識である）。その「何か（志向対象）」が定まった輪郭・境界線を持つ度合い（強度）に応じて、意識の志向性も顕在的で明示的なものになる。逆に、その「何か（志向対象）」の不定の度合い（輪郭・境界線の定まらなさ）に応じて、意識の志向性も、後景に沈む。志向性と志向対象は相即的であり、その顕在性／潜在性の度合いは、相即連動して大きくもなれば小さくもなる。

志向対象（内容）の定まらなさをもたらす要因は複数ありうるが、その一つが、先ほどの「何か」自体に含まれる不定性である。それは動的な不定性（任意のもので置き換えうる）であるため、意識が向かう先は可動的で定まらない。不定の方向性によって特定の方向性は解除される。志向性の働きは向かうべき先が定まらずに宙吊りになって、意識が定まった何かについての意識であることができない。これが、志向性の不全という要因である。

もう一つの要因として考えられるのは、（いったんは定まった）志向対象（内容物）の輪郭・境界線——青山的な意味での地図のパターン——が、揺らいで不安定になったり、曖昧になったり、引き直されて更新されたり……等々という対象解体的な要因である。「何であるか」の「何」それ自体が解《ほど》けてしまうことによって、それを意識する意識もいっしょに解除される。何であるかの不分明化や解体に伴って、それに向かう意識もまた（志向的意識としては）解除される。これもまた、志向性の不全である。

第一の要因では、志向性が任意方向に働くことによって、特定の方向では働けないままになるし、第二の要因では、志向性が志向対象を（その解体によって）失うことで、自らも志向する機能を奪われる。前者は、志向性という「矢印」が動いて定まらないせいで一定方向を示せない事態に相当する。後者は、（目指す先を失って）志向性という「矢印」自体が消え去るために一定方向を示せない事態に相当する。前者を志向性の（特定性から任意性への）「解放」と呼び、後者を志向対象と志向性の「解体」と呼んでおくことができる。「解放」は（志向性の）多動・過剰を呼び込むのに対して、「解体」は（志向性の）寂滅に繋がる。それぞれ違う仕方ではあるが、両者はどちらも、志向性の機能不全である。

　このような機能不全——志向性不全——が意識の志向性に起こりうる点は、（私の議論にとってのみならず）青山の「意識」論に対しても一定の役割を演じうると、私は考える。

I－3　矛盾的二面性への問いと応答

　青山によれば、意識が特権的な（現実性の）受肉でありうるのは、身体・脳・出来事等が持つことのできない二面性を有するからである。それは、「境界線がないのに境界付けられ、それしかないのに他と併存する」という二面性である。この二面性は、矛盾する二つのことの重ね合わせである。境界線がないのに境界があるという矛盾、それしかないにもかかわらず他を排して他と合い並ぶという矛盾である。

　意識の矛盾的な二面性に対しては、ただちに次のような疑問が生じるだろう。なぜ「意識」にだけ、そのような矛盾的な重ね合わせが可能なのか（成立しうるのか）？　この問いには、どのように答えるべきだろうか。答え方には、基本的に二つの方向がありうると、私は考えている。

一つは、この矛盾的な重ね合わせは説明不可能な「謎」のままに留まるし留まらざるを得ない、と応答する方向である。あるいは同じ方向性であるが、（意識以外の）他の説明不可能な「謎」――独在性がその「謎」に当たる――を（意識の代わりに）登場させることで、その「謎」――独在性――に説明不可能性を担わせる、という方向である。

もう一つは、矛盾を解きほぐして緩和する、あるいは矛盾を先延ばしにして棚上げするという方向である。それは、矛盾的な両項――意識内容に分節があることと、現に一つだけこの意識があること――のあいだに隙間をこじ開けて、その隙間に中間項を差し入れるという仕方で行われる。中間項の挿入によって、両項が直接にぶつかって矛盾することのないように「緩衝材」を付け加えるという方向である。

この二つの応答の仕方は、排他的な選択肢でないことに注意しよう。排他的であるどころか、むしろ相補的である。後者の方向をどんなに進めてみても、「謎」が消えるわけではない。前者の方向での「謎」は残り続けるし、残り続けることによって、むしろ「謎」の強度は増す。翻って、前者の方向での「謎」が残り続けて強度を増すことによって、「謎」を解きほぐそうとする後者の方向もまた、新たな隙間をつくり続けようとする。両方向は、そのような仕方で相補的である。

私が試みるのは、青山の「意識」論に含まれるこの「謎」――矛盾する二つのことがどのようにして重ね合わされるのか？――に対して、第二の方向（の一案）を提示することである。すなわち、意識の志向性が機能不全になること（志向性不全）をポジティヴに活用することによって、媒介的な仕方で矛盾を緩和をすることを試みる。意識の志向性不全は、「意識内容における分節」と「現に一つだけこの意識があること」の両側面のあいだに隙間を開くので、その隙間を活用することができる。

I－4　緩衝材としての再帰的な意識

「意識内容における分節」が明示的で定まった切り分けであるとき、すなわち意識の志向性が機能的に十全に働いているときには、その輪郭・境界線によって切り分けられた世界の一部分へと、ただ一つのこの意識を仮託することができる。痛みを感じる身体の特定部位を意識したり、十二年前に参加したイベントの記憶を懐かしく想起する場合には、そのような仮託が成功している（ように見える）。身体の特定部位の痛みや特定の出来事が、分節化された志向対象（内容）となり、それへと向かう意識が「現に一つだけのこの意識」であるかのように重ね合わされる。

志向性が機能的に十全に働く場合には、その安定性と引き換えに、矛盾は見えなくなる。意識には境界がないと同時に境界があるという矛盾は、「特定の何かに向かう意識」においては（成功の見かけと引き換えに）隠されてしまう。むしろ、志向性の機能不全においてこそ、この安定した（かのような）重ね合わせは揺さぶられることになり、解離（二面性の引き剥がされ）が顔を覗かせる。志向性不全こそが、安定した意識の在り方に変容や拡張を呼び込む。その志向性不全を促す二つの要因──志向対象の不定と解除・更新──は、志向的意識に対して、次のように変容や拡張を迫る。

意識とは何かについての意識ではあっても、その「何か」が不定で任意のものであれば、その任意性に応じて動き続けて、定まらない。任意の多方向へ向かえるということは、特定の一方向性を持たないことであり、それは定方向性から解放されることである。こうして、志向性不全には（どこへでも向かいうる）傾き・構えだけがかろうじて残される。「傾き・構え」だけであるということは、志向対象から解放されて、多方向性を潜在させた「志向性のゼロ点」に留まることである。

そのような志向対象なき志向性（志向性のゼロ点）は、どこにも向かっていない（がどこにでも向かいうる）潜在的な志向性である。そのゼロ点においてもぎりぎり残りうる顕在的な志向性があるとすれば、それは「どこにも向かわない（がどこにでも向かいうる）」ことそれ自体へと向かう意識である。それは、潜在的な志向性自体を顕在的に志向する意識――顕在と潜在の界面――である。その再帰的な意識は、他へとは向かっていないこと自体へと向けられていて、他へと向かいうる力を発現しないまま（その力を内に漲らせたまま）であることを意識している。

志向性はゼロ点に達することで、他へと向かう顕在的な志向性から解放されて、そのこと自体のみに向けられた再帰的な志向性になりうる。志向対象の「不定」は、志向性を再帰性へと折り曲げるトリガーになる。こうして、志向性不全（の第一要因）からは、どこにも向かっていない意識（のみ）へと向けられた意識（意識についての意識）が生じうる。この再帰的な意識は、「考えていることは何もないが、何でも考えうることについてのみ考えている」という思考に相当する。

意識についての意識（再帰的な意識）が、青山の「意識」論に対しても一定の役割を演じうると私は述べた。その理由は、再帰的な意識が意識の矛盾する二面性のどちらの面でもなく、両者の中間に挟み込まれる意識だからである。

意識についての意識は、特定の志向対象を持たない（志向対象は任意である）ことによって、内容物による境界線・輪郭を持つことがない。つまり、再帰的な意識には内包的な境界線がない。再帰的な意識は、境界線・輪郭用の内容物を提供しないことを自らの本質とする。

では、再帰的な意識は、境界線なしの意識であることによって、（他を排することなく）端的にそれだけがあるという在り方をしているだろうか？　再帰的な意識が（二面性の）もう半面そのものなのだろうか？　いや、そうではないだろう。

再帰的な意識は、他を排することはなくとも、一階の意識を二階の意識が排し続けることによって――他ではなく自を排することを通じて――成立しているのである。それは、「端的にそれだけがある」という在り方をしていない。また、再帰的な意識のその反復（階差の繰り返し）は、「端的にそれだけがある」という在り方（唯一回性）とも相性がよくない。再帰的な意識は、（あらかじめ独在性を嵌入でもしておかない限りは）独在性――端的にそれだけがある在り方――を志向的意識に対して与えることはできない。

ゆえに、意識についての意識（再帰的な意識）は、矛盾し合う二面性のどちらの半面でもない。内容物を持たずに境界線なしである点と、（他ではなく）自を排することを反復するという点を合わせ持つことによって、意識についての意識（再帰的な意識）は、どちらでもなく、かつどちらにも繋がっている。すなわち、矛盾し合う両面に対して、それらの中間的な位置を占める。

再帰的な意識を中間に挿入するならば、境界があること（内容物を持つこと）と境界がないこと（無内包であること）は、直接ぶつからずに済むことになって、とりあえず隙間を空けておくことができる。再帰的な意識は、一方（内容物を持つこと）の側面に対しては、志向対象・志向性という

図１

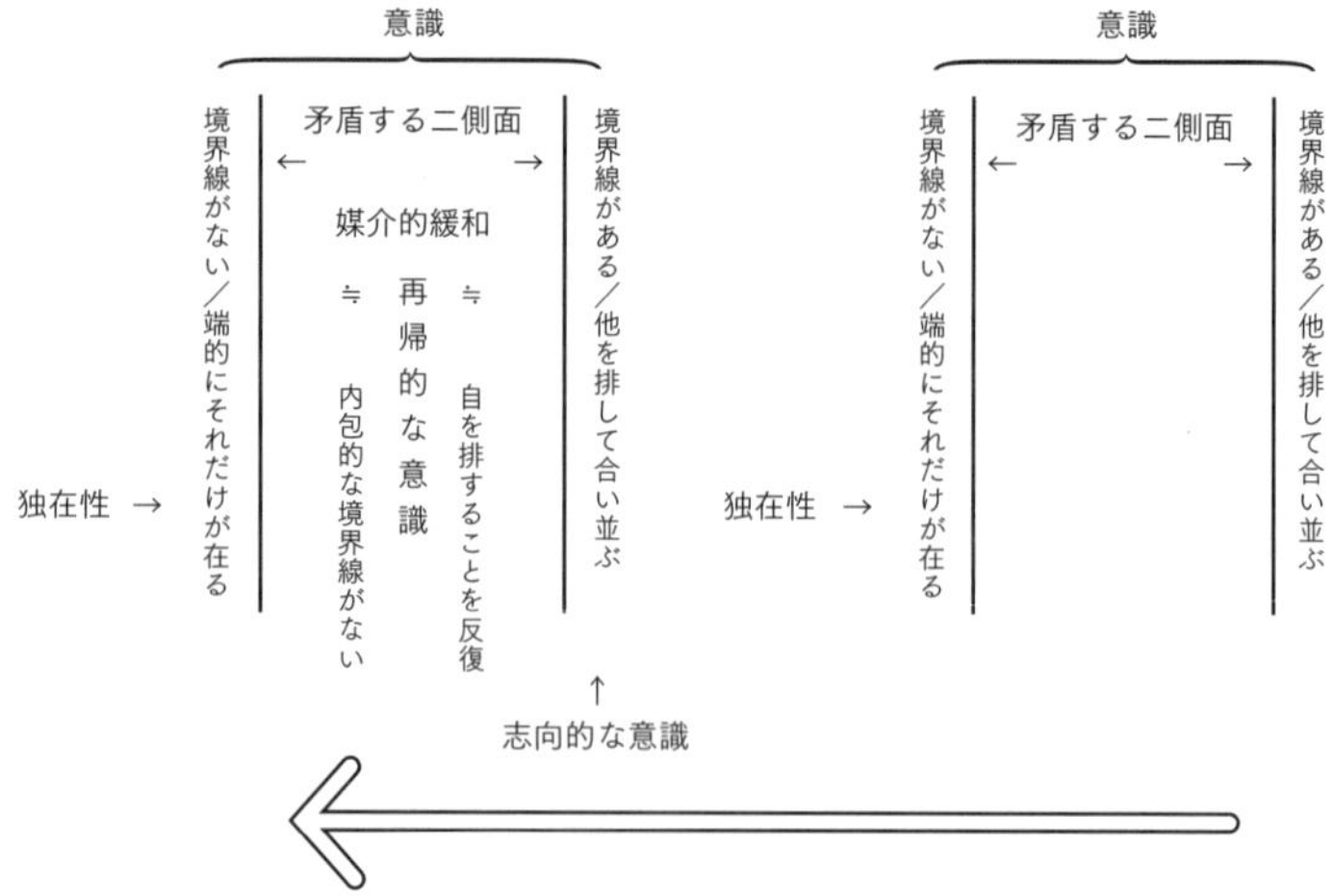

同じ枠組みによって応接することができるし、他方（無内包であること）の側面に対しては、同様の境界のなさを介して応接することができる。二面のどちらでもないが、どちらの面とも繋がることができる。それが、再帰的な意識のポジションである。

もちろん、この応答の仕方では、元々の「なぜ「意識」にだけ、そのような矛盾的な重ね合わせが可能なのか（成立しうるのか）？」という問いに、答えたことにはならない。そもそも答えを直接与えようとするならば、一つ目の方向――「謎」を別のところ（独在性）に預ける――に帰着せざるを得ない。それを踏まえた上でここでは、二つ目の方向――矛盾を解《ほぐ》して緩和する、あるいは矛盾を先延ばしにして棚上げする――を選んでいる。その「解《ほぐ》し」「緩和」「棚上げ」を、再帰的な意識（志向性不全）が担ってくれる。

図１の右側が青山の「意識」論を図示している。白抜き矢印が向かう先（図の左側）が、私の論の要

点を図示している。矛盾する二側面のあいだに、媒介的緩和として、再帰的な意識を挿入した図になっている。再帰的な意識は、二側面のどちらとも（部分的に）似ていると同時に、二側面のどちらとも異なるという在り方をしている。そのことによって、再帰的な意識は、とりあえず矛盾を棚上げにして緩和する「緩衝材」のように働くことができる。

II　マイナス内包としてのクオリア

II－1　マイナス内包の位置づけ

第I部のテーマであった再帰的な意識には、次のような特徴があった。特に「再帰的な意識は……ではない」という点に着目して、確認しておこう。

再帰的な意識は「自己意識」と呼ぶことはできるとしても、〈私〉の意識ではない。再帰的な意識の反復だけでは独在性の〈私〉は導かれない。独在性の〈私〉は、再帰的な意識の作動の外から与えられるしかないものである。逆に言えば、再帰的な意識は、〈私〉ぬきの自己意識でありうる。この点は、図1において「独在性」が外側から書き加えられていることに反映しているし、「謎」に対する応答の第一の方向にも対応している。[7]

また、再帰的な意識（自己意識）は、顕在的な志向性（特定の何かについての意識）ではない。むしろ、そのような顕在性が後景に沈んで潜在してこそ、つまり通常の志向性が不全状態になってこそ、

図2

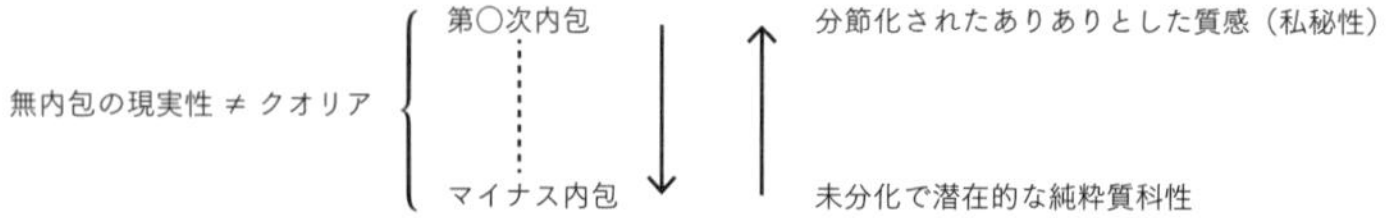

「空回りする」志向性が生まれて、再帰的な意識（自己意識）が現れる。再帰的な意識（自己意識）は、ありありとした顕在度の大きい明証的意識ではない。せいぜい、潜在的なものの表面（消えつつある顕在）である。意識の志向性の顕在度は志向対象の輪郭の明晰さと連動していて、志向対象が不定だったり不分明になるならば、志向性の顕在度は低下する（潜在度は上昇する）。

　ここで、志向性の不全をもたらす二つの要因だった志向対象（内容）の「解放」と「解体」のうち、その後者（解体）をもう一度思い出しておこう。というのも、志向対象（内容）の輪郭が、揺らいで不安定になったり、解体され更新されること、すなわち志向性不全の第二の要因は、クオリア（感覚質）に深化（潜行）を与えうるからである。「深化・潜行」と表現したのは、クオリアには顕在から潜在までの〈厚み〉があるからである。クオリア（感覚質）には、ありありと感じられる質感（第〇次内包）から、そのように顕在的には感じることはできないが、その原質になりうる潜在的な質料性までの〈厚み〉によって構成されている。その顕在から潜在への〈厚み〉を上下反復することが、深さの内で輪郭を変容させて、それがクオリアという現象を構成する。このクオリア現象の運動性を捉えるために、私は「マイナス内包」という概念を導入して、それを第〇次内包とも無内包とも区別して扱った。[8]図2も参照。

　谷口論考[9]の前半は、そのクオリアのマイナス内包性を的確に摑んでいて、次のように述べている。

これに対して改訂版主義っていうのは、「哲学塾」版の第〇次内包から無寄与性は全部剝奪してしまって、みなから内包化しようとしている立場であるわけで、これが『〈私〉の哲学　を哲学する』以後の永井さんの立場だと見ることができます。しかし、そのときには「マイナス内包」の位置、クオリアの場所だって存在することになってしまわないか。これが私の批判です。[10]

この捉え方が的確であると思うのは、無寄与性（無内包の現実性）が差し引かれたあとの第〇次内包にもなお、（「治外法権」としての第〇次内包とは異なる）「自然状態」としてのクオリア、すなわちマイナス内包が存在するのではないか、と言おうとしているからである。

「治外法権」は言語ゲームの内なる外であるが、その「外」性は、（どんなに言語ゲーム内に馴致されようとも）言語ゲームの端的な外（自然状態）に由来するしかないのではないか？　第〇次内包から無内包性を独立させて「外」性を奪い去ろうとしても、第〇次内包にはどうしても「外」性（自然状態としての「外」）が必要なのではないか？　それを供給するのが、マイナス内包なのではないか？　私には、谷口の「批判」がそう言っているように読める。

私の観点から表現し直すならば、こうなる。一方で（「哲学塾」版の第〇次内包から）無内包の現実性を抽出して別立てにすることと、他方で（「哲学塾」版の第〇次内包に対して）マイナス内包を付け加えること、この二つのこと（無内包とマイナス内包）は双対的《デュアル》なのである。[11]　無内包が内包の

〈ゼロ〉であるとすれば、マイナス内包は内包の〈無限〉である。すなわち、マイナス内包は無尽蔵内包と言い換えることができる。そのゼロと無限の双対に対して、第〇次内包はその中間の有限内包であって、私秘的（本人特権的）な概念規定へと有限化されている。その点では、無内包と第〇次内包とマイナス内包は、三幅対《トリアーデ》（ゼロ―有限―無限）である。[12]

谷口論考は、マイナス内包の重要性を正しく捉えていると思うが、しかし次のような記述は、私の観点からは賛同できない点を含んでいる。

> （…）まさしく第〇次内包と無内包との微妙な混成体であって、これが「哲学塾」版本来の姿で自らを示した「第〇次内包」なのではないか。第〇次内包にも、無内包的な側面、いかなる形相規定も受けない純粋質料的側面がまたあるんじゃないのか、というふうに、私はここから取ることができるんです。[13]

この記述では、「無内包的な側面」と「純粋質料的側面」が一括りにされている。どちらも「形相規定を受けない」という点では共通ではあっても、無内包性と純粋質料性は同じではない。無内包性からは、形相（概念による規定）性だけでなく質料（規定を受けうる実質）性も差し引かれているからである。たとえ質料が形相規定を除いて純粋質料に至るとしても、形相規定を受けうる（受けるのを待つ）実質性が残る限り、それは無内包の現実性ではない。無内包の現実性には、その「受けうる」「受けるのを待つ」という時間的な〈厚み〉はない。そのような潜在的な質料性を含む点において、マイナス内包＝純粋質料性は、無内包の現実性とは異なっている。[14] やはり、第〇次内包と無内包とマイナス内包は「三つ巴」なのである。

私がそのように考えるのは、「形相と質料」というペアに対して、そのどちらとも異なる（そしてどちらにも働く）「力」を、第三のカテゴリーとして立てているからである。無内包の現実性は、形相でも質料でもなく、力として働く。現実性の力は、全てに（形相と質料の組み合わせにも）一挙に働いて、それが「現に」であるようにする。もちろん、その「現に」という力は無寄与成分であるから、形相＋質料の組み合わせがどのような実在の姿になるのかに対しては、何の寄与もしない。現実と実在は働き方が違う。[15]

もう一点付け加えておこう。谷口は「寄与／無寄与」の二分法を前提にして、マイナス内包には無寄与性を割り当てている。そうすることで、そのマイナス内包を含み込んだ第〇次内包に対して、無寄与性を回復させようとしている。しかし私は、この二分法に、第三の「潜在的な寄与」を加える。「寄与／無寄与／潜在的な寄与」の三分法で考える。マイナス内包は、顕在的なクオリアが生まれ出るための潜在的な原質に留まるため、たしかに機能的に明確な寄与はしていない。しかし、マイナス内包は、（無内包の現実性のように）まったくの無寄与なのではなく、「寄与しうる」「寄与するのを待つ」という仕方で、力を漲らせている（が発揮していない）潜勢状態にある。

II－2　クオリアの深化・潜行

クオリアという現象は、顕在から潜在に至る〈厚み〉を通じての運動（顕在⇅潜在）である。その

〈厚み〉を潜在方向へと下っていくことに対して、私は「マイナス内包」という呼称を与えた。
その深さ（海中）を降りていくために、まずは海面に潜る前——安定的に働いている志向的意識——から始めてみよう。たとえば、「右足の親指がシクシク痛い」ことを意識している場面を考えてみる。この例は、青山的な言い回しを使うならば、その「 」内の意識内容（右足の親指がシクシク痛い）を介して、志向的意識は、境界線・輪郭を伴う世界内の部分へと重なることに成功している。意識は、身体の特定部分である右足の親指へと向けられているし、「痛み」という概念の輪郭を持つ感覚へと向けられているからである。意識の志向性の機能的に十全な働き方とは、世界（の特定部分）へと向かうこのような働き方であろう。例を「窓の外に教会の屋根が見える」に変えたとしても、基本的に同じことが言える。

ところで、意識の志向性が向かう先は、志向対象の内容の変更に応じて、変動しうるのであった。第I部で見たように、志向対象が「不定」になるならば、特定の志向対象を持たない再帰的な意識——志向性が他に向かわない状態——にも至りうる。変動の要因は「不定」だけではない。先ほどの例では、志向対象（内容）は「右足の親指がシクシク痛い」であったが、志向対象（内容）が「痛みのシクシクした感じ」へと、ほんの僅か移動したとしよう。つまり、痛みの部位やそれにどう対処するかなどは、いったん志向対象（内容）から外されて、その痛みの質感（ここではシクシクした感じ）だけが焦点になることもできる。こうして、意識は海面から海中へと潜り始める。

このような志向性の向け変え（焦点の変化）によって、クオリア（感覚質）が顕在化してくる。「痛みのシクシクした感じ」に意識が向かうことによって、「右足の親指の痛み」という志向対象（内容）はぼやけて、その空間性や状況への埋め込みは後景に沈み込み、その代わりに質感がありありと前景化する。顕在的なクオリア成立の一歩である。このように、クオリアの浮上もまた、境界線・輪郭の書き換えの一つとして働いている。

しかし、この視線（焦点）変更は、まだほんの一歩目にすぎない。視線（焦点）変更は、さらに深く海中へと潜行していく。境界線・輪郭の切り分けが揺らいだり不分明になったりしながら、潜在していた他の切り分けへと変更されることもあれば、その切り分け自体が消えゆくまでに、深く潜行することもある。

「シクシクした感じ」という括り方がどうもしっくりこない場合を想定しよう。「シクシク泣く」とも言うが、その「シクシクさ」といっしょだろうか？　とはいえ「ジクジクした感じ」でも「ゾクゾクした感じ」でもない。では「シクジク」ではどうだろうか？　「ジクシク」のほうがいいだろうか？……。いや、そもそも「痛み」という概念の輪郭付けがしっくりこない。「かゆいたい（痒い＋痛い）」のほうが相応しくないか？　あるいは「イダミ」という新概念で括る方がよいのではないか？……等々。この段階では、顕在的でありありとしたクオリアとはもう言えなくなりつつある。クオリアは、何とも言い表し難い（不分明な）質感へと潜行しつつある。

このようなクオリアの〈厚み〉の内でこそ、クオリアについての懐疑論も働く。その懐疑論は、単なる懐疑のための懐疑なのではなくて、クオリアに対して構成的に働く懐疑である。クオリアをめぐる疑いの可能性は、クオリアの存在自体に食い込んで働いている。

クオリアについての懐疑は、（自他のあいだで）クオリアにはいくらか違いがあるかもしれないという穏当で妥当な疑いから始まる。しかし、いくらか違いがある程度では済まなくなって、そもそも似てさえいないかもしれないという疑いへと進む。

さらに、似ていないという程度でも収まらずに、逆転しているかもしれない（シクシク感のクオリアとズキズキ感のクオリアが逆転しているかもしれない）という疑いへと進む。クオリアの逆転の疑いは、二つのクオリア（シクシク感とズキズキ感）の間での相互入れ替わりに留まらず、任意の複数のクオリアどうしが任意に入れ替わっている可能性にまで及ぶ。さらに、クオリアの逆転の疑いは、同一感覚領域内（痛みの質感内）での逆転に留まらず、異種感覚領域を跨いでの逆転の可能性（痛みの質感と騒音の質感のあいだで逆転が起こっている可能性）にまで及ぶ。

このような懐疑のラディカル化は、クオリアの深化（潜行）に対応している。それは、志向対象（内容）の輪郭のズレ・崩れが大きくなって、通常のパターンには収まらなくなっていくプロセスを表している。

それでもなお（極端なクオリアの逆転が起こっていても）、自他ともに何らかのクオリアが存在していることには疑いが及んでいない。しかし、疑いがさらに深く潜行するならば、クオリアの不在の可能性に及ぶことになる。「……感」という表現の背後で働いているはずのクオリア自体が、任意の質感である可能性（何でもありのクオリア）にまで至るのであれば、こんどは、その（何でもありの）ポジションが「空っぽ」「何もない」という可能性だってあるだろう、というわけである。いわゆる「哲学的ゾンビ」の可能性である。

定番の懐疑論的設定（クオリアの逆転や不在）に言及しているのは、懐疑論をここで論じるためはない。そうではなくて、そのような懐疑論的な可能性の深まりと、クオリアという現象を構成する「深化・潜行」は同一のことだと言いたいのである。懐疑論的な可能性のラディカル化を辿ることは、クオリアが顕在から潜在へ向かいうることの一表現になっている。クオリアの懐疑論には、実在的（潜在的）な裏付けがある。

　異種感覚領域を跨ぐことにまで至る「クオリアの逆転」の可能性とは、志向対象（内容）の輪郭について、その根底的な書き換えがありうることを表している。さらに、クオリアの不在（哲学的ゾンビ）の可能性は、一見「空っぽ」「何もない」「クオリアの無」のことのように見えるかもしれないが、実はそうではない。

「クオリアの不在」とは、「感じられるクオリアとしての輪郭の不在」である。それは、むしろ「クオリアの無尽蔵」のことなのである。「クオリアの不在」とは、「有限的な仕方での不在」ということに過ぎない。感じられる確定したクオリアが無いことは、クオリアの全面的な「無」ではない。顕在的なクオリアが生い立つための原質のみが無尽蔵に在ることが、「有限的な仕方での不在」ということである。「無」と混同されている「不在」とは、実は純粋質料（マイナス内包）のことを表している。

　このように考えるならば、「哲学的ゾンビ」は、「クオリアの無」ではなく、「クオリアの無尽蔵」（マイナス内包）の純粋態へと変わる。顕在的なクオリアがいっさい発現していないが、そこからクオリアが顕在しうる潜在性のみの存在が、読み換えられた「哲学的ゾンビ」である。もちろん、そのような意味での「哲学的ゾンビ」は、私の心の内にも純粋潜在態として存在する。この点（私もまた潜在的に哲学的ゾンビであること）は、私の心の奥底へと降りていくと、物質（マテリアル）の次元へと開かれていることを示唆している。[16]

興味深いのは、クオリアを深く追求することは、物理主義・機能主義的な「心」の在り方——もの・情報としての心——への離反であるにもかかわらず、それがむしろ物質（マテリアル）の次元に逢着するという点である。つまり、二元論的な「心」の在り方——魂の次元——の最後の砦としてクオリアを追求することが、根底的な純粋質料の次元に通じている。この反転（物理的・機能的ではないことが物質の純粋性へと接続すること）が興味深いのである。もちろん、その物質は「根底的な純粋質料」であって、いわゆる「物質」ではないが。「物質」は物理主義的・機能主義的な説明が可能な「形相＋質料」であるのに対して、「根底的な純粋質料」は、「形相」が与えられる前の最深の潜在的なマテリアルだからである。

その最深の潜在的なマテリアルの側から、海面から顔を出して浮かぶ物や心を捉え返すならば、次のように見える。物も心も、同じ切り分けの機制（潜在から顕在に至るプロセス）を経て、そのマテリアルから生まれ出る。最深の潜在的なマテリアルは中立一元論的な場であって、物と心の違いは、その基盤から浮上する際の現れ方の違いである。その違いは、同一の場から異なるルートを経ることの効果である。クオリアの〈厚み〉とは、海底の中立一元論的な場と、海面から顔を出す機能的な心とを繋ぐ中途のルート（海中）に他ならない。[17] ということは、深く潜った海中においては、クオリアは（心と物の区別に関係なく）汎通的に認めることのできる「質」的な在り方だと言える。

Ⅱ－3　潜在性に特有の時間性

第Ⅰ部の「再帰的な意識（自己意識）」と第Ⅱ部の「クオリア（マイナス内包）」には、重要な共通点がある。それは、潜在性特有の時間性を通じての「全面背景化」あるいは「前後転覆」という共通点である。

再帰的な意識もクオリアも、志向的意識や機能的な心が十全に働いているときには、裏面に隠されていて表面化しない（表面化しないことによってこそ意識・心は機能的に十全に働ける）。これ自体が、再帰的意識やクオリアが含む潜在的な側面である。十全な志向的意識が「空回り」する不全においてこそ、再帰的な意識は表面化できるし、志向対象（内容）の安定的な境界線・輪郭から外れて、志向性が向き変わることによってこそ、クオリアは浮上する。

しかし、再帰的な意識が一度でも表面化した後には、そのように表面化する前から（表面化しないときにも）、潜在的にはつねに再帰的な意識が働いていたことになる。つまり、機能的に十全に働いているどんな志向的意識にも、その裏には再帰的な意識が貼り付いて潜在することになる。「右足の親指がシクシク痛い」であろうと、「窓の外に教会の屋根が見える」であろうと、その志向内容には関わりなく「そのように意識している」ときには、「そのように意識していることを潜在的に意識している」ことになる。すなわち、潜在的にはつねに再帰的な意識が伴っている。

同様に、志向性の向け変え（焦点の変化）によって、いったんクオリア（質感）が顕在化して浮上した後には、その前から（クオリアがことさら意識されず、機能的な心の働きが十全なときにも）、その裏にはクオリア（質感）が必ず貼り付いて潜在することになる。
「このコップで水を飲もう」という意図は、状況のネットワークの内に埋め込まれて機能的に働く心的状態である。そのような意図の場合には、通常ことさらクオリア（質感）は浮上しない。しかし、いったんクオリアがマイナス内包へと深まった後から振り返るならば、「このコップで水を飲もう」という意図（機能的な心的状態）にも、クオリアは裏に必ず貼り付いていることになる。たとえ言語的に分節化されず機能的には役割を持たないとしても、その意図なりの何らかのクオリア（質感）が、マイナス内包として裏面に潜在する。

「潜在性の場」を根底に置く考え方を採るならば、このように再帰的な意識とクオリア（マイナス内包）が、すべての意識と心の状態の裏面に、全面化して貼り付いていることになる。つまり、再帰的な意識とクオリア（マイナス内包）は、意識と心の局所的な・一時的な現象なのではなく、全面的で時間貫通的な背景となる。顕在化した後は、そうなる前から（そもそも始めから）潜在していたのであり、つねに潜在していることになる。始めこそ実は後であり、後こそ真の始めである。この「全面背景化」あるいは「前後転覆」は、潜在性に特有の時間性を含んでいる。

潜在性に特有の時間性を通じての「全面背景化」「前後転覆」は、水平的な時間の前後関係——B系列的な順序関係——に対して、捻れた関係を持っている。潜在性に特有の時間性は垂直的に働いていて、水平的な時間の順序関係を攪乱する。図3のように、第○次内包からマイナス内包へと下降していく方向性と、マイナス内包から第○次内包へと上昇していく方向性との垂直的な関係は、水平的な時間軸に投影されざるを得ないために、捻れて逆転する。図3の斜めに交差する矢印が、その捻れ

図3

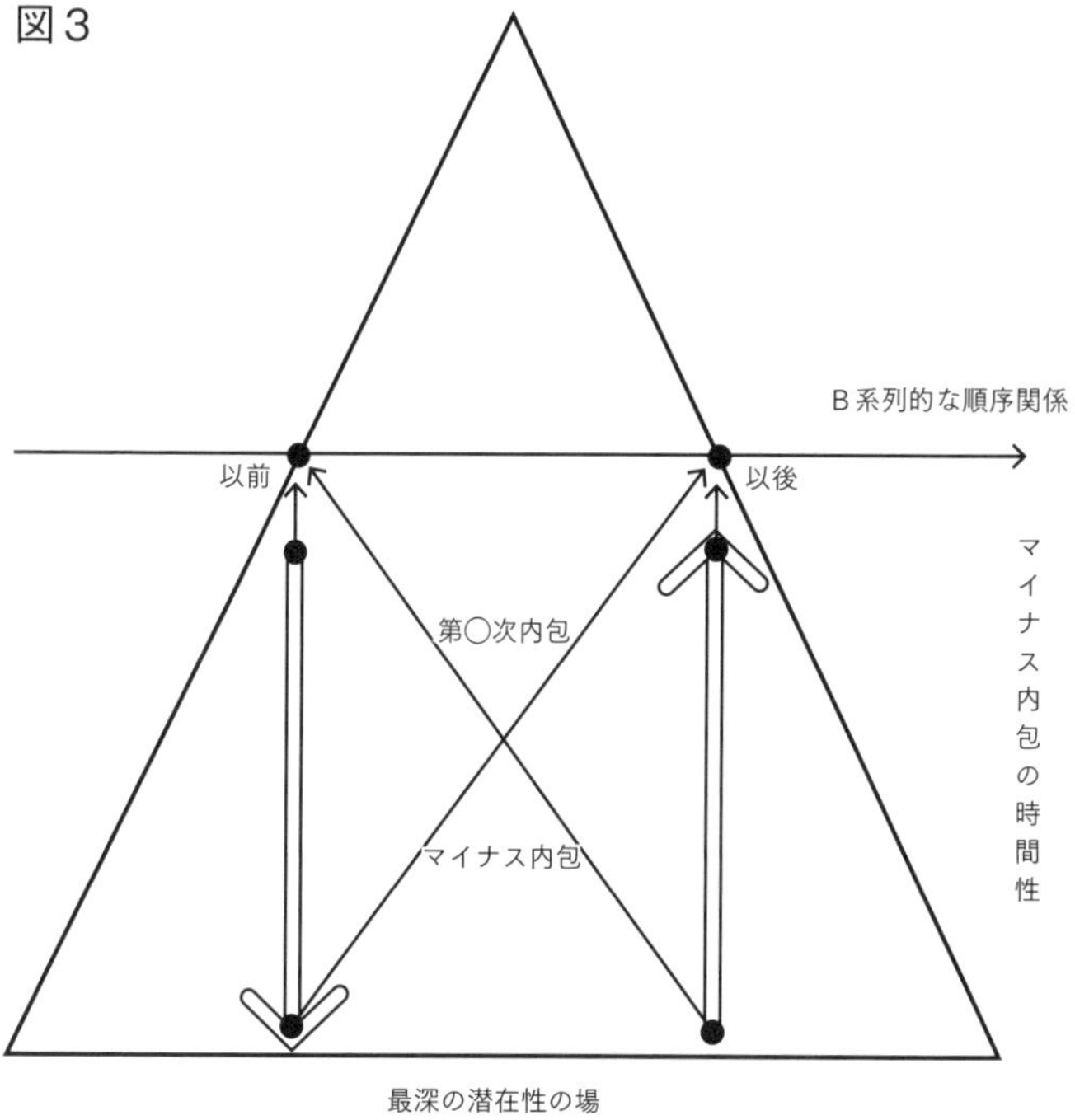
B系列的な順序関係
以前
以後
第〇次内包
マイナス内包
マイナス内包の時間性
最深の潜在性の場

と逆転を表そうとしている。下降は、認識論的に潜在性を探索する方向性であり、上昇は、潜在性の場からの実現を辿る存在論的な方向性であるが、その上下両方向どうしの垂直的な時間関係を、水平的な時間の上に落とし込もうとするときには、捻れが生じる。認識論的な始まりは、実は後から実現された結果であり、存在論的な始めは、後になってようやく認識されうる（この表現自体がB系列化されて理解されて、捻れは消されるが）。

Ⅱ－4　A変容にB変容を追加する

谷口が新たに導入する「A変容」概念は、クオリアの時間バージョンである。谷口にとってのクオリアは、〈無内包性（無寄与性）の輝きを帯びた実質〉のことであり、その時間バージョンであるA変容は、〈無内包性（無寄与性）の輝きを帯びた時間運動の実質〉である。「A変容」の眼目として、以下の四点を抽出しておこう。

1. A変容は、マクタガートのA系列に対して永井が加えた「A事実とA変化」の区別[18]のどちらでもなく、マクタガートの始源の直観にはあったはずの時間固有の運動性（≠移動性）である。
2. A変容は、現在を満たす実質の変容である。それは「未来が現在になり過去になる」変化（A変化）ではなく、現在の内での変化である。その変化の内には、B系列的な時点関係（始点と終点）は入り込んでいない。A変容は、現在の実質全体としての変化であって、その全体変化は分割されない一つのことである（パルメニデスかつヘラクレイトス的！）。

3. A変容は、たとえば「コンロの上でお湯が動いて、まさにぽこぽことしている〝あの感じ〟」であり、「ヒバリが大空を横切った際の眺め」である。「あの感じ」やその「眺め」は、時間の運動性に満ちた実質の全体変化を表そうとしている。

4. A変容は語りえぬものである。A変容を語ろうとすると、A変化やB関係へと必ず読み換えられてしまうからである。A変容の時間固有の運動性は、A変化における移動性（未来→現在→過去）に読み換えられてしまい、全体で一つの実質変化は、始点と終点の時点関係（B関係）によって分割されてしまう。

このように、谷口のA変容とは、現在内在的な時間の運動性であり、実質の全体変化は未分の単一性を有している。それゆえ、分割性を本質とする言語によっては、語りえないものである（過去・現在・未来の区分も二時点の前後関係も分割である）。谷口のA変容という概念が、時間の動性の核心を突いていることは、間違いない。しかも、運動性と実質性が一つになっている点は、「変容(transfiguration)」という概念に相応しい。

しかしまた、その概念には制約もある。それは、現在内在的である点と、（あの感じやその眺めの例で示されるように）顕在的なクオリアである点によって生じる。つまり、現在内在的な概念であることによって、過去性を獲得するためには記憶を介するしかなく、そのため、大過去性（過去を上まわる過去）を扱うことが困難になるだろう。そして、顕在的なクオリアに依拠する限りは、マイナス内包に及ぶ時間性――潜在性特有の時間性――を扱うことができない。[19]

その制約から自由になるために、A変容という呼称に倣って、B変容という概念を導入しておこう。もちろん、A変容がA変化ではないように、B変容はB系列の継起性（以前－以後関係）ではない。しかし、A変容が「A」を名称に含むことには意味があるのと同様に、B変容もまた「B」を名称に含むことには意味がある。

マクタガート的には「A」という名称は時制（過去・現在・未来の区分）に関わり、「B」という名称は時間の継起性（以前・以後関係）に関わる。谷口のA変容概念は、「現在」内在的であることによって、時制区分を引き継いでいる（がゆえに「A」が意味を持つ）。ただしA変容においては、未来や過去は「現在」の内に浸透するものであるけれども。一方、私が提示するB変容概念は、以前・以後関係に関わる点で継起性を引き継いでいる（がゆえに「B」が意味を持つ）。ただしB変容においては、その以前・以後関係は攪乱されるものであるけれども。

B変容とは、前節で扱った潜在性に特有の時間性の「変化」に焦点を当てた概念である。すなわち、潜在性（マイナス内包としてのクオリア）に含まれる、「捻れる」「前後転覆する」というB系列関与的な攪乱・変化が、B変容である。あるいは、B変容は、潜在性から顕在性への変態(metamorphosis) のことである。

B変容の観点からは、二次元的な時間（潜在性）が一次元（顕在性）へと潰れるときに、B系列的な前後関係が出現する。一次元的な順序関係である「前^{1}→後^{1}」は、その順序「前^{1}→後^{1}」自体を「後^{2}」なるものとして産み出す潜在的な「前^{2}」によって「先立たれて」いる。「前^{2}」は「前^{1}」とは次元を異にするので、「前^{2}⇩後^{2}（前^{1}→後^{1}）」のように、別の種類の矢印と（　）の内外のレベルの差によって書かれるべきである。「前^2」は「前^1↓後^1」という一次元自体に対してのメタ的な「前」であるから、その「先立ち」はB系列の線上には位置づけられない。次頁の図4も参照。一次元が横方向で、二次元が縦方向で表されている。

その二次元的な「前」が潰されて、横線上の一次元的な「前^2↓前^1」へと読み換えられ変質する。B変容とは、この「潰れる」という変化のことであり、時間の二次元性から時間の一次元性への変態のことである。

B変容も、A変容と同様に語りえないものである。時間の二次元性（潜在性に特有の時間性）が語られるときには、すでに一次元性（B系列）の内で語られてしまうので、その変態性は消し去られる。「顕在化した後は、そうなる前から（そもそも始めから）潜在していたのであり、つねに潜在していることになる。始めこそ実は後であり、後こそ真の始めである」もまた、そのような変質の内にある表現である。語り得ない大過去性——潜在性のままの古い過去性——は、一次元の時間軸上を次々と遡ることで到達可能な（顕在可能な）過去性へと読み換えられ変質してしまう。

しかし、最深の潜在性は、顕在化の基盤ではあっても、顕在可能性とイコールではない。B変容の語り得なさの奥を降っていくと、ただただ「沈黙する」最深潜在性の場（マテリアル）にぶち当たる。[20]

図4

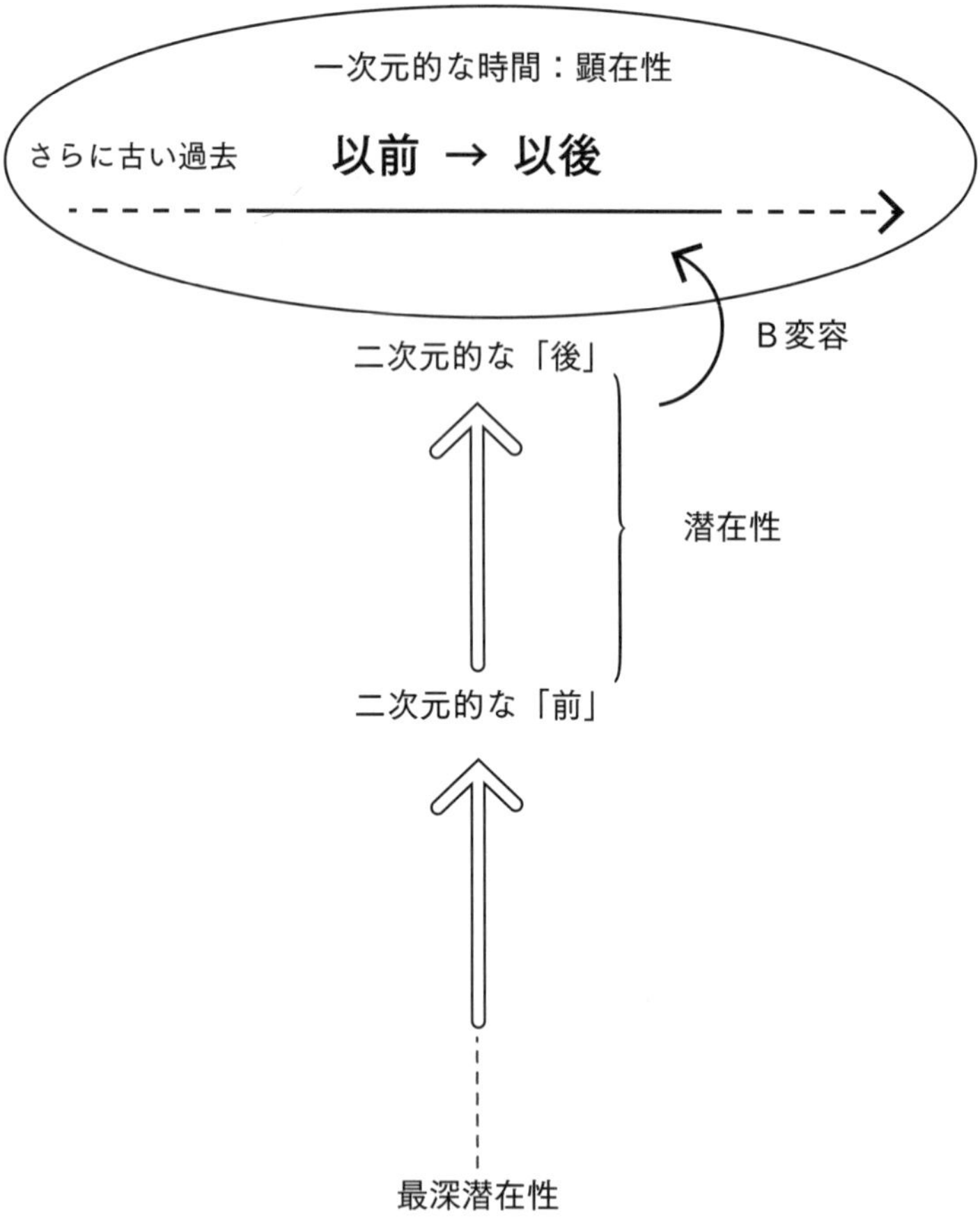
一次元的な時間：顕在性
さらに古い過去
以前 → 以後
B変容
二次元的な「後」
潜在性
二次元的な「前」
最深潜在性

1 青山拓央「他者と独在性」(本書pp.77-99)、谷口一平「ゾンビに語りうることと、A変容」(本書pp.101-124)。

2 入不二基義「〈 〉についての減算的解釈 —— 永井の独在性から入不二の現実性へ」(本書pp.45-76)。

3 永井均『世界の独在論的存在構造——哲学探究2』(二〇一八年、春秋社)第8章自己意識とは何か、一三六—一三七頁。

4 「境界線なしの境界付け」あるいは「それしかなさと並列性」という二面性を持つ意識である。

5 もちろん、「意識の内容物」という側面は、二面性のうちの「境界付け」「並列性」を担う。

6 もう一つの根拠は、発表内で論じたように「現に」の働き方の透明性である。

7 再帰的な意識と〈私〉の存立とのあいだには、必要・十分条件の関係はなく互いに独立である。あくまでも、〈私〉の存立は絶対的に偶然であり「謎」である。とはいえ、「必要・十分条件」に近づけておくことはできる。少し緩めて解釈して、〈私〉の存立は(私という表記を含むので)自己意識的な一人称を前提にすると解釈——〈私〉の人間化——することもできるので、その場合には必要条件の関係があると考えることもできる。しかしそこまで緩めたとしても、「さらに何が加われば、自己意識は〈私〉の意識になるのか」という問いには、やはり答えはない。〈私〉の存立は絶対的に偶然であって「謎」のまま残る。

8 永井均・入不二基義・上野修・青山拓央『〈私〉の哲学 を哲学する』(春秋社、二〇一〇年)の入不二パートを参照。

9 註1を参照。

10 本書p. 118.

11 永井自身は、この双対性を認めていない。無内包は認めるが、マイナス内包を認めないからである。

12 治外法権—自然状態のアナロジーをここにも適用するならば、第三項が必要になる。「無内包—第〇次内包—マイナス内包」は、たとえば「神（形而上）—治外法権—自然状態」に対応する。

13 谷口一平「ゾンビに語りうることと、A変容」（本書pp.110-111）。

14 もちろん、谷口のほうの主張のポイントは、この点を認めないことにある。

15 現実と実在の比較については、拙稿「現実と実在と潜在と」、『リアリティの哲学』（中央大学人文科学研究所編、二〇二三年春刊行予定）所収を参照。

16 永井均『改訂版・なぜ意識は実在しないのか』（岩波現代文庫、二〇一六年）は、ゾンビの弁証法的展開において「他人はゾンビである」という局面から始める。私は、それに対して「私もまたゾンビである」という別の局面を加えていることになる。

17 拙著『現実性の問題』（筑摩書房、二〇二〇年）の第7章、特に6節「クオリア問題の変容」も参照。

18 永井均『時間の非実在性』（講談社学術文庫、二〇一七年）の第二部 訳・注解と論評を参照。

19 もちろん、大過去性やマイナス内包を受け入れない立場ならば、この困難はそもそも存在しないことになる。しかし谷口の論考は、それら（少なくともマイナス内包）を受け入れている立場であるように思われるので、制約として述べた。

20 私の考察はすべて思弁的なものであるが、経験科学的な観点も十分に考慮して、意識やクオリアについて革新的な考察を展開した著作がある。平井靖史『世界は時間でできている　ベルクソン時間哲学入門』（青土社、二〇二二年）である。この著作は、クオリアと時間の問題を一体にして扱う点、時間の在り方を一次元的な制約から解き放ち垂直方向を加える点など、本論考の考察にとっても興味深く、また学ぶべき点の多い名著である。この註では、本論考と関連する論点

（私自身の形而上学的な関心からの論点）に限定して、備忘録的に若干のコメントを残しておきたい。

マルチスケールの多元的な時間を考えるならば、「スケールフリー」が意味することは二重になると考えられるが、平井はその一方しか考慮していないように思われる。

一つの意味は、（平井も述べている通り）特定のスケールを持たずに任意のスケールで働くことのできる「万能選手」という意味での「スケールフリー」である。たしかにこれは、マルチスケールの内での不可能な在り方である。むしろ、それが不可能であることが、マルチスケールであることの意味そのものである。

しかし、それとは異なる第二の意味の「スケールフリー」がある（と私は考えている）。第一の「スケールフリー」が、任意性を帯びながら特定のスケールで働くもの（something）であるとすれば、第二の「スケールフリー」はその任意性そのもの（anything の any-ness）、あるいはその任意性を可能にしている基盤（運動性）である。それは、スケールの任意性の根拠として想定されざるを得ない超越論的な「スケールフリー」である。それは「万能選手」のようにスケール内でも働く「何か」とはまったく違う。むしろ、スケールが無限に任意性を持つことを可能にするだけで、「万能選手」として登場することはあり得ず、暗黙の前提（書かれざるルール）として働く。別の言い方をすれば、特定のスケールが無限小から無限大にまで及びうるときに、その「及ぶ」という運動性を担保する〈潜在的にスケールフリーであらざるを得ない〉時間性である。

空間的な計測（単位）の場合には、第二の意味の「スケールフリー」は考えやすい。「潜在的にスケールフリーであらざるを得ないベタな延長」を考えればよい。それと双対的に、しかし時間の場合にはそれ固有の運動性が加わって、「潜在的にスケールフリーであらざるを得ないベタな運動」を考えることになる。そのような「スケールフリー」は、任意のスケールを持ち得るという意味の「フリー」ではなく、そもそもスケールとは無縁なのでスケールは持ち得ないという意味の「フリー」である。

静止画と動画、あるいはパラパラ漫画の比喩で考えるならば、次のようになる。この比喩を使って、平井は、「継起」以上の「流れ」「動き」を体験する際の「視点の位置」を強調する。動画やパラパラ漫画自体は、(それ自体の視点からは)静止画を並べたものにすぎないが、観察者の内的な視点からは継起以上の「流れ」「動き」が体験される。重要なのは「内的な視点による観察」である。

私のほうはここに、内的な視点によって体験される水準とは違う、もう一つの水準の「流れ」「動き」があることを強調しようとしている。それは、映写機やアプリケーションの挙動であったり、手を使っためくる動作であったり等の「背後の運動」の水準である。その水準は、「内的な視点」ではないし、動画やパラパラ漫画という「外的な視点(それ自体の視点)」でもない。むしろ「外的な視点以上に外的な水準」である。「外的な視点以上に外的」であるのは、動画やパラパラ漫画にとっては、その水準での「流れ」「動き」背後のは潜在的な「流れ」「動き」にならざるを得ないからである。

この比喩においては、映写機等の運動それ自体が、「ベタな背景(地)として潜在している」ことを表すが、しかし比喩を離れるならば、この種のベタな背景(地)は、どこまでも深く辿ることができて、潜在し続けるだろう。そのような「外の外の……」に位置する潜在的な運動が、〈潜在的にスケールフリーであらざるを得ない〉時間性である。それは「流れる絶対時間」に似ているけれども、その絶対性は、相対時間とペアになる絶対性ではなく、そのようにペアにはなり得ないという絶対性である。それは「単なる虚構」とは言えない。

平井の議論は、根底的なところで、「外⇅内」の視点の転換を利用する。その視点の転換は時間のスケールの変更とも連動しているが、クオリアのように産出される側ではなく、（時間と共に）産出する側に位置づけられている。言い換えれば、マルチスケールの多元的な時間に対して、さらに加わるもう一つの別要因として、「外⇅内」の視点の転換が前提的に使われている（ように私には思える）。

もちろん、平井自身の説明体系においては、「外／内」自体がスケールに相対的なものであり、或る階層が別の階層と区別されて成立すること自体が即、或る水準における「外／内」の成立ということになるだろう。その意味では、「外／内」とマルチスケールとは「即」の関係なのであって、前者が後者に「さらに加わるもう一つ別の要因」とは言えないし、平井の扱い方は正当である。

しかし、「前提的に使われている」ように私に思えた「外⇅内」の視点の転換とは、そのスケール間の相対的な「落差」では尽くされない。相対的な落差に尽きない「絶対的な外⇅絶対的な内」の視点の交代・往来が、平井自身の説明の展開においても、前提的に使われているように思われる。この場合の「絶対的」とは、「落差が生じる余地がない」「内がそもそも無い」や「外がそもそも無い」を意味する。たとえば、いっさいを「自然」として位置づけようとする場合には、その「自然」は絶対的な意味での「内」でもあり、絶対的な意味での「外」でもあるだろう。平井の叙述全体が、そのような（矛盾するようでありながら不可欠でもある）「絶対的な外⇅絶対的な内」の視点の交代・往来を前提にして行われているように、私には感じられた。

この意味での「前提」は、最初に挙げた論点である「スケールフリー」の「フリー」の第二の意味での「絶対性」と連動している。どちらも、認識論的には「後」になって見出される相対的な絶対性であるが、存在論的には「先」なる絶対的な絶対性へと転じる。相対的な落差（マルチスケール）の生成を通して、ようやく後から扱えるようになる絶対的な領域（e.g. 自然）が、しかし、その落差の生成のすべてを自らの内で行っている。その意味では、「前提的に使われている」とは、スケールに相対的な視点交代・往来が、絶対的なスケールフリーの視点交代・往来に巻き込まれて、循環していることでもある。

更に問いを続けるならば、「絶対的な外⇅絶対的な内」の視点の転換は、なぜどのようにして可能になっているのか、と問うこともできる。あるいは、視点の転換以前に、この場合の「外／内」自体はなぜどのようにして成立するのか、という問いを立てることもできる。ここまで根本的な問いに至るならば、それへの応答は、本論でも述べた二つの方向性のどちらかしかなくなるだろう。

この「外／内」についての問いに対するもっとも優れた応答の仕方は、永井均『改訂版・なぜ意識は実在しないのか』（岩波現代文庫、二〇一六年）に見出せる。永井は、独在性から出発することによって、「裏返された缶詰がさらに表返される」プロセスによって、志向性の成立や心の「外／内」の成立を論じている。永井的なプロセスに対して、平井的な時間論の観点を加味したらどうなるか。これもまた、興味深い問いである。

平井の前掲書において、（それ以上問われることなく）前提として利用されているものの中には、「絶対的な外⇅絶対的な内」の視点の転換の他に、「物と心」の二分法の残滓も含まれている（ように私には思える）。もちろん、ベルクソンと共に平井の方向性は、「物／心」の二元論的な物の見方を根底から突き崩すことにあるし、それはマルチスケールの時間を根底に据えたことによって、成功している。

それでもなお、これもまたベルクソンと共に、汎心論とも唯物論（唯自然論）とも言える根底的な段階においてさえ（おいてこそ）、「心」「物（自然）」という捉え方が纏わり付かざるを得ない。それは、「物と心」の二分法の残滓とは言えないだろうか。マルチスケールの多元的な時間というアイデアには、そのような「残滓」すら一掃する可能性が秘められているように思われるので、汎「心」論も唯「物」論も突き抜けた更に先が見てみたい。

3

言語と「それしかなさ」について

青山拓央

はじめに

「雪は白い」が真であるのは、雪は白いときであり、かつ、そのときに限る——。学生時代に、この有名な一文（タルスキの議論に由来する）を初めて見たときの違和感はいまでも残っている。そして、永井均の独在論についてあれこれ考えてきた結果、この違和感が消え去らないことと、独在論を言語論的方向にばかり進展させることへの私の懸念とが結びついていることが分かってきた。[1] 本稿では、このことについて、できるだけ率直に論じてみたい。

ワークショップでの私の発表は、独在論にとっての意識の重要性を明らかにしようとするものであったが、本稿ではこの試みを直接的に進展させることはしない。その代わりに以下では、意識ではなく言語を源泉とした独在論の提示がどのような問題を生じさせるのかを見ていくことにする。（独在論にとっての意識の重要性については、最終節で簡潔に補足的な論点を挙げる。）

1　伏在する引用符

本稿冒頭の一文は、文「雪は白い」が真であることと雪は白いこととが同値であると述べている。左記の（0）で表されるように、文「雪は白い」が真であるならば雪は白いし、雪は白いならば文「雪は白い」が真である、ということだ。

（0）「雪は白い」は真である　⇔　雪は白い

（1）「S」は真である　⇔　S

本稿では、ある文字列がまさに文字列であることを強調したいとき、それを『　』で囲むことにしよう。（0）の左辺の『雪は白い』が「　」で囲まれているのは、それが対象言語における文の名前だからであり、右辺の『雪は白い』がそうではないのは、それがメタ言語における文だからである。（0）では、対象言語とメタ言語がともに日本語であるけれども、左辺の『雪は白い』を他言語の翻訳文に置き換えてみると、それが文の名前であることが見て取りやすくなるだろう。

ここで、文「雪は白い」の代わりに任意の文「S」について考えると、上記の（1）が得られる。ただし、左辺のSと右辺のSがともに『S』という文字列で表されているのは、（0）がそうであったように、対象言語とメタ言語がともに同じ言語である場合を考えているからだ。

初めて（1）を見た学生時代の私は、くだけた調子で書くならば、こう思った。「対象言語だとかメタ言語だとか言ったところで、左辺のSも右辺のSも、どちらも同じ『S』という文字列じゃないか。左辺のSが文の名前に過ぎないなら右辺のSだってそうだろうし、右辺のSが文の名前以上のものであり得るなら左辺のSだってそうだろう。だって、（1）はそれ全体として一つの文であり、一つの文字列なんだから」。

教科書的に言えば、私のこの感想は間違っている。右辺のSは左辺のSとは違って、実在的な世界の在り方を表す（と多くの論者が見なしてきた）文であり、右辺のSがメタ言語で書かれているとは、まさにそういうことである——。しかし、そういうこととは、どういうことだろう？　これは、「真であるとはどういうことか」をめぐる対応説 vs 認識説 vs デフレ主義の論争とは、距離を取り得る問いである。「真であるとはどういうことか」がいかに説明されたにせよ、(1）の右辺にはただ『S』とだけ書かれているのであり、その『S』は『真である』という文字列の力を借りず、単独で、実在的な世界の在り方を表しているとされるからだ。

　私がいまから書くことは、あまりにも素朴で基礎的であるため、逆に納得がしづらいかもしれない（間違ったことが書かれていると思っても、しばらく並走して考えていって頂きたい）。(1）は双条件文であり、左辺と右辺との真偽はつねに一致するわけだが、ならば、われわれは(1）を理解する際に、その右辺のSについてもそれが真である可能性について考えざるを得ないだろう。同じことを別の仕方で言うなら、「Sのとき、かつ、そのときに限って（if and only if S)」という文節は、「真である」という表現は使われていなくても、「Sが真であるとき、かつ、そのときに限って」という意味で理解されざるを得ないだろう。そうでないなら、(1）の右辺にただ『S』とだけ書かれてあっても、いったい何を理解したらよいのか？

「タルスキは日本人である」。この文は偽であるが、問題なくその意味は理解できる。様相的な一つの解釈によれば、これは、真であることが可能であったが現実には偽である文である。われわれはこの文を理解する際に、必ずしもこの文を、それ自身が真であることを主張するものとして読むわけではない。そして、必ずしもこの文を、真理論における特定の立場において、それ自身が真であるための条件が満たされていることを主張するものとして読むわけでもない。たとえば、古典的な対応説の一つによれば、文「タルスキは日本人である」が真であるのはタルスキが日本人であるという事態が現実に成立しているときであり、そのときに限られるけれども、この文は必ずしも、そうした事態が現実に成立しているという主張として理解されなくて構わない、ということだ。このことは、「タルスキはポーランド人である」のような真である文についても同様である。

以下では話が脇道に逸れないよう、恒真である文、恒偽である文、「この文は偽である」のようなパラドキシカルな文を除外したうえで、任意の文「S」について考えてみよう。「S」を理解する際に、われわれはそれを真であり得る文として読みはするものの、必ずしもそれを、その文の真理性の主張として読むわけではない。文というものの機能（現実性の有無に関わらず、ある事態を表象できる）からいって、これは当然のことである。レン（二〇一九）での叙述のように――同書は優れた解説書ではあるが――文や命題ではなく主張（claim）なるものを真理の担い手と見なすことは[2]、実際には文に過ぎないものが、なぜ自らを真理性の主張として読むことをわれわれに強制できるのかを不問にしてしまう点で、（1）の分析にとって望ましくない。

日常会話における文の大半は、その文の真理性の主張として解釈されていると見なせるが、このことは日常会話の語用論に拠るのであって、文の単独の働きに拠るのではない。たとえば、店頭で「本日は全品半額です」と店員が客に声をかけている場合、その店員は「本日は全品半額です」という文の真理性を主張していると解釈されるだろうが、この解釈は、店員から客への店頭での声掛けという言語外部の状況に支えられている。「本日は全品半額です」という文のみで、この解釈を強制することはできない。「本当に、本日は全品半額です」という文や、「本日は全品半額である、ということを主張します」といった仰々しい文を用いても、このことはまったく変わらない。真であるとはどのようなことかがいかに説明されたにせよ、自らを真理性の主張として解釈することを強制する力を、文がそれ単独で持つことはない。

にもかかわらず、（1）を理解するときにわれわれは、メタ言語で記された箇所に真理性に関する特殊な読み込みを行なう。「S」が真であることとSであることとが同値であると理解するとき、左辺の『は真である』や右辺の『S』は――まさにメタ言語で記された箇所は――ただの文字列以上のものとなっている。なぜなら、「S」が真であることとSであることの真理値が一致する、という仕方で（1）は理解されねばならないが、このとき、メタ言語で記された箇所は、その文字面に現れていない次元での『は真である』が伏在するものとして読まれなくてはならないからである。

クワインは真理の引用符解除説を唱えたが、この説には正しさと誤りとが同居している。この説がある意味正しいのは、（1）の左辺にある『は真である』という叙述は、引用符（鍵括弧）を取り去る――そうすることで文から世界へと語る対象を移行する――以上の実質的な働きをしていないからである。他方、この説がある意味誤っているのは、引用符を取り去ったあとのSも結局のところは文字列であって、それをメタ言語として読むとき、われわれはそのSをつねに、文字面に現れない引用符で囲み得る、文字面に現れない『は真である』を付記し得るものとして読まなくてはならないからである。

メタ言語についてのこの読みを、伏在する引用符と『は真である』とを顕在化するかたちで説明してしまえば、そこで顕在化された『「S」は真である』についてふたたび（1）が述べられることに……

「S」は真である　⇔　S

「S」は真である　⇔　S

「S」は真である　⇔　S

……

なるだろう。そして、その（1）が理解されるとき、右辺に伏在する引用符と『は真である』はふたたび顕在化され、この運動が終わることはない（図を参照）。ここには、入不二基義と永井均によって発見された現実性（あるいは独在性）についての累進構造と同型のものが姿を現している。

引用符と『は真である』とを顕在化していくこの説明は、図の上方向にも下方向にも、終わることのない運動を促す（実際の言語使用において、上方向への運動が打ち切られることについては後述する）。右辺のSはどこまで昇っても文字列であることから逃れ切れず、左辺のSはどこまで下ってもたんなる文字列にはなり切れない。一見すると左辺のSは、顕在化された引用符の力で文の名前という文字列に成り下がっているが、この成り下がりが可能なのは、一つ下の段における右辺のSが在ってこそである。その右辺のSに伏在する引用符が顕在化されたものとして一つ上の段における左辺のSを読まない限り、その左辺のSはたんなる文字列にはなり得ても、文の名前にはなり得ない。「左辺のSは対象言語で記されている（がゆえに文の名前である）」と言ったところで、その言語の使用者にとってそれはメタ言語であり得る

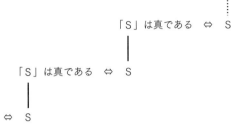

のでなければならず、つまり、左辺のSは同一のその文字列のままメタ言語の文であり得るのでなければならない。（1）では、両辺でともに『S』という同じ文字列が使用されているために、このことがあからさまになっているが、もちろん、両辺で異なる文字列が使用されている場合でもこのことは揺るがない。

さきほどの図において上方向への運動がどこまでも続くのは、右辺に伏在する引用符と『は真である』とが無限に顕在化され続けていくと考えることができるからであった。とはいえ、実際に言語が使われるときには――独在論における「私」や「今」の累進構造がそうであったように――この運動には終わりがあり、さきほどの図には最上段がある。なぜなら、実際に言語が使われるとき、メタ言語としての右辺のSは最上段においていきなり機能するからだ。あるいは、もっと慎重に言うなら、それは累進構造の最上段においていきなり機能していると見なされるからだ。すなわち、それは実在的な世界の在り方を直に表すものと見なされ、まさにこの点において、たんなる文字列以上のものと見なされる。

『雪は白い』という文字列が最上段の右辺に位置するとき、それは、各段の左辺に位置する引用符付きの『雪は白い』と文字列としてはまったく同一であり、そして、それを文として読んだときの意味内容も変わらない。「文の意味内容」という言い方が曖昧であるなら――クワインはこの曖昧さを嫌ったがために命題よりも文について語った[3]――もっと単純にこう言おう。最上段の右辺の『雪は白い』は、各段の左辺の『雪は白い』と言語表現としてはまったく同一であると。だからこそ、真理の引用符解除説は（1）について部分的に正しかった。そして、それにもかかわらず、最上段の右辺の

『雪は白い』だけが特別な働きをしているのは、それが、世界の可能な在り方を表しているに留まらず、世界の現実の在り方を表しているからだ。

最上段の右辺の『雪は白い』が現実の在り方を表せているのは、この言語表現が特別な情報を含むからではない（なにしろそれは、各段の左辺の『雪は白い』と同一の言語表現に過ぎないのだから）。最上段の右辺において実現していること、あるいは、そこで実現していると見なされることをより正確に述べ直すなら、それは次のようになる。最上段の右辺の『雪は白い』については、それが世界の現実の在り方を表していると言うよりも、それが世界の在り方を表す（という可能的な）ことが現実化していると言うべきである。クワインは引用符解除説のもとで、「「雪は白い」という文に真理を帰属させることは、雪に白さを帰属させることにほかならない」とシンプルに述べたが[4]、とはいえ、この場合にも重要なのは、雪に白さを現実に帰属することであり、より正確に言えば、雪に白さを帰属する（という可能的な）ことが現実化していることである。

ここには独在性をめぐる累進構造の議論が再現されており、そのことを捉えた方であれば、前段落の趣旨もまた言語によって十全に語ることはできないと分かるだろう。『が現実化している』という表現で言わんとしていたこともまた、累進構造に取り込まれてしまうからだ。それゆえ、さきほどの図の最上段においてだけ『が現実化している』という表現を使うことで（そのような情報を追加することで）、そこを最上段にすることはできない。もし、そんなことができるなら、たとえば、『タルスキは日本人であるということが現実化している』と書くだけで、文「タルスキは日本人である」が真になってしまうが、これはもちろん馬鹿げている。

（1）の右辺には、『は真である』が伏在していると考える代わりに『が現実化している』が伏在していると考えることもできるが、いずれにせよ、最上段の右辺においてそれらが顕在化されることはなく、右辺の『S』はただ端的にSであることを表す、と言える。ただし、「端的に」という未定義語に、言語と世界とを結びつける魔術的な役割を担わせることで――。端的にSであるとはどのようなことかを説明しようと思えば、Sであることは真である、Sであることが現実化している、Sであることが世界に成立している、等々、未定義語によって未定義語を説明しようとする道に入らざるを得ないが、これは無限後退や悪循環を招く。通常の言語使用においてここに問題が生じないのは、いま述べた意味での「端的に」が文字列化されることがないからだ。さきほど私は「端的に」という語に魔術的な役割を担わせると述べたが、何のことはない、そこで「魔術的」と言われているのは、右辺の『S』がメタ言語として機能しているというだけのことであり、しかし、この「だけのこと」のうちに当該の端的さが示されている。

引用符解除説（クワイン）やそれに先立つ余剰説（ラムジー）は、（1）の右辺にある『S』を端的にSであることを表す記号として読ませることで――ただし「端的に」などという表現を使わずにいきなりそれを実践させることで――その大いなる説得力を得ている。対応説や整合説が真理の説明に苦慮するところを、クワインやラムジーは軽やかに通り過ぎる。なぜなら、対応説や整合説の前に立ちはだかる問いに対して、つまり、言語と世界とがいかに結びつけられるのかという問いに対して、彼らはただ、（1）の右辺にある『S』を指差してみせればよいからだ。しかし、当然のことながら、これは彼らが「端的に」とは何かを説明できたからではなく、その点において彼らが対応説や整合説の支持者を上回っていたからでもない。

2 「箱」の与えられ方

「地球は青い」という文について、端的に地球は青いことをこの文が表せることをまず認めてしまおう。そして、この文は真であるとともに偽でもあり得ることを認めよう。するとここに、真と偽の二つの可能性しか持たないミニマムな様相が開かれる。ワークショップでの私の発表で言及した「箱」にあたるものが、この様相のもとでは二つしかない。しかも、その一方の箱にはある具体的な事態（地球は青い）が入っているものの、もう一方の箱にはある具体的な事態を否定したもの（地球は青い、ということはない）が入っているだけである。つまり、「地球は青い」が偽であるとはどのようなことかについての諸可能性が、具体的で肯定的な仕方では（たとえば、地球は赤いといった仕方では）まだ開かれていないということだ。それでもなお、相並ぶ仕方で二つの箱がたしかに与えられたのだから、ここには可能性の様相がある。私の理解が正しければ、このミニマムな様相すら開かれていないという点に、入不二の言う「純粋現実性」の一つの重要な意義がある。

「地球は青い」が偽であるとはどのようなことかについての諸可能性は、概念的に、つまり概念の規定によって与えられる。このことを、ウィトゲンシュタインの表現を借りて、「文法」によって与えられると言い換えることもできるだろう。「地球は青い」が偽であり得ることが、地球が赤い可能性や地球が白い可能性などとして捉え直されるとき、ミニマムな様相は概念的な様相へと一気に拡大されることになる。このとき、地球が青いことは、地球が赤いことや地球が白いことなどと相並ぶ一つの箱として規定され、なぜ地球は青いのか——赤いことや白いこともあり得たのに——という問いが問いとしての意味を得る。(もちろん、狭義の文法のみがこうした諸可能性を開くわけではなく、実現可能性の知見もまたそこに関わっていることは明らかだが、このことについてはすでに別のところで論じた。[5])

さて、「地球は青い」が偽である場合の概念的な様相について前段落のように言えるのは、赤いことや白いことが、青いことと排他的とされる限りにおいてだ。何かが端的に青いことが、それが端的に赤いことや端的に白いことを排斥する力が、ここでは求められることになる。前段落で言う「文法」は、一つの言語論的観点に立つなら、たしかにこの力を持つだろう。わざわざ定義などしなくても「青い」の日常的文法は緩やかな排斥をするのであり、実践上、「地球は青い」と語られたなら、地球が赤いことは緩やかに、しかし十分に排斥されている。

とはいえ、本稿の狙いのもとで論じるべき問題はこの先にある。それは指標性をめぐる問題であり、より正確に言えば、指標的な言語にとっての箱の境界化・複数化と、境界線を持たない「それしかなさ」とをめぐる問題である。

「私は青山拓央である」とか「今は令和時代である」といった文は、「雪は白い」とか「地球は青い」といった文と根本的な違いを持っている。「私」や「今」は指標詞であり、「雪」や「地球」のように特定の対象と固定的な結びつきを持っていない。つまり、「私」とは——少なくともその一つの重要な語義においては——その語を使用した任意の人物を指す語であり、同様に、「今」とはその語を使用した任意の時点を指す語である。それゆえ、前掲の「私は青山拓央である」という文を青山拓央以外の誰かが読んだとき、「いや、私は青山拓央ではないのだから、この文は間違っている」などと主張するのは奇異である。常識的な理解においては、「私は青山拓央ではないけれども、この文における「私」とはこの文を書いた人物のことであり、その人物は青山拓央であるとこの文は述べている」と、こんなふうに解釈されるからだ。

これは、まったくもって常識的な理解であるけれども、その理解を支えている言語の機能はけっして単純ではない。この常識的な理解が可能であるためには、「私」とはその語を使用した任意の人物を指す語であることの了解とともに、任意の人物ではないこの私もまた「私」という語で指すことができる（「私」という語はつねにそのようにも使える）ことの了解も為されている必要がある。このとき、「任意の人物ではないこの私」なるものを、ふたたび任意の人物として説明しようという試みはうまくいかない。「私は青山拓央である」という文を青山拓央が書き、誰かがそれを読んだとき、その人物は「この私は青山拓央ではないけれども、この文における「私」とは青山拓央のことである」と解釈できるが、ここに現れる「この私」は、当該の文を読んだ任意の人物のことではない。それは、いま現にその文を読み解釈したところの、この人物のことでなければならない。もちろん、こうした「この」の使用は「端的に」の使用と同じ基盤を持ち、それゆえ、日常の言語表現においてそれは顕在化されずにいる。たんに「私」とだけ言えば、それはこの私を（も）指す。

「私」だけでなく「今」についてもいま述べたことは当てはまるが、その点については、永井がすでに多くの著書で指摘してきたことであるので、繰り返さない。代わりにいまから目を向けたいのは、

「私は青山拓央である」のような指標的な文が、「地球は青い」のような文と異なる仕方で、箱の境界化・複数化を促す点である。

「地球は青い」という文の場合、「地球」という主語にいかなる述語が結びつくことが可能であるかは、「地球」という語の文法によって定まる。「地球は丸い」や「地球は赤い」といった結びつけは可能だが、「地球は忙しい」といった結びつけは（詩的な表現を除けば）不可能である。そして、「地球」に結びつき得る複数の述語のうち、いかなる述語が「青い」と排他的であるかは、「青い」という語の文法によって定まる。「丸い」は「青い」と両立可能だが、先述の緩やかな排他性のもとで「赤い」は「青い」と両立不可能である。

「地球は青い」と相並ぶものでありながらお互いに排他的であるような文のリストは、大まかに言っていま述べたようにして与えられる。ここでの説明が大まかなものなのは、そのリストの内容自体が揺らぎを持っているからであり、そのリストにいかなる文が含まれ、いかなる文が含まれないかを、一意的に定める方法はない。「地球は青い」と厳密に排他的であることが確かな文は、結局のところ、「地球は青くない」という文（やその書き換え）だけなのであり、このことを重く受け止めるなら、任意の文「S」について、真偽のミニマムな様相を超えた概念的な様相をもたらす文法など、厳密な意味では存在しないことになる。

（すぐに思いつく反例としては、たとえば、「地球は太陽系の三番目の惑星である」という文が「地球は太陽系の四番目の惑星である」という文と厳密な排他性を持ち合うように見える、といった例を挙げられるだろう。しかし、そのように見えるのは、「三番目である」ことが「四番目でない」ことを含意し「四番目である」ことが「三番目でない」ことを含意する、とした場合においてだ。つまり、ここで厳密な排他性を作り出しているのは真偽のミニマムな様相である。)

ではふたたび、「私は青山拓央である」のような指標的な文に目を向けよう。こうした指標的な文は、それと相並ぶものでありながらお互いに排他的であるような文のリストを特殊な仕方で提供する。私が端的に青山拓央であることは、私が永井均であったり入不二基義であったり谷口一平であったり……することと排他的であり、およそ青山拓央以外のあらゆる○○について、私が○○であることと排他的であるとさえ言える。ただし、その○○が任意の「私」であり得るものだと見なされている限りにおいて(いかなる基準によって、ある○○が任意の「私」であり得るものかどうかを判定するのかは大問題であるが、これについては最終節まで保留する)。

「私」の重要な一つの語義のもと、「私は青山拓央である」という文は、「私」によって指示される個体(つまり、その語の使用者)と「青山拓央」によって指示される個体との数的同一性を表す文であると言える。つまりそれは、「地球は青い」のように、ある個体がある一般的性質を持つことを表す文とは異なっている。それゆえ、「青い」と「赤い」とのあいだに概念的な(そして緩やかな)排他性が認められることと、「青山拓央である」と「永井均である」とのあいだに排他性が認められることとは、違った仕方で説明される必要がある。

その説明をもっとも単純な仕方で行なうなら、それは次のようになるだろう。青山拓央と永井均とは個体として非同一であり、それゆえ、「私」によって指示されたある特定の個体について、それが青山拓央であることと、それが永井均であることは排他的である――。しかし、このようにして得られる排他性は、一定の役割を果たしてはいるものの、私が端的に青山拓央であることとは直接的な関わりを持っていない。いま得られた排他性は、数的同一性が推移的であることから直ちに導かれるものに過ぎない。（任意の人物Pについて、Pが青山拓央であることとPが永井均であることのあいだにも同じ排他性が認められることから、このことが分かる。）

私が「私は青山拓央である」と言うとき、この文はそれを発話した人物が青山拓央であることを表すが、同時に、その言語使用はそれ自身が端的なものであることを、つまり、そのような自己反射的な指示がここでだけ端的に為されていることを示しているはずである。なぜなら、そのことこそが、「青山拓央である」と「永井均である」とのあいだに意味論的ではなく存在論的な排他性を作り出してくれるからだ。とはいえ、ここでの端的さを、前節で見たSの端的さと直ちに同等視することはできない。前節で見た、（1）の右辺のSにおける真理についての端的さと、である。

（1）の両辺における『S』を『雪は白い』に置き換えてみよう（つまり（0）に目を向けよう）。その右辺において『雪は白い』とき、つまり端的に雪は白いとき、現実世界といういわば存在の全体は、雪が白くないことをその全体から追放する。ミニマムな様相のもとで「雪は白い」が真であることは、「それしかない」ものとしての現実世界において雪は白いということであり、だからこそ、二つの箱（真と偽）が並置されながらも一方の箱だけが特権化される。ところが、この説明を「私は青山拓央である」にそのまま適用しようとすると、何が「それしかなさ」をもたらしているのかを、うまく説明できない。独在性の論述においてときおり現れる「現実の〈私〉」という表現は、現実世界の「それしかなさ」を類比的にここに認めさせようとするものだが、次の引用からも読み取れる通り、この類比には無視できないズレがある。

これに対して、〈私〉と〈今〉は、その〈 〉の働きを「現実性」と性格づけるとしても、そういう現実性とは独立の成立基準を持つ。〈現実〉の成立が、諸可能世界における「現実」と唯一端的な〈現実〉との矛盾の成立を意味するとすれば、それと同型ではあるがまた別の矛盾が存在するわけである。諸可能世界のなかでの現実世界の中心性という問題とはまた別に、現実世界の（あるいはそれぞれの可能世界の）内部に、諸「今」たちのうちの唯一の現実の〈今〉、諸「私」たちのうちの唯一の現実の〈私〉という問題があるからだ。それらがまた別の、独自の中心性構造を作り出すわけである。（永井（二〇一八）、七七頁）

与えられた紙幅をすでに超えつつある（が本稿のゴールはまだ先にある）ので、一点だけ断定的に述べさせてもらうと、現実世界が諸可能世界のなかの中心であるように見えるのは、まさに「それしかない」からである。現実世界以外の諸可能世界は文字通り存在しないのであり、それゆえ、現実世界は本当は諸可能世界の中心になどない（私がそう考える理由については青山（二〇一六）で論じた）。「受肉」という用語を使うなら、現実世界は複数の諸可能世界のうちの一つが受肉したものではない、ということだ。「現実の〈私〉」や「現実の〈今〉」といった表現は、現実世界の中心性の類比として〈私〉や〈今〉の中心性を伝えようとするものだが、実情としては、現実世界の中心性のほうこそ〈私〉や〈今〉の中心性との類比によって——つまり他の諸可能世界という一種の他者（他時点）を仮構することによって――概念的に作り出されたものである。

ところが、いったんこの概念的な機構が現実世界について（そして言語において）働くようになると、（1）の右辺における引用符解除は高い一般性を持つようになる。その一般性はむしろ「高過ぎる」のであって、たとえばSに『私は青山拓央である』を代入しただけで、右辺において端的に私が青山拓央であることが示されるかのようだ。しかし、これは見かけ上のことであり、端的に私が青山拓央であることの「それしかなさ」は、右辺における端的さ（他の諸可能世界の排斥）によっては説明されない。Sに『私は青山拓央である』を代入したところで、「それしかない」ものとしての〈私〉などもたらされない――そもそも「私」の端的な指示が機能しない――ことからも、このことは明らかだ。先述の通り、他の諸可能世界は排斥するまでもなくじつは最初からないが、青山拓央以外の「私」に関して直ちに同じことを言うことはできない。仮に、青山拓央以外の諸「私」が排斥するまでもなくじつは最初からないのだとしても、その「なさ」は、他の諸可能世界の「なさ」とは違っている。

ワークショップの私の発表では、〈私〉の「それしかなさ」について意識にその源泉を求めた。ただしそれは、能動的な構成作用としての意識ではなく、受動的な受肉の媒体としての意識である。私個人の考えとしては、指標的な言語それ自体にこの役割を取って代わらせることは難しい。意識の現象的内包に依存しない、言語の自律的な働きのみによって〈私〉の「それしかなさ」をもたらすことは――現実世界の「それしかなさ」との不十分な類比に満足しない限り――難しいということだ。次の最終節では、私がそのように考える理由をもう少し述べてみることにしよう。

3　言語使用と「それしかなさ」

言語の自律的な働きとそこへの独在性の受肉とによって、相並ぶものを持ちつつ「それしかない」箱が与えられるのかどうかを見ていこう。まず単純な事実として、個別の使用事例を離れた言語そのものに独在性が受肉し得るということが、どういうことなのかはまったく明瞭ではない。言語にまつわる何らかの事物に独在性が受肉し得るとすれば、それは、ある個別の言語使用を措いてほかにないだろう。たとえば、いま私がまさに「私」という語でこの私を指すとき、独在性の受肉の媒体となるのはその個別の言語使用であると考えるほかはない、ということである（ただし、この言語使用には、私が音声を発したり文字を書いたりするといった身体動作も含まれる）。

　とはいえ、すぐに思い当たるのは、その個別の言語使用が持つはずの「それしかなさ」とは何なのかという疑問である。「私」という音声を発したり文字を書いたりする身体は、さまざまな場所のさまざまな時点に無数に存在するのであり、少なくとも物理的な言語使用としては、当該の言語使用は「それしかなさ」を持たない。他方で、心理的な言語使用としてなら「それしかなさ」を持つのかと問われれば、こちらもまた否定的に応答せざるを得ないはずだ。物理的でない要件として、たとえば心理的な何らかの実感（自分が言語を使っていることの実感？）をその要件に含めたとしても——そんな実感などあるのかという疑問はさておき——「それしかなさ」が与えられることはない。物理的にだけでなく心理的にも同様の要件を満たした「私」という語の使用事例は、さまざまな場所のさまざまな時点にやはり無数に存在する。それらのうちの一つだけが「それしかない」ものとして在ることを、言語使用の観点のみからどう理解したらよいのかは不明である。

それでもなお、いま私が「私」という語でこの私を指せるとき（誰もが自分を「私」と呼べるということを超えてこの私を指せるとき）、その個別の言語使用には端的さが伴っていざるを得ないと考える人がいるだろう。〈私〉の「それしかなさ」によってのみ、もたらされる端的さが。じつのところ、この考えに私も同意するのだが、しかしここには言語のみに目を向けている限り埋められないギャップがある。だからこそ私は——ワークショップでの一連の議論をふまえて——ある個別の言語使用を「それしかない」ものにするためには、その言語使用を取り囲む意識の現象的内包が必要だと訴えたい。意識に特有の「それしかなさ」が必要だと主張したいのである。

この主張と、「心理的な言語使用もまた「それしかなさ」を持てない」という先述の主張とが矛盾するように感じられる人は、意識について私がワークショップで述べてきたことの最重要の論点を理解していない。言語使用に伴う心理的な要件（たとえば言語を使っている実感）が、その要件の特性ゆえに「それしかなさ」をもたらすことはない。より一般的に言えば、意識の現象的な内包が、能動的かつ構成的な仕方で独在性を作り出すことはないということだ。そして理解して頂きたいのは、いま述べたことと、ある意識の現象的内包が独在性を受肉することとが問題なく両立する点であり、さらに、この両立によってこそ独在論を論として問う（なぜこれが〈私〉なのかと問う）ことが可能になると私が述べている点である。

意識はまったく受動的に独在性を受肉することによって、境界線なしの「それしかなさ」の内部に特定の言語使用を囲い込む。特定の現象的光景や身体感覚だけが与えられ、その内包に基づいて特定の言語使用が焦点化されることによって。いま私が「私」という音声でこの私を指したとき、その音声、その口の動き、その実感等々は、この意識の「それしかなさ」のもとで焦点化されているのであり、これ以外の仕方でその言語使用が焦点化されるとはどのようなことなのかは不明である。誤解のないように付け加えておくが、ここで私は、「どんなことでも結局は意識を通じて知るほかない」などという、つまらないことを述べているのではない。意識にそのような観念論的側面があることをもし認めたとしても、そのうえでなお、相並ぶ諸意識のなかの一つに独在性が受肉することがなければ、本節で述べていることは成り立たない。

　前節で保留していた問題として、ある〇〇が任意の「私」であり得るものかどうかを判定する基準の問題があったが、これについては、永井が「第一基準」と呼ぶものが参考になる。その基準によれば、「私」とは、「その目から世界が現実に見え、その体だけが叩かれると現実に痛く、その体だけを現実に直接動かせる」[6]人物である。ただし、ここではすでに「現実」という語が概念化（一般化）された仕方で使われているため、この基準が「およそだれであれ一般に自分自身というものを識別して捉えるための基準」[7]となっていることには注意が必要だろう（それゆえ、永井の表記法によれば、これは〈私〉の成立基準ではなく《私》の成立基準と見なすべきである）。

　すぐに確認できることは、見えることや痛いこと等々の意識の現象的内包を、第一基準が拠り所にしていることである。受肉の受動性に目を配るなら、拠り所ではなく依り代《しろ》にしていると言ったほうがよいだろう。見えることや痛いこと等々は、その現象的内包ゆえに独在するのではけっしてなく、独在したものが現象的内包であっただけだが、にもかかわらず、それらが受肉の依り代であったのでなければ問うことのできなくなる問いがある。それらの現象的内包に基づいてある言語使用が（そしてそれを行なうある身体が）焦点化されない限り、「私」という語を端的に使用して「なぜこれが〈私〉なのか」と問うことは不可能なはずである。（〈私〉と《私》との二重構造があらかじめ言語に含まれていたとしても、言語それ自体の力では特定の言語使用を独在化することはできない。）

「その体だけを現実に直接動かせる」という基準についても、その現実性や直接性といったものを何がもたらすのかは論争含みであり、私としてはここでもまた意識の現象的内包に頼らざるを得ない。ただし、これは、リバタリアン的な自由意志（本稿では説明を省略する）[8]の源泉がその内包にあるということではなく、もっと素朴で、しかしもっと堅固なものが、いくつもその内包によって与えられるということである。たとえば、ある特定の身体における運動感覚、ある特定の身体動作の予見（いまからある身体がどう動くかの予見）、ある特定の身体動作を合理的に説明するための心理的情報（たとえば意図や計画についての記憶）、こういったものが「それしかない」ひとまとまりの現象的内包を通じて与えられるとき、それは、知覚情報のパースペクティブと手を取り合って、世界内のただ一つの身体を特権化する。もし、これらの現象的内包なしに「とにかく現実に動かせる身体が一つだけある」と言おうとしても、世界内にひしめき合っている身体のうち、どれがそれなのかはけっして分からない（「動かしてみれば分かる」と言おうにも、「動かしてみる」ということに実質を与えられない）。

以上で、言語論的方向にばかり独在論を進展させることについて、私がどのような懸念を持つのかがかなりの程度伝えられたと思う。私は本稿で何らかの見落としをしているかもしれないが、その点を差し引いてもなお、独在論にとって価値のある指摘が本稿には含まれているだろう。最後に、本稿の議論をふまえて独在論を再検討していく際の手がかりとして、簡明な、しかし意外に奥の深い、三つの疑問を投げかけておくことにする。重要なのは、これらの疑問へのそれぞれの答えが互いに整合的であることだ——。任意の「私」であり得るもののなかに、人間の乳児や人間以外の動物などの、言語を使わない生物は入るのか？　任意の「私」であり得るもののなかに、「私」という語を適切に使用できる人工知能などの非生物は入るのか？　そして、ワークショップでの「青山のリプライ」における対話に出てきた、「私がもしパソコンだったら」という発言は、いったいどのようなことを意味しているのか？

文献

青山拓央（二〇一六）『時間と自由意志——自由は存在するか』、筑摩書房。

永井均（二〇一六）『存在と時間——哲学探究1』、文藝春秋。

永井均（二〇一八）『世界の独在論的存在構造——哲学探究2』、春秋社。

永井均＋入不二基義＋上野修＋青山拓央（二〇二二）『〈私〉の哲学　を哲学する』、春秋社。

クワイン、W．V．（一九九九）『真理を追って』、伊藤春樹＋清塚邦彦（訳）、産業図書。[Quine, W. V. (1992). *Pursuit of Truth*. Revised edition. Harvard University Press.]

上野修（二〇二二）「存在の耐えられない軽さ——ラカン、デイヴィドソン、永井均」、永井均＋入不

二基義＋上野修＋青山拓央（二〇二二）所収、二五五－二七六頁。

レン、チェイス（二〇一九）『現代哲学のキーコンセプト　真理』、野上志学（訳）、一ノ瀬正樹（解説）、岩波書店。［Wrenn, C. (2015). *Truth*. Polity Press.］

1　いわゆるこのT文と独在論との関係については、ラカンの哲学を援用しつつ上野修がすでに論じている（上野（二〇二二））。ラカンへの私の理解不足のため、本稿ではこの上野論文を直に検討することはしないが、ラカンの哲学に通じた読者であれば上野論文と本稿とのあいだに有益な繋がりを見出せるかもしれない。

2　レン（二〇一九）、五頁。［原著、五頁］

3　クワイン（一九九九）、一一五－一一八頁。［原著、七七－七九頁］

4　クワイン（一九九九）、一二〇頁。［原著、八〇頁］

5　青山（二〇一六）の第三章では、本稿で言う「概念的な様相」を「論理的可能性」と呼んだうえで、論理的可能性に対する実現可能性の先行性を主張している。

6　永井（二〇一六）、八三頁。

7　永井（二〇一八）、七八－七九頁。

8　リバタリアン的な自由意志については、青山（二〇一六）にて詳細に論じた。とりわけ、第一章ではその概念的な破綻が、第四章ではその実践的な不可欠性が、相互に矛盾しないかたちで分析されている。

4

人生に山括弧の相渉るとは何の謂ぞ

谷口一平

人生に山括弧の相渉《あいわた》るとは何の謂《いい》ぞ（人生に〈　〉が関わり及んでくるとはどういう意味か？）――これが、今回の発表において私の問おうとした問題であった。これはしかし、永井自身の、あるいは少なくとも「風間くんの「質問＝批判」」を最重要の哲学的洞察として応答を試みたとき、永井自身がそう解釈した（立てた）問題でもある――と、私は解釈している。私が〈私〉であるという端的な事実は、ゾンビ（＝まさに〈私〉でないような者）だって「私は〈私〉である」と言えるがゆえに、私には言うことのできない（言ったところで、私が言おうとしていた当初のことは伝えることができない）事実となる。それならば、そもそもそんな「事実」など存在しないのではないか？ あるいは、これがよりパラドクシカルな問題であるが、仮にそのような「事実」が存在したとして、そのようなもの（山括弧）は〝人生に相渉る〟ことが不可能になるのではないか？

つまり、独在性は人生にとって、余分である。いや、これは正確ではない。永井が『世界の独在論的存在構造――哲学探究2』において論じたように、世界が超越論的＝独在論的に構成されるものであるとすれば、「独在性」は世界の構成に不可欠な部品である。そうであるとすれば、本当に不必要なのはこのもの、初発においてただありありと与えられてしまっており、次々と実現してゆく世界の内容（出来事）に対していかなる寄与もなさない、この〈　〉である。必要もないのに、どうしたわけか、こいつの〈人生〉の前後には、開き山括弧・閉じ山括弧が纏いついている。谷口というこの人物の「人生」にとっては、そうした変ちきな山括弧の存在は、ただただ過剰である。白のキングに被せられた紙の冠（ウィトゲンシュタイン『青色本』）のように、世界のルールに関与しないそんなものがこいつだけに戴かれていることは、どうも気味がわるい。じっさい、バッハの人生にもゲーテの人生にも、そんな冠の載っている様子は全然ないし、それで彼らは立派に人生をやった。載っているのは谷口一平という奴の人生だけで、そいつが人生を立派にやるのかどうかは知らないが、そうであってもそうでなくとも、山括弧を戴冠していることによって、その人生の幕引きに色が添えられる可能性はありそうにない。この余分なものは、それなら何なのだ？

なるほど世界の真相は往々にしてグロテスクなものである。世界の真相は往々にしてグロテスクなものであるにしても、これはしかし、じつにグロテスクな世界像ではないか？　私が「なぜこいつが〈私〉なのか？」と問うているときでも、私は、現に私が〈私〉であるから「なぜこいつが〈私〉なのか？」と問うているわけではないことになる。そうであることはできない。そうでなく、たまたま現に私は〈私〉であるが、その事実とは相渉ることなく無関係に、そのたまたま〈私〉でもあった人物が世界の内でたまたま「なぜこいつが〈私〉なのか？」という問いを発したにすぎず、そのときその人物がたまたま〈私〉でもあったことは、ただの偶然にすぎない。そんな世界描出に、誰が耐えられるだろうか？（しかしじっさい「なぜこいつが〈私〉なのか？」と問うた人物はすでに世界にたくさんおり、その中で「なぜこいつが〈私〉なのか？」と問うた私が、たまたま同時に〈私〉でもあったことは、確かに完膚なきまでに「たまたま」のことである）

「無内包の現実性」という概念を受け容れることは、まさにこのようなグロテスクな世界把握を承認することである（『探究2』における「唯物論的独我論者」の出自も、そのような世界像を苦痛から拒否した物理主義者が、物理的根拠の探究によって、山括弧を世界（人生）に相渉らせようとしたものとして理解することができる）。しかし問題なのは「第〇次内包」のことである。改訂版「第〇次内包」によって、第〇次内包は人生に相渉るようになった。改訂によって、「なぜこれが赤いのか？」という問いは、「たまたま」私によって発されたものではなくなった。「赤さ」は「私の人生」と必然的な内的連関を有し、私はまさにそれが赤いことによって「なぜこれが赤いのか？」という問いを発したことになった。その代償として、「赤さ」のクオリアは心理化され、〝無寄与性の帯びる輝き〟を喪った。「私には、私以外の人に〔…〕色がどう見えているのかは決して分からないとはいえ、そこにあるかもしれないとされる違いが、われわれの日常のやりとりや科学や芸術などの文化の発展に関与する可能性」[1]は、もはやなくなったのである。第〇次内包（感覚）は完全に内包化され、不気味な王冠（山括弧）とは疎遠になった。そして山括弧（無内包の現実性）だけが残され、かくて劈頭《へきとう》の問いが空しく青山《せいざん》に反響することとなった――人生に山括弧の相渉るとは何の謂ぞ!?

『探究2』にあらわれる「一方向性」の概念は、この問いへの永井哲学からの究極応答と見るべきものである。つまり山括弧は、人生に一方向的に相渉る。ひとたび人生化されてしまえば、それはもう決して戻っては来られないような仕方で、山括弧はじつは、人生に相渉っているのである。すなわち、「〈 〉が表現する本来の独在性」と、事象内容的・客観的な世界把握とは、「どちらの側から出発しても同じ一つのものに行き着けることは確かなのだが、にもかかわらず、一方の側からそこへ辿り着いた場合にはもはやもう一方の側に抜けることはできない」[2]ような関係になっている。なぜならば、客観的世界の内に、山括弧はそもそも存在していないからである。他方で、「〈私〉は谷口一平という世界内存在者であった」と発見するルートは確保されている。そもそも存在しないものであるような山括弧から出発して、世界の客観性は（タテ方向にもヨコ方向にも）超越論的に構成されたものだからであり、よりはっきりと言えば、そうした〝発見＝位置付け〟こそが、その超越論的構成そのものだからである。山括弧は、それが人生を可能にするという仕方で人生に相渉っている。

しかしそれなら、クオリア（第〇次内包？）はどうか。クオリアは人生に相渉らないのか。——もちろん、「世の中で客観的な役割を演じることができる」[3]ような感覚的確実性についてであったなら、それは人生に対して当然、相渉ることができる。けれどもそのとき、それが私に「ありありと」出現していることについては、全然人生に相渉っていない！　この「ありありと」は、ヒュームなら vivid とでも呼ぶべきところで、それは感覚印象の内容の活力（ゴッホの黄色は力強い、といったような）を述べたものではない。[4]にもかかわらず、それは単に「〈私〉の現実性」について述べたものでもないだろう。そうではなく、それは世界の「内容」への言及の根拠として、そのような経験が現実的であるということが、世界と摩擦できる、ということを述べているのでなければならない。すなわち、〈私〉は〈私の世界〉の輝きを表現できる、ということを。

そんなことは不可能だ。もちろん、そんなことは不可能なのである。ゲーテは現に〈私〉ではないし、もし『ファウスト』が表現されたことの根拠が、ゲーテの人生に山括弧が輝いていたことだとしたら、現にゲーテでない私が『ファウスト』を読むなどということは、てんからできない、ありえないのである。——しかし、〈私〉にだけは、そのようにして表現するということが可能かもしれない。なぜならば、「一方向性」があるからである。これは突飛な発想ではない。ゾンビ（＝他人）だって「私は〈私〉である」と言い、そのために語り得なくなってしまうものがあるのだとすれば、同様にして、ゾンビだって「この薔薇は赤い」と言うがゆえに私に語り得なくなってしまうものもまたあるはずではないか。もし私にだけ生じている内容成分（山括弧の〈意味〉）がなかったとすれば、私が庭に出て、あるいは庭にいることを想像してでもよいが（想像のばあいでも論点に相違はない）、「この薔薇は赤い」と言ったり綴ったりするときに起きていることと、渺邈《びょうばく》たる昔に私の知らないある人のぽつりと呟いた「この薔薇は赤い」におけるそれとで、現に私にだけあるこのこれなど何もない（そこには何の違いもない）ことになってしまう！

かかる帰結は端的に、事実に反する。それはあるので。

だが、それを「内容成分」と見るためには、「赤い」は同時に無寄与性の輝きを、つまり山括弧を、帯びねばならぬ（「この薔薇は〈赤い〉」）。そのとき山括弧の内側には、指標詞としての「私」（や「今」）のみならず、その content world（〃内容的な＝充ち足りた〃世界）の全体が、つまり不可避的に「私の世界」全体が、すでに入ってきていざるをえない。独在性の残照を帯びて、世界は山括弧に黄昏れる。

しかしそのような世界像を提出するためには、各時点どこにでもあるような「クオリア」といった存在者を考えているようでは、不十分である。クオリアは属性としては個別的（＝記述され切らない）でも、各時点に分配されている（何度でも〃同じ〃クオリアが生起しうる）という意味では、すでに高度に「一般者」だからである。「時点」という仕方で一般化され、「同定」の可能性が問題になるような水準まで落とされてしまえば、もはや一方向性は作動できない。〈今〉が「そこでは現在であるような時点」化されてしまえば、時制における一方向性の制約によって、そこから還ってくることはもうできないからである。一方向性を確保するためには、人称的にそれを捉えるのみならず、人称に留まらない〝独今論的直観〟もが、是非とも必要になってくる（〝この〜〟とつくような「個物」が問題になるのも、個物が有意味でありうるのは〝今ここ〟でしかないからで、個物の問題は言語哲学というよりも形而上学の職分であるように思える）。そのとき「クオリア」は「時間において受肉した物自体」すなわち〈A変容〉となり、「私の今の言語[5]」は「独在する所与の実質」を語る〈A変容言語〉となり、（永遠の相における）人生の内容全体が山括弧の内に入ってくる、人生に相渉る。これが、今回の発表で私の企図したことであった。

　重要なことは、今の変容が山括弧の内に入るということであり、語り得ぬものとなるということであり、逆説的に、そこからすべてが語られるものとなるということである。クオリアの可能性は「私の今」と不即不離であり、従ってそれが〈A変容〉することは必然的である。（時間的他者としての他時点の私を含めた）ゾンビに、「同じこと」が言えてしまってはならないからである。〈A変容言語〉は孤絶しており、それは〈私〉にとって真に有意味なものであるが、それが真に有意味なものであるがために、他時点の私にとってすら意味をなしえず、何も伝達しない。人称・時制の両面から、それに語られたもの（変容する実質）は、独在性の輝きを帯びているのでなければならない。そのようにして理解されなければ、私が何を言っているのか決してわからない。この建築が合法であろうと違法であろうと、これは他ならぬ永井哲学の上に建て増されなければならなかった堂宇であり、いくら奇態な実をならせるとしても、それ以外の土地に蒔かれていれば初めから発芽しなかったような種類の果樹である。

人生に山括弧の相渉るとは何の謂ぞ——これはところで、もちろん北村透谷の代表的な評論「人生に相渉るとは何の謂ぞ」[6]を下敷きにしたフレーズである。明治期の文学論争として並ぶもののない侃《かん》諤《がく》を捲き起こす発端となったこの論文は、徳富蘇峰ひきいる民友社に拠った山路愛山の「頼襄《らいのぼる》を論ず」[7]の冒頭の文章に反撥した透谷が、「人生に相渉る」ことの意味を問うて、主宰する『文学界』誌上で駁撃を仕掛けたものである。文学的功利主義者・社会改良主義者とされる愛山は、頼山陽の史的意義を評価したその評伝を、次のように起筆していた。

☆

文章即ち事業なり。文士筆を揮《ふる》ふ猶《なほ》英雄剣を揮ふが如し。共に空《くう》を撃つが為めに非ず為す所あるが為也。万の弾丸、千の剣芒、若《も》し世を益せずんば空の空なるのみ。華麗の辞、美妙の文、幾百巻を遺して天地間に止《とゞま》るも、人生に相渉らずんば是《これ》も亦《また》空の空なるのみ。文章は事業なるが故に崇むべし、吾人が頼襄を論ずる即ち渠《かれ》の事業を論ずる也。[8]

愛山によれば、文章とは「事業」である。山陽は『外史』はじめ、歴史家として・日本人として、天下人心を教訓したがゆえに事業を成した。透谷によれば、愛山の山東京山や、西鶴への賞揚も（そして西行や馬琴への軽侮も）、その平民的理想（勧善懲悪）によって社会を陶化し、またその写実主義によって当時の社会を知る「役に立つ」ゆえの評価である。山陽の勤王論や京山の写実は、直接に、人生に相渉る。けれども文学の目的は「事業」ではない——文士もまた戦う者であるにしても、それは直接の敵を相手どって限局された戦場で戦うようなものではない。そこでは一見すると何の功蹟も残さず、「空の空」を撃っているようにみえる者が、ひとり秘かに霊の剣をふるって星に至ろうとする目論みを蔵していることがあるのだ。これが透谷の言い分である。

透谷は「高大なる事業」という言葉を使って、愛山の「事業」と対比している。また「文学が人生に相渉るものなることは余も是を信ずるなり」とも「明治文学管見」[9]で補説している。してみると、ここでは「事業」や「人生に相渉る」ということの意味が、直接的なものとそうでないものとに二重化されているわけである。愛山批判の標題が「何ぞ人生に相渉るべきや」等にならず、そこで「人生に相渉る」の「謂」（意味）が問われなければならなかった理由は、まさにこの二重化こそが論点であって、それが透谷の人生に相渉り続けた問題であったからに他ならない。

私もまた、「風間くん問題」から出発しつつ、人生に山括弧が相渉ることの「意味」を問うていた。そして「一方向性」を経由して、そこにもまた〝二重化〟が発見されていた。すなわちある意味では、山括弧は人生に対して無寄与の長物であり、それは人生にまったく相渉らない。別の意味では、山括弧は人生全体を可能にするという仕方で、真に人生に相渉っている（というか、人生そのものである）。なおまたしかし、そうであると誰もが〝言う〟ことによって、独在性がすべての人に成立するという矛盾した事態が起こり、それは世界の独在論的存在構造という機構の一部に埋めこまれてしまう。すると本来の山括弧は語り得ぬものとなり、ふたたび人生に相渉ることができなくなる。……　こうした運動が生じていた。
「肉」に対して「霊」の力を強調し、世を益する「活用（ユチリチー）」に対して魂の「活路」を呈示するとき、透谷もじつは部分的には同型の問題に直面していたのではないだろうか？「肉」は見えるが、「霊」は目に見えないからである。霊における「事業」は「空を撃つ剣の如きもの」であり、それは事象内容として陳列されることがもはやできない。従って、それが人生に相渉っているといっても、別の意味では全然相渉ってなどいない（何も撃っていない）ことになる。霊の事業は、社会の内部には、そもそも存在していないからだ。しかし注意しよう、透谷の問題は「山括弧」それ自身ではない。そうではなく、透谷が問題にしているのは「文学」の人生に相渉る可能性である。それは、私が「私の世界」を表現することが、いかにして世界と摩擦し、人生に相渉ることができるかという問題なのである。だとするなら、むしろそれは、今回の発表における私の問いの路線に近しいものである。透谷の青春の課題たる霊肉の二元的相克、そうかれにとっては青春こそが人生であったが、その二元的相克を――愛山によれば、哲学の飢渇という時代精神から「善き物と悪しき物とを撰ばずして之《これ》を呑噬《どんぜい》し終《つひ》に不消化不健康なる思想を蔓延せしめ[10]」たにすぎぬ、西欧の道学者流の糟粕《そうはく》といったものでしかない透谷の高踏主義を、その蹉跌《さてつ》を――こういう光で照らしてみることはできないのだろうか？

　人生相渉論の白眉とも言える、その後半で展開される芭蕉の読解に、注目してみたいと思う。本邦の文学に宗教性（他界に対する観念）の欠如せることに透谷はかねがね長歎を発しており、その例外と考えうる「ロマンチック・アイデアリスト[11]」曲亭馬琴と、「不立文字[12]」芭蕉庵桃青とを、くりかえし高く評価していた。愛山にとって市井の実用文学者であった芭蕉は、透谷にとっては平民的理想を薫育した平明なる俳諧師ではおよそなかった。相渉論においても、いまから目をくれようとする池辺明月句の解釈は、ひときわ透谷の筆の冴えを感じさせる箇所である。

明月や池をめぐりてよもすがら

池の岸に立っているのは、「肉」をもって成ったひとりの人間である。かれは立派な「事業」に向かい、世をすばらしく裨益《ひえき》することもできる。人生に、直接的に、相渉ることもできる。かれは池に、つくづくと凝視《みい》っている。水面の下は、「実」の世界である。これをまた、「事象内容」の世界である、と考えることもできる。人生を直接的に構成する、改訂版「第〇次内包」の世界である。かれはやがて、それに満足し切れない自分をみいだす。「実」の世界をはみ出してしまう、〈私〉の存在に気づく。かれは「空の空」を撃とうと、もがきはじめる。かれは池畔を、めぐりだす。「池の周辺を一めぐりせり。一めぐりにては池の全面を睨《にら》むに足らざるを知りて、再回せり。再回は池の全面を睨むに足りしかど、池の底までを睨らむことを得ざりしが故に、更に三回めぐりたり、四回めぐりたり、而して終によもすがらめぐりたり」[13]。かれが没入しているのは、ある意味では「実」の世界である。けれども、かれは「何物をか池に写して睨みたるなり。何物をか池に打ち入れて睨みたるなり。何物にか池を照さしめて睨みたるなり」[14]。つまり、池の内側から見たのではけっして捉えることのできないようなものを、かれの側から池へ二重映しして見ている。そこで投げ入れられているものとは、もとより池の内部にはそもそも存在していないようなもの、すなわち山括弧である。水中の、事象内容の世界しかなくともそこで薔薇は赤く、事業はただ偉大である。けれどもそれにすべての「意味」を与え、〈 〉で包括するのは池の中には存在しない、かれの側である、と、かれはすでに気づいてしまった。かれの視線は水中の出来事に、影響を与えることはできない。けれどもかれの送る視線こそが、それら全体に「意味」を、世界の実質を、賦与している。かれは人生に相渉らないことによって、全的に人生に相渉っている。これが「一方向性」である。池をめぐる〈私〉は、池の内容（「実」）に、一方向的に、相渉っているのだ。そのとき〈私〉はどうなるか。透谷の言葉では“Annihilation”する、すなわち消滅し、無我となる。そのような〈私〉の位置は、空間的にも時間的にも、客観的世界把握の内にはありえないものだから、それは当然である。「彼は実を忘れたるなり、彼は人間を離れたるなり、彼は肉を脱したるなり。実を忘れ、肉を脱し、人間を離れて、何処にか去れる」[15]。飛翔する山括弧は、「想」の力によって水面に映し出されたものの背後をなす虚界へ、すなわち「明月」＝イデア界に達する。

「池」は、それ自身として「自然」である。けれども、それを照らし出すもの「名月」もまた「自然」である。「人生に相渉る」ことの意味の二重化にともなって、ここでは「自然」の姿も二つに分裂している[16]。一方は「力としての自然」であり、誘惑や欲情や空想といった、すべての人生の内容的意味が、この自然にはべったりと貼りついている。それが「力（フォース）」であるのは、肉として在る人間に対して、それが暴威をふるうからだ。水中に留まるかぎり、心理的なものまで含めて、世界に起こる出来事は肉としての私と相互作用しているだけであり、まさに客観的事実に食らい尽くされた私に、もはや残るところのものはない。しかし、私は〈私〉でもあることによって、客観的世界から身を隠し、忽然と消えてしまうこともできる。揺動する水面（すぐ後に述べるように、それは〈A変容〉していると考えて差し支えない）に映る「団々《だんだん》たる明月」に気づいたとき、私はすでに水中にはなく、そこから身を離し、暗闇のなか、ただひとり池畔に佇んでいる自分を発見する。そのとき宇宙には、誰もいない。私と同じことを語れる隣人（＝ゾンビ）は、いてはならない――というより、単にい̇な̇いのである。このとき出現してくる自然が二つめの自然、「美妙なる自然」であり、それに対する感情こそ、透谷の鋭利な詩的直観が芭蕉の裡《うち》に洞察してみせた「崇高（サブライム）」である。

ここで明月句の時間的性格に着目してみよう。「池をめぐ」ることとは、通常の「移動」ではない。それは出発点があって目的地のあるような、前に進んでゆく時間性の構造をしていない。「よもすがら」とは、明らかに幅のある時間である。しかし焦点はつねに初句の「明月や」の上をたゆたっており、現在池の岸のどの地点にいるのかや、池を何回めぐったのか、などということには関心がない。水面はずっと揺れており、そこには月が永遠に映り続けている。もちろん誰かが問うならば、私はわれに返り、今自分が池の周縁のどこを歩いているとか、もう三回は池をめぐってしまったとか、伝えることはできるだろう。しかし、〈私〉に向かって問い̇か̇けうる隣人など、そもそも最初から存在しないのである。このとき時間性は、必然的に〈A変容〉の様態を、円環的時間としての構造をとる。

けれども、「必然的に」とは、何か。様相としての必然̇性̇、どこで何度くりかえしても同じ様態として生起するということは、ここでは決定的に余分ではないか？〈A変容〉の真の意味とは、そこに並び立つ時間的他者などありえないような仕方で実質が孤絶しているということ、他時点など単にないということである。[17] 従って、それは「円環的」時間などという仕方で表象される必要もない。時間として表象する必要が、そもそもないのである。そこではクオリアと、クオリアのもつ時間的性質とを区別することもできない。あえていえば「時間という輝きを帯びたクオリア」であるが、これは定義ではなく、そのような表現でしか示されることができないものである。

「美妙なる自然」において出会われるものは、しかし“Nothingness”ではない。それは内容を伴った「世界」であり、全体として〈私〉の内に入った、まさに変容する内実である。それを〈私―世界〉という、山括弧の拡張表記によって表わしてもよい。山括弧の〈赤〉というものが例えばありうるとするなら、それは本当は〈私―赤〉というカップリングとして書かれるべきものである。ここで「赤」という概念を利用してかまわない。この審級ではそれが可能になっている、ということがポイントである。「それは昨日の赤と同じか、どうか?」とかと、不安になる必要はない。なぜならその「赤」は、はじめから〈A変容言語〉で語られた、実質それ自体が山括弧を伴った概念としての〈赤〉であり、そして「単にない」という理由によって、その〝外〟を考えることはできないからだ。「私の今の言語」ならまだあったような、他時点に向かって（その試みは必然的に失敗しようとも）少なくとも何かを伝えようとはする、という機能すらを、〈A変容言語〉は欠いている。だから懐疑は成り立たず、概念として出会われる通りに、それはそのものである。透谷はけして、池をめぐることで「明月」の意味それ自体が解体する、とは述べていない。それどころか、そこで到達される地点は「想」の領域であり、すなわち“Idea”である、と、はっきり言っている。これは哲学用語で言えば

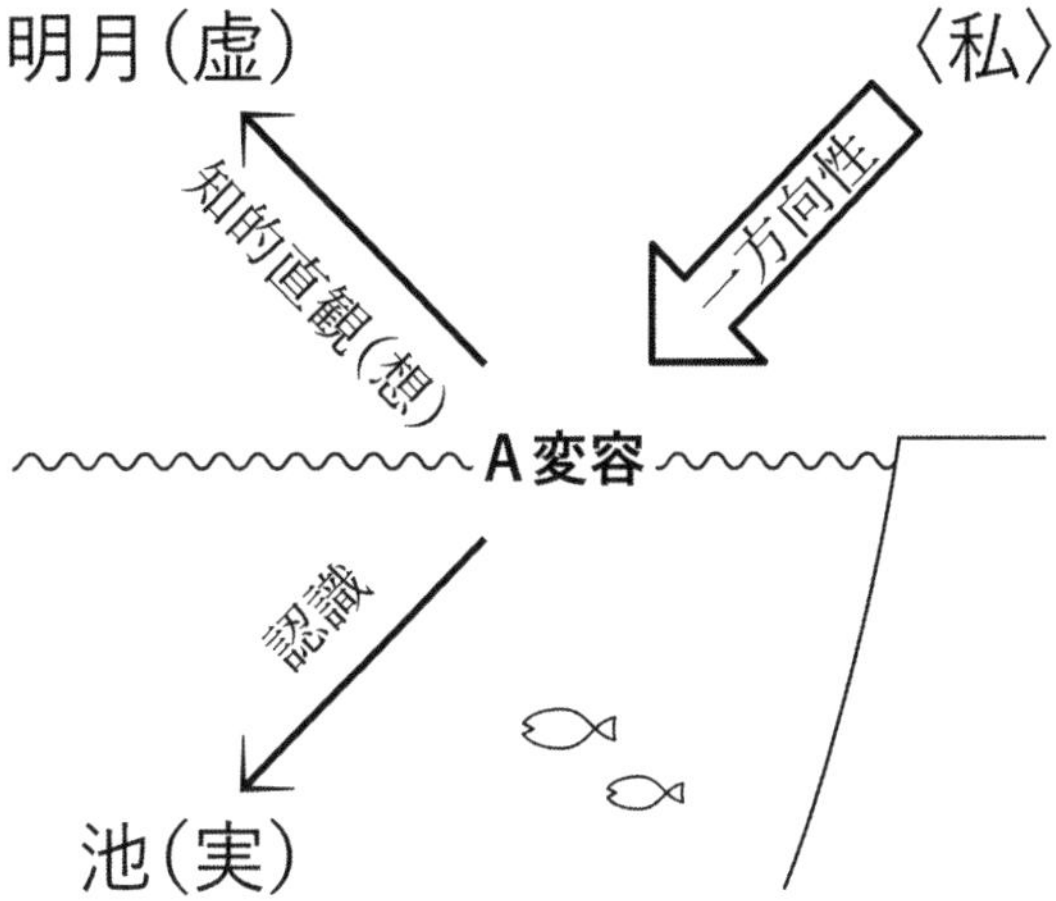

“瞬間の冥契”

「知的直観」である。しかしむしろ、いったい哲学で「知的直観」などといったことが問題になりうるのも、ただ「〈私〉は〈私の世界〉を語ることができる！」ということへの驚愕のあらわれである、と見たほうがよい。世界の（タテ・ヨコ両方向での）超越論的構成というものが、カントの考えたように諸能力の働きであるというよりも、むしろ「〈私〉は谷口一平なる人物として、世界の中に存在してもいる！」ということの端的な〝発見〟であり、それへの驚愕のあらわれである、と見るほうが適切であるように。シェリングが「知的直観」を永遠の相と結びつけ、時間や持続の否定としてそれを捉えていることも、〈A変容言語〉が真理であるためには「単になさ」によって孤絶、独在していなければならない、という事情を映しているからではないだろうか。

透谷の言う「池をめぐりてよもすがらせる如き人の、一躍して自然の懐裡に入りたる後に、彼処《かしこ》にて

「見出すべき朋友」[18]とは、このような「独在性の輝きを帯びた実質」(=「哲学塾」版第〇次内包)のことである。そう考えることができる。山括弧は（無内包ではあっても）決して無〝内容〟ではなく、その括弧は「この世ならぬ朋友と共に、逍遙遊するを楽し[19]」んでいるのである。しかし本当に、そのとき〝語る〟ことは必要だろうか？――これが、最後の問いである。

他時点に向かって何事をも伝えないような言語、そんなものに本当に意味はあるのだろうか？〈私〉の語っていることが「嘘」にならずに、どこかの誰かへ（あるいは、明日の私へさえ）届く可能性はまったくない。そのとき、語られたものが「意味」の光輝に充ち満ちているのとうらはらに、語るという行為はどのような「意味」も持ちえない。そこではむしろ、沈黙だけが真実の言語でありうるのではないか――扶桑第一の名勝・松島に遊びながら一句をだに成さず西帰した無言の達士・芭蕉について書いたとき[20]、透谷の胸を去来したものは何であったろうか。絶大なる景色は文字を殺し、「我」を没する。そのとき訪れるものが「冥交」また「契合」と呼ばれている。それは「内部生命論[21]」においても、ふたたび「瞬間の冥契」と呼ばれている。事象内容という池をめぐり、そこに二重映しされた明月とともにすべてが輝くとき、瞬間の冥契は訪れている。けれども詩人は、無言のままであることはできない。「大自在の妙機を懐にして無言坐する[22]」としても、いつか詩人は語らねばならない[23]。だからこんなものは嘘だ。

哲学者もまた、語らねばならない。こんな透谷の解釈など、嘘である。一方向的な内容的世界の存在など、嘘である。しかしそれなら、そもそもの山括弧それ自体についての「一方向性」にしたところで、同様の嘘でしかないだろう。ゾンビだってそう語れるがゆえに、どう考えたってそれは嘘である。それは、そうであるとしか見えないときにはしかしそうでしかありえないという意味において、そのような世界の真実のたしかにあることをやはり語ってもまたいはするけれども。

1　永井均『存在と時間――哲学探究1』（文藝春秋、二〇一六年）第1章、二三頁。
2　永井均『世界の独在論的存在構造――哲学探究2』（春秋社、二〇一八年）第5章、八四頁。
3　前掲『探究1』第10章、一八〇頁。
4　ヒュームの「印象 impression」と「観念 idea」という知覚における区別をめぐっては、成田正人氏の諸研究発表より貴重な示唆を受けた。なお成田氏の研究は、『なぜこれまでからこれからがわかるのか――デイヴィッド・ヒュームと哲学する』と題された一書として、先頃（二〇二二年九月）青土社より公刊されている。
5　永井均『私・今・そして神――開闢の哲学』（講談社現代新書、二〇〇四年）第3章参照。
6　北村透谷「人生に相渉るとは何の謂ぞ」『文学界』明治二六年二月。
7　山路愛山「頼襄を論ず」『国民之友』明治二六年一月。
8　同前。傍線引用者。
9　北村透谷「明治文学管見（日本文学史骨）」『評論』明治二六年四月。
10　山路愛山「凡神的唯心的傾向に就て」『国民新聞』明治二六年四月一六日。
11　北村透谷「処女の純潔を論ず（富山洞伏姫の一例の観察）」『白表・女学雑誌』明治二五年一〇月。
12　同前。
13　前掲「人生に相渉るとは何の謂ぞ」。

14 同前。

15 同前。

16 人生相渉論において二つの「自然」が区別されていることについては、例えば水上勲が指摘している（「「人生相渉論争」をめぐる二、三の問題」『同志社国文学』第7号、一九七二年二月）。

17 透谷が「美妙なる自然」を、「死朽」や「運命」を離れたものとして表現しているのも、それらの時間的な「単になさ」を考え併せてみれば、至極当然のことである。

18 前掲「人生に相渉るとは何の謂ぞ」。

19 同前。

20 北村透谷「松島に於て芭蕉翁を読む」『女学雑誌』明治二五年四月。

21 北村透谷「内部生命論」『文学界』明治二六年五月。

22 前掲「人生に相渉るとは何の謂ぞ」。

23 このような〝意味〟と言語表現との間でひき裂かれた意識に、透谷の「帰属意識への傷」を見て、それを近代の起源の問題として論じたものに、岡部隆志「近代の発生・北村透谷論：「人生相渉論争」を読む」（『明治大学日本文学』第16号、一九八八年八月）がある。ある意味では同じ問題を、本稿とはまったく別の角度から論じているが、それもまた別様の「世界の真実」ではあろうと思う。

永井均（ながい　ひとし）

一九五一年生まれ。慶應義塾大学大学院文学研究科博士課程単位取得。信州大学人文学部教授、千葉大学文学部教授、日本大学文理学部教授を歴任。専攻は哲学・倫理学。著書に『存在と時間――哲学探究1』（文藝春秋、二〇一六年）、『世界の独在論的存在構造――哲学探究2』（春秋社、二〇一八年）、『遺稿焼却問題――哲学日記 2014-2021』、『独自成類的人間――哲学日記 2014-2021』（ともにぷねうま舎、二〇二二年）、『哲学的洞察』（青土社、二〇二二年）、『独在性の矛は超越論的構成の盾を貫きうるか――哲学探究3』（春秋社、二〇二二年）など。

入不二基義（いりふじ　もとよし）

一九五八年生まれ。東京大学大学院博士課程単位取得。専攻は哲学。現在、青山学院大学教育人間科学部心理学科教授。主な著書に『現実性の問題』（筑摩書房）、『あるようにあり、なるようになる 運命論の運命』（講談社）、『相対主義の極北』（ちくま学芸文庫）、『哲学の誤読』（ちくま新書）、『足の裏に影はあるか？ ないか？ 哲学随想』（朝日出版社）、『時間と絶対と相対と』（勁草書房）など。

青山拓央（あおやま　たくお）

一九七五年生まれ。千葉大学大学院社会文化科学研究科単位取得。専攻は哲学（慶應義塾大学より博士号授与）。現在、京都大学大学院人間・環境学研究科准教授。主な著書に『時間と自由意志』（筑摩書房）、『幸福はなぜ哲学の問題になるのか』（太田出版）、『心にとって時間とは何か』（講談社現代新書）、『分析哲学講義』（ちくま新書）など。

谷口一平（たにぐち　いっぺい）

一九八九年生まれ。日本大学大学院文学研究科博士前期課程修了。専攻は哲学。十代より哲学討論ＮＰＯの運営に携わり、現在は独立哲学者として活動。主な論文に「存在と抒情——短歌における〈私〉の問題」（『未来哲学』第二号）、「オスカー・ベッカーにおける非本来的根源性」（未公刊）、編著に『遺稿焼却問題』『独自成類的人間』（以上、ぷねうま舎）がある。

〈私〉の哲学　をアップデートする

2023年２月20日　初版第１刷発行

著者Ⓒ＝永井　均、入不二基義、青山拓央、谷口一平
発行者＝神田　明
発行所＝株式会社 春秋社
〒101－0021　東京都千代田区外神田2－18－6
電話　(03) 3255－9611（営業）
(03) 3255－9614（編集）
振替　00180－6－24861
https://www.shunjusha.co.jp/
印刷所＝信毎書籍印刷 株式会社
製本所＝ナショナル製本協同組合
装　丁＝木下　悠

ISBN 978-4-393-32404-2 C0010
定価はカバー等に表示してあります